ESTRADA ESCURA

A marca FSC é a garantia de que a madeira utilizada na fabricação do papel deste livro provém de florestas que foram gerenciadas de maneira ambientalmente correta, socialmente justa e economicamente viável, além de outras fontes de origem controlada.

DENNIS LEHANE

ESTRADA ESCURA

TRADUÇÃO
Fernanda Abreu

COMPANHIA DAS LETRAS

Copyright © 2010 by Dennis Lehane
Todos os direitos reservados

Grafia atualizada segundo o Acordo Ortográfico da Língua Portuguesa de 1990, que entrou em vigor no Brasil em 2009.

Título original
Moonlight mile

Capa
Elisa Randow

Foto de capa
Tuca Vieira

Preparação
Ciça Caropreso

Revisão
Renata Del Nero
Valquíria Della Pozza

Dados Internacionais de Catalogação na Publicação (CIP)
(Câmara Brasileira do Livro, SP, Brasil)

Lehane, Dennis
 Estrada escura / Dennis Lehane ; tradução Fernanda Abreu.
— São Paulo : Companhia das Letras, 2012.

Título original: Moonlight mile.
ISBN 978-85-359-2008-6

1. Ficção — Literatura norte-americana I. Título.

11-12528   CDD-813

Índice para catálogo sistemático:
1. Ficção : Literatura norte-americana 813

2012

Todos os direitos desta edição reservados à
EDITORA SCHWARCZ LTDA.
Rua Bandeira Paulista 702 cj. 32
04532-002 — São Paulo — SP
Telefone (11) 3707-3500
Fax (11) 3707-3501
www.companhiadasletras.com.br
www.blogdacompanhia.com.br

*Para Gianna Malia
Bem-vinda, Little G*

I am just living to be lying by your side
But I'm just about a moonlight mile on
*down the road**
Mick Jagger e Keith Richards, "Moonlight mile"

---

* Só estou vivo para me deitar ao seu lado/ Mas já estou uma milha à frente nesta estrada escura. (N. T.)

PARTE 1

VOCÊ PARECIA TÃO REAL

1

Em uma tarde ensolarada e atipicamente quente de início de dezembro, Brandon Trescott saiu do spa do luxuoso Chatham Bars Inn, em Cape Cod, e entrou em um táxi. Uma desagradável sequência de multas por dirigir embriagado lhe valera a proibição de conduzir qualquer veículo automotor no estado de Massachusetts nos trinta e três meses seguintes, portanto Brandon sempre andava de táxi. Aos vinte e cinco anos, filho playboy de uma juíza do Supremo Tribunal e de um figurão da mídia local não era o típico jovem rico babaca. Ele fazia questão de se superar nisso. Quando o poder público finalmente apreendeu sua habilitação, ele já estava na quarta infração por dirigir embriagado. Tinha recorrido das duas primeiras, conseguindo transformá-las em "direção imprudente", e a terceira lhe valera uma severa advertência, mas a quarta tinha ferido outra pessoa que não Brandon, que escapou ileso.

Nessa tarde de inverno, com a temperatura beirando os quatro graus, Brandon usava um casaco de capuz estilosamente manchado e desbotado vendido nas lojas por cerca de novecentos dólares sobre uma camiseta de seda branca cuja gola era puxada para baixo por óculos escuros de seiscentos dólares. Sua bermuda *baggy* exibia pequenos rasgos, cortesia da criança indonésia de nove anos que tinha sido mal e porcamente paga para colocá-los ali. Ele estava de chinelo em pleno mês de dezembro e ostentava um despojado chumaço de cabelos louros no estilo surfista que tinha o encantador hábito de viver caindo na frente de seus olhos.

Uma noite, depois de beber o equivalente ao próprio peso em uísque Crown Royal, Brandon capotou com seu Dodge Viper quando voltava do cassino em Foxwoods com a namorada no banco do passageiro. Embora ela fosse sua namorada havia apenas duas semanas, era improvável que um dia namorasse outra pessoa. Seu nome era Ashten Mayles, e ela vivia em estado vegetativo desde que o teto do carro afundara bem em cima de seu crânio. Um dos últimos atos que tentara realizar enquanto ainda tinha pleno domínio de seus membros fora arrancar a chave do carro da mão de Brandon no estacionamento do cassino. Segundo testemunhas, ele reagira à preocupação da garota jogando um cigarro aceso em cima dela.

Naquela que fora possivelmente a primeira vez em que Brandon tivera de enfrentar consequências reais na vida, os pais de Ashten, que não eram ricos, mas tinham bons contatos políticos, tinham decidido fazer tudo o que estivesse a seu alcance para garantir que ele pagasse por seus erros. O resultado fora um processo movido pelo promotor público do condado de Suffolk por direção sob influência de álcool e conduta imprudente. Brandon passou o julgamento todo com cara de quem estava chocado e moralmente indignado por alguém ter conseguido se safar depois de ter exigido que ele assumisse a responsabilidade. Ao final do julgamento, foi condenado e cumpriu uma pena de quatro meses de prisão domiciliar. Em uma casa muito agradável.

Durante o processo civil que transcorreu em seguida, descobriu-se que o menino rico na verdade não tinha bem nenhum. Não tinha carro, não tinha casa. Até onde se sabia, não tinha nem mesmo um iPod. Nada estava em seu nome. Os bens estiveram em seu nome *antes*, mas ele tinha passado tudo para os pais, discretamente, no dia anterior ao acidente. Era o *antes* que deixava todo mundo indignado, mas ninguém podia provar nada. Quando o júri do processo civil concedeu uma indenização de sete milhões e meio de dólares à família Mayles, Brandon Trescott virou os bolsos do avesso e deu de ombros.

Eu tinha uma lista de todas as coisas que ele possuía antes e que estava legalmente proibido de usar. Por decisão judicial, o uso desses objetos significaria não somente aparência de posse, mas a posse em si. Os Trescott recorreram da definição usada pelo tribunal para a palavra "posse", porém a imprensa caiu em cima deles e o protesto popular foi tão forte que daria para guiar um navio até o porto em noite de neblina, de modo que eles acabaram assinando o acordo.

No dia seguinte, em um esplêndido "foda-se" tanto para a família Mayles quanto para a gritaria geral, Layton e Susan Trescott compraram um apartamento para o filho em Harwich Port, uma vez que os advogados dos Mayles não tinham incluído no acordo rendas ou bens futuros. E foi até Harwich Port que eu segui Brandon no início desta tarde de dezembro.

O condomínio recendia a mofo, cerveja choca e comida apodrecendo na pia em pratos sujos. Eu sabia disso porque já tinha ido lá duas vezes instalar grampos, copiar todas as senhas do computador dele e fazer o trabalho de espionagem que os clientes pagam fortunas para fingir que não sabem que caras como eu fazem. Eu tinha vasculhado os poucos papéis que conseguira encontrar, mas sem achar nenhuma conta bancária da qual já não soubéssemos nem um demonstrativo de rendimentos no mercado de ações que não tivesse sido informado. Depois de hackear o computador dele, encontrei mais ou menos a mesma coisa: nada a não ser seus choramingos egoístas para velhos amigos de faculdade e algumas cartas imensas e patéticas a editores de jornais coalhadas de erros de ortografia e jamais enviadas. Ele acessava vários sites pornográficos e lia todos os artigos escritos a seu respeito.

Quando o táxi o deixou em casa, tirei meu gravador digital do porta-luvas. No dia em que arrombei seu apartamento para hackear o computador, instalei um transmissor de áudio do tamanho de um grão de sal embaixo do móvel da televisão e outro no quarto. Escutei-o soltar uma série de pequenos grunhidos enquanto se preparava para o banho, e depois os ruídos que fez enquanto tomava uma chuveirada, se secava, trocava de roupa, servia uma bebida, ligava o televisor de tela plana para sintonizar em algum reality show lamentável sobre gente burra e acomodava-se no sofá para coçar o saco.

Dei um ou dois tapas nas minhas bochechas para me manter acordado e comecei a folhear o jornal que estava em cima do banco do carro. Estava previsto um novo pico de desemprego. Um cão havia resgatado seus donos de um incêndio em Randolph, apesar de ter sido recentemente operado no quadril e estar com as pernas traseiras presas a uma cadeira de rodas canina. O chefão local da máfia russa tinha sido acusado de dirigir embriagado depois de encalhar o carro na praia de Tinean durante a maré alta. O Boston Bruins tinha vencido em um esporte que me deixava com sono quando eu assistia, e um jogador de terceira base da liga profissional de beisebol com sessenta e seis centímetros de circunferência de pescoço protestava indignado diante de alegações de doping por anabolizantes.

O celular de Brandon tocou. Ele começou a falar com um sujeito que não parava de chamar de "brou", só que a palavra soava mais como "broa". Conversaram sobre os jogos do PlayStation 2 *World of Warcraft* e *Fallout 4*, sobre os rappers Lil Wayne e T.I. e sobre uma mulher que conheciam da academia cujo perfil no Facebook mencionava o quanto ela malhava no Wii Fit apesar de, tipo, morar bem em frente a um parque, e eu olhei pela janela do carro e me senti velho. Era uma sensação que vinha tendo com frequência nos últimos tempos, mas que não me causava tristeza. Se era assim que as pessoas de vinte e poucos anos ocupavam seu tempo atualmente, elas que ficassem com seus vinte e poucos anos. Podiam ficar com os trinta e poucos também. Inclinei o encosto do banco e fechei os

olhos. Depois de algum tempo, Brandon e seu broa encerraram a conversa dizendo:
— Falou, broa, se cuida então.
— Se cuida você também, broa, se cuida aí direitinho.
— Aí, broa.
— O quê?
— Nada, não. Esqueci. O bagulho tá foda.
— Que bagulho?
— O bagulho de esquecer as coisas.
— Ah, tá.
— Falou então.
— Falou então.
E os dois desligaram.

Procurei razões para não dar um tiro na minha cabeça. Encontrei umas vinte ou trinta bem depressa, mas mesmo assim não tive muita certeza se conseguiria suportar mais uma conversa entre Brandon e um de seus "broas".

Dominique era outra questão. Era uma garota de programa que havia entrado na vida de Brandon dez dias antes pelo Facebook. Na primeira noite, eles passaram duas horas no chat. Desde então, tinham se falado três vezes pelo Skype. Dominique não havia tirado nenhuma peça de roupa, mas fora generosa nas descrições do que aconteceria caso (a) ela algum dia se dignasse a ir para a cama com ele, e (b) ele conseguisse arrumar a significativa quantia em dinheiro necessária para isso. Dois dias antes, eles tinham trocado números de celular. E, que Deus a abençoe, ela ligou uns trinta segundos depois de ele encerrar a ligação com o broa. Aliás, era assim que o babaca atendia o telefone:

Brandon: Que foi?
           (É sério. E as pessoas continuavam ligando para ele.)
Dominique: Oi.
Brandon: Ah, *oi*. Porra. Oi! Você está na área?
Dominique: Vou estar.

Brandon: Então chega mais.
Dominique: Você esqueceu o que a gente falou no Skype. Eu não iria para a cama com você aí nem usando um macacão antirradioativo.
Brandon: Então finalmente você está pensando em ir para a cama comigo. Nunca conheci uma puta que escolhesse com quem vai para a cama.
Dominique: Você já conheceu alguma bonita como eu?
Brandon: Não. E olha que você tem tipo a idade da minha mãe. Mas mesmo assim. Porra. Você é a mulher mais gostosa que eu já...
Dominique: Que gracinha. E vamos esclarecer uma coisa... eu não sou puta. Sou prestadora de serviços carnais.
Brandon: Eu não sei nem o que isso significa.
Dominique: Não me espanta nada. Agora vá compensar um título, um cheque ou sei lá o que, e depois venha me encontrar.
Brandon: Quando?
Dominique: Agora.
Brandon: Agora, tipo agora?
Dominique: Agora, tipo agora. Eu estou na cidade hoje à tarde, e apenas hoje à tarde. Não quero ir para um hotel, então é melhor você arrumar outro lugar, e eu não vou esperar muito.
Brandon: E se for um hotel muito bom?
Dominique: Agora vou desligar.
Brandon: Você não vai des...

Ela desligou.
Brandon soltou um palavrão. Jogou o controle remoto na parede. Depois chutou alguma coisa. — A única puta cara que você vai conhecer na vida? — disse, falando sozinho. — Sabe o que mais, broa? Você pode comprar umas dez que nem ela. E pó também. Vá para Vegas.

Sim, ele realmente chamava a si mesmo de "broa".
O telefone tocou. Ele devia ter jogado o aparelho junto com o controle remoto, porque o toque soou distante e eu o ouvi atravessar a sala aos tropeços para ir buscá-lo. Quando chegou lá, o telefone já tinha parado de tocar.

— *Puta que pariu!* — gritou bem alto. Se eu estivesse com a janela aberta, poderia ter escutado do carro.

Levou mais uns trinta segundos para começar a rezar.

— Olha aqui, broa, eu sei que fiz umas merdas aí, mas, juro, pode fazer ela ligar de novo? Juro que vou à igreja e coloco uma porrada de verdinhas naquele cesto. E vou ser um cara melhor. Só faz ela ligar de novo, broa.

Sim, ele realmente chamou Deus de "broa".

Duas vezes.

O toque do celular mal teve tempo de soar antes de ele abrir o aparelho.

— Oi?
— Você só tem uma chance.
— Eu sei.
— Me dê um endereço.
— Cacete. Eu...
— Tá bom. Vou deslig...
— Marlborough Street, 773, entre as ruas Dartmouth e Exeter.
— Qual apartamento?
— Não tem apartamento. O prédio todo é meu.
— Vou demorar uma hora e meia.
— Eu não consigo um táxi aqui tão rápido, e a hora do rush já está chegando.
— Então aprenda a voar. Vejo você em uma hora e meia. Daqui a uma hora e trinta e um minutos já vou ter sumido.

O carro era um Aston Martin DB9 2009. Vendido no mercado por duzentos mil. Dólares. Quando Brandon o tirou da garagem duas casas adiante, eu o risquei da lista em cima do banco ao meu lado. Também tirei cinco fotos dele dentro do carro enquanto ele aguardava o tráfego na rua diminuir para poder sair.

Brandon pisou no acelerador como se estivesse partindo em uma expedição rumo à Via Láctea, e eu nem sequer me dei ao trabalho de ir atrás. Do jeito que ele costurava no trânsito, até mesmo alguém com o cérebro de uma lesma como Brandon seria capaz de me ver colado ao seu rabo. De toda forma, eu não precisava segui-lo; sabia exatamente para onde ele estava indo, e conhecia um atalho.

Ele chegou oitenta e nove minutos depois do telefonema. Subiu a escada correndo e abriu a porta com uma chave; eu o fotografei fazendo isso. Subiu correndo também a escada interna, e eu entrei atrás dele. Deixei uma folga de uns cinco metros entre nós, e ele estava tão ligado que demorou uns bons dois minutos para me notar. Na cozinha do primeiro andar, quando estava abrindo a geladeira, virou-se assim que bati algumas fotos com a câmera e recuou até a janela alta atrás de si.

— Quem é você, porra?

— Isso não tem muita importância — respondi.

— Você é um paparazzo?

— Por que um paparazzo ia querer saber de você? — Tirei mais algumas fotos.

Ele recuou um pouco para me olhar com atenção. Superou o medo de um desconhecido ter invadido sua cozinha e passou a avaliar a ameaça que tinha diante de si.

— Você não é muito grande. — Ele inclinou a cabeça de surfista. — Eu poderia pôr você para correr daqui com um chute na bunda.

— Não sou muito grande — concordei —, mas você com certeza não conseguiria me pôr para correr com um chute na bunda. — Abaixei a câmera. — Estou falando sério. Olhe nos meus olhos.

Ele olhou.

— Entende o que estou dizendo?

Ele assentiu de leve com a cabeça.

Pendurei a câmera no ombro e acenei para ele.

— Estou de saída mesmo. Então, olha, boa foda pra você, e vê se não transforma mais ninguém em vegetal.

— O que você vai fazer com essas fotos?
Eu disse as palavras que partiriam meu coração.
— Mais ou menos nada.
Ele fez cara de quem não entendeu, o que não era de estranhar nele.
— Você trabalha para a família Mayles, não é?
Meu coração se partiu mais um pouco.
— Não, não trabalho. — Dei um suspiro. — Eu trabalho para Duhamel-Standiford.
— É um escritório de advocacia?
Fiz que não com a cabeça.
— De segurança. Investigação.
Ele retribuiu meu olhar, com a boca aberta e os olhos semicerrados.
— Quem nos contratou foram seus pais, seu imbecil. Eles acharam que você acabaria fazendo alguma burrice porque... bom, porque você é burro, Brandon. Este pequeno incidente de hoje deveria confirmar todas as suspeitas deles.
— Eu não sou burro — ele disse. — Estudei no Boston College.
Em vez de uma dúzia de respostas, um arrepio de exaustão percorreu minha espinha.
Aquilo era minha vida ultimamente. Aquilo.
Saí da cozinha.
— Boa sorte, Brandon. — Quando estava no meio da escada, parei. — A propósito, Dominique não vai aparecer. — Tornei a me virar para o alto da escada e apoiei o cotovelo no corrimão. — E, ah, o nome dela não é Dominique.
Seus chinelos emitiram o mesmo barulho de um beijo molhado quando ele atravessou o piso de madeira e surgiu no vão da porta acima de mim.
— Como é que você sabe?
— Porque ela trabalha para mim, seu idiota.

2

Ao sair da casa de Brandon, fui me encontrar com Dominique no restaurante Neptune Oyster, no bairro de North End.

Assim que me sentei, ela disse, com os olhos um pouco mais arregalados que de costume:

— Foi divertido. Me conte tudo que aconteceu quando chegou na casa dele.

— Podemos pedir antes?

— As bebidas já estão a caminho. Conta, conta.

Contei. Nossas bebidas chegaram, e arranjamos tempo para dar uma olhada no cardápio e escolher sanduíches de lagosta. Ela tomou uma cerveja light. Eu tomei uma água com gás. Lembrei a mim mesmo que aquilo seria melhor para mim do que cerveja, principalmente à tarde. Mas uma parte minha ainda achava que eu tinha me vendido. Em troca do que eu tinha me vendido ainda não estava muito claro para mim; mesmo assim, era essa a minha sensação.

Quando terminei o relato do meu encontro com Brandon Chinelinho, ela bateu palmas e disse:

— Você chamou mesmo ele de burro?

— Chamei de umas outras coisas também. A maioria não foi elogiosa.

Quando nossos sanduíches de lagosta chegaram, tirei o paletó, dobrei-o e pendurei-o no braço da cadeira à minha esquerda.

— Nunca vou me acostumar com isso — ela comentou. — Você assim, todo arrumado.

— É, bom, as coisas mudaram. — Dei uma mordida no meu sanduíche. Aquele talvez fosse o melhor sanduíche de lagosta de Boston, o que o transformava provavelmente no melhor sanduíche de lagosta do mundo. — Não é a roupa que me incomoda. É ter que arrumar o cabelo.
— Mas esse terno é bonito. — Ela tocou a manga do meu paletó. — Bem bonito. — Ela mordeu seu sanduíche e avaliou o resto do meu visual. — Bela gravata também. Foi sua mãe quem escolheu?
— Para dizer a verdade, foi minha mulher.
— *Ah, é...* você é casado — ela disse. — Que pena.
— Pena por quê?
— Bom, talvez não seja uma pena para você.
— Nem para a minha mulher.
— Nem para a sua mulher — ela admitiu. — Mas tem gente que se lembra de uma época em que você era bem mais, hã... bem mais divertido, Patrick. Você se lembra dessa época?
— Lembro.
— E?
— Parece bem mais divertido me lembrar dela do que vivê-la.
— Sei lá. — Ela arqueou uma das sobrancelhas de contorno suave e tomou um gole de cerveja. — Pelo que me lembro, você aproveitou bastante.
Bebi um pouco d'água. Na verdade, esvaziei o copo. Tornei a enchê-lo com a água da garrafa azul caríssima que tinham deixado em cima da mesa. Perguntei-me, não pela primeira vez, por que era socialmente aceitável deixar uma garrafa de vinho na mesa, mas não uma de uísque ou de gim.
— Você não disfarça muito bem — ela disse.
— Não sabia que eu estava disfarçando.
— Pode confiar em mim: estava.
É estranho como uma mulher bonita é capaz de transformar rapidamente o cérebro de um homem em geleia. Pelo simples fato de ser uma mulher bonita.

Levei a mão ao bolso interno do paletó. Peguei um envelope e o estendi por cima da mesa.

— Seu pagamento. A Duhamel-Standiford já descontou os impostos.

— Quanta gentileza deles. — Ela guardou o envelope na bolsa.

— Não sei se foi uma gentileza. Mas eles respeitam as regras à risca.

— Você nunca respeitou — ela disse.

— As coisas mudam.

Ela refletiu sobre isso, e seus olhos escuros ficaram ainda mais escuros, mais tristes. Então seu rosto se iluminou. Levou a mão à bolsa e tornou a pegar o envelope. Deixou-o em cima da mesa entre nós dois.

— Tive uma ideia.

— Não teve, não.

— Tive, sim. Vamos tirar cara ou coroa. Se der cara, você paga o almoço.

— Eu já vou pagar o almoço.

— Se der coroa... — Ela bateu com uma das unhas na lateral do copo de cerveja. — Se der coroa, eu compenso esse cheque e nós vamos a pé até o hotel Millenium, pedimos um quarto e passamos o resto da tarde danificando a estrutura de um colchão de molas ensacadas.

Tomei outro gole de água.

— Estou sem moedas.

Ela franziu o cenho.

— Eu também.

— Que pena.

— Por favor — ela disse ao nosso garçom. — Você teria uma moeda de vinte e cinco centavos para nos emprestar? Já devolvemos.

O garçom lhe entregou a moeda, exibindo um leve tremor nos dedos por uma mulher que tinha quase o dobro da sua idade. Mas ela era capaz de fazer isso: desestabilizar homens de qualquer idade.

Quando ele se afastou, ela disse:

— Que gracinha esse garçom.
— É. Pena que ainda use fralda.
— Ah, para com isso. — Ela apoiou a moeda na unha e encostou o polegar na ponta do indicador. — Cara ou coroa?
— Eu não vou apostar — falei.
— Vamos lá. Cara ou coroa?
— Tenho que voltar ao trabalho.
— Fique à toa hoje. Eles não vão nem notar.
— Mas eu vou notar.
— Como você é íntegro — ela disse. — Acho que a integridade é supervalorizada.

Ela moveu o polegar; a moeda subiu em direção ao teto, depois tornou a cair em cima da mesa. Aterrissou em cima do envelope, bem entre a minha água e a cerveja dela.

Deu cara.

— Que merda — ela disse.

Quando o garçom passou, devolvi-lhe a moeda e pedi a conta. Enquanto ele foi buscá-la, não dissemos nada. Ela terminou sua cerveja light. Eu terminei minha água. O garçom passou meu cartão de crédito e eu fiz as contas para dar uma bela gorjeta. Quando ele voltou, entreguei-lhe o dinheiro.

Olhei por cima da mesa para os olhos grandes e amendoados dela. Seus lábios estavam entreabertos; se você soubesse onde olhar, poderia detectar uma lasquinha na parte de baixo do incisivo superior esquerdo.

— Vamos mesmo assim — falei.
— Para o quarto de hotel.
— É.
— Para o colchão de molas.
— *Sí.*
— Deixar os lençóis tão amassados que ninguém nunca mais vai conseguir passar.
— Não sejamos tão ambiciosos.

Ela abriu o celular e ligou para o hotel. Depois de alguns instantes, disse:

— Eles têm um quarto disponível.
— Reserve.
— Quanta decadência.
— A ideia foi sua.
Minha mulher continuou falando ao telefone.
— Vamos ficar com esse, se estiver livre agora. — Ela me lançou outro olhar cheio de malícia, como se tivéssemos os dois dezesseis anos e estivéssemos pegando o carro do pai dela sem ele saber. Voltou a aproximar a boca na direção do telefone. — O sobrenome é Kenzie. — Ela soletrou. — Isso. K de kiwi. Angie Kenzie.

No quarto, perguntei:
— Você prefere que eu chame você de Angie ou de Dominique?
— A questão é o que você prefere?
— Eu gosto dos dois.
— Os dois, então.
— Ei.
— O que foi?
— Como é que vamos estragar os lençóis se estamos aqui na cômoda?
— Boa. Está me segurando firme?
— Estou.

Depois de termos pego no sono ao som das buzinas e dos sons distantes do tráfego na hora do rush dez andares abaixo, Angie se apoiou em um dos cotovelos e disse:
— Que loucura.
— É, foi uma loucura mesmo.
— Temos dinheiro para pagar?
Ela já sabia a resposta, mas respondi mesmo assim.
— Provavelmente, não.
— Que merda. — Ela baixou os olhos para os lençóis brancos de percal de inúmeros fios.

Toquei seu ombro.

— De vez em quando temos o direito de viver um pouco. A DS meio que me garantiu que iria me contratar como fixo depois deste trabalho.

Ela ergueu os olhos para mim, depois voltou a olhar para os lençóis.

— "Meio que me garantiu" não é certeza.

— Eu sei.

— Eles estão acenando para você com essa porra de história de fixo há...

— Eu sei.

— ... há muito tempo. Não está certo.

— Eu sei que não está. Mas o que eu posso fazer?

Ela fez uma careta de raiva.

— E se eles não fizerem uma proposta de verdade?

Encolhi os ombros.

— Sei lá.

— Nós estamos quase sem dinheiro.

— Eu sei.

— E temos uma conta do seguro-saúde para pagar.

— Eu sei.

— É só isso que você tem para dizer, "Eu sei"?

Percebi que meus dentes estavam tão cerrados que poderiam se partir.

— Estou puxando o saco de todo mundo, Angie, e fazendo trabalhos de que não gosto para uma empresa que não me agrada tanto assim para um dia poder ser contratado como fixo e podermos ter seguro-saúde, benefícios e férias remuneradas. Eu não gosto disso mais do que você, mas, a menos que você termine os estudos e arrume outro emprego, não sei mais que porra eu posso fazer ou dizer para mudar as coisas.

Nós dois respiramos fundo, com os rostos um pouco vermelhos demais, sentindo as paredes um pouco próximas demais.

— Só estou conversando — ela disse com uma voz branda.

Olhei pela janela por um minuto e senti todo o temor e a tensão ameaçadores dos últimos dias preencher meu crânio e acelerar as batidas do meu coração.
Depois de algum tempo, falei:
— Esta é a melhor alternativa que temos agora. Se a Duhamel-Standiford continuar a me enrolar, aí, sim, vou ter que reconsiderar minha estratégia. Vamos torcer para que isso não aconteça.
— Tá bom — ela disse, e as palavras saíram acompanhadas de uma longa e lenta expiração.
— Pense assim — falei. — As nossas dívidas são tão grandes e estamos tão fodidos financeiramente que o dinheiro que acabamos de torrar neste quarto de hotel não teria feito a menor diferença.
Ela batucou os dedos de leve no meu peito.
— Que coisa mais doce de se dizer.
— Ah, eu sou um cara muito bacana. Você não sabia?
— Sabia, sim. — Ela passou uma das pernas por cima da minha.
— Puxa! — falei.
Do lado de fora, as buzinas foram ficando mais insistentes. Imaginei o trânsito congestionado. Nada se movia, nada nem sequer parecia se mover.
— Se sairmos agora ou daqui a uma hora, vamos demorar o mesmo tempo para chegar em casa — eu disse.
— O que você tem em mente?
— Coisas vergonhosas. Vergonhosas mesmo.
Ela rolou para cima de mim.
— A babá vai ficar até as sete e meia.
— Tempo de sobra.
Ela abaixou a cabeça até nossas testas se tocarem. Dei-lhe um beijo. O tipo de beijo que costumávamos dar anos antes: fundo, sem pressa. Quando o beijo terminou, ela inspirou bem devagar, depois se inclinou de novo para mim e engatamos outro.
— Vamos dar um monte de beijos assim... — disse Angie.

— Tá.
— E depois fazer mais um pouco daquilo que fizemos uma hora atrás...
— Foi interessante, não foi?
— Depois vamos tomar um banho quente bem demorado...
— Eu me rendo.
— E depois vamos para casa ver nossa filha.
— Fechado.

3

O telefone tocou às três da manhã do dia seguinte.
— Lembra de mim? — Era uma voz de mulher.
— O quê? — Eu ainda estava meio dormindo. Olhei o identificador de chamadas: número confidencial.
— Você já a encontrou uma vez. Encontre-a de novo.
— Quem é?
As palavras dela escorreram pela linha telefônica.
— Você me deve isso.
— Vá dormir para curar esse porre — falei. — Vou desligar.
— Você me deve isso. — Ela desligou.

Na manhã seguinte, perguntei-me se eu havia sonhado com o telefonema. Mesmo que não tivesse sido um sonho, eu estava com dificuldade de lembrar se fora na noite anterior ou na outra ainda. Imaginei que no dia seguinte eu já teria esquecido tudo. No caminho para o metrô, fui tomando meu café da Dunkin' Donuts sob um céu baixo cor de argila com nuvens irregulares. Folhas cinzentas e esfareladas se agitavam na sarjeta, aguardando para serem fossilizadas com as primeiras nevascas. As árvores que margeavam a Crescent Avenue estavam desfolhadas e o ar frio que vinha do mar se esgueirava pelas frestas da minha roupa. Entre o final da Crescent Avenue e o porto em si, ficava a estação de metrô JFK/UMass, e mais adiante o estacionamento. A escada que descia em direção à plataforma já estava coalhada de passageiros.

Apesar disso, no alto da escada surgiu um rosto para o qual não pude evitar ser atraído. Um rosto que eu tinha torcido para não ver nunca mais. O semblante cansado e duro de uma mulher que tinha sido esquecida na fila da sorte do céu. Quando me aproximei, ela ensaiou um sorriso hesitante e levantou uma das mãos.

Beatrice McCready.

— Oi, Patrick. — A brisa ali em cima estava mais forte, e ela se defendia encolhida dentro de uma jaqueta jeans fina com a gola erguida até as orelhas.

— Oi, Beatrice.

— Desculpa eu ter ligado ontem à noite. Eu... — Ela deu de ombros, um gesto de impotência, e passou alguns instantes observando os passantes.

— Não tem problema.

As pessoas nos empurravam a caminho das catracas. Beatrice e eu saímos da frente e fomos até uma parede de metal branco onde estava pintado um mapa do metrô de dois metros por dois.

— Você está ótimo — ela disse.

— Você também.

— Que bondade a sua mentir — ela disse.

— Não estou mentindo — menti.

Fiz umas contas rápidas e calculei que ela estivesse com uns cinquenta anos. Hoje em dia, os cinquenta podem até ser os novos quarenta, mas, no caso dela, eram os novos sessenta. Seus cabelos, que antes eram de um louro arruivado, estavam brancos. As rugas do rosto eram tão fundas que podiam esconder cascalho. Ela dava a impressão de alguém tentando se segurar em uma parede de sabão.

Muito tempo antes — em outra vida —, sua sobrinha tinha sido sequestrada. Eu a tinha encontrado e devolvido para o lar onde ela vivia com a mãe, Helene, cunhada de Bea, muito embora Helene não tivesse exatamente um instinto maternal.

— Como vão as crianças?

— Crianças? — ela estranhou. — Eu só tenho um filho. Meu Deus.

Vasculhei a memória. Um menino. Disso eu me lembrava. Tinha uns cinco ou seis anos na época... merda, talvez uns sete. Mark. Não. Matt. Não. Martin. Isso, Martin, com certeza.

Considerei arriscar a sorte de novo e dizer o nome do menino, mas já tinha deixado o silêncio se arrastar por tempo demais.

— Matt já tem dezoito anos — ela disse, com os olhos cautelosos fixos em mim. — Ele está no último ano da Monument.

A Monument era o tipo de escola do ensino médio em que os alunos estudavam matemática contando suas cápsulas de balas.

— Ah — falei. — E ele gosta de lá?

— Sim... considerando as circunstâncias... você sabe, ele precisa de orientação de vez em quando, mas acabou se saindo melhor do que muitos meninos por aí.

— Que ótimo. — Arrependi-me de minhas palavras assim que elas saíram da boca. Era um comentário bobo e automático.

Seus olhos verdes cintilaram por apenas um segundo, como se ela quisesse me explicar com riqueza de detalhes como a porra da vida dela estava ótima desde que eu tinha contribuído para mandar o marido para a prisão. O nome dele era Lionel, e ele era um homem decente que tinha feito uma coisa ruim por motivos nobres e lutado em vão enquanto tudo se transformava numa carnificina à sua volta. Eu gostava muito dele. Essa tinha sido uma das maiores ironias do caso Amanda McCready: eu gostava dos bandidos muito mais que dos mocinhos. A única exceção era Beatrice. Ela e Amanda tinham sido as únicas participantes inocentes daquela sucessão de erros.

Beatrice me encarava como se procurasse alguém escondido por trás da pessoa que eu projetava. Alguém mais digno e mais autêntico.

Um grupo de adolescentes passou na catraca usando casacos com letras: atletas do ensino médio a caminho do Boston College, que ficava a dez minutos a pé dali descendo o Morrisey Boulevard.

— Quantos anos Amanda tinha quando você a encontrou? Quatro? — perguntou Bea.

— É.

— Agora ela tem dezesseis. Quase dezessete. — Ela apontou com o queixo para os atletas que desciam a escada em direção ao Morrisey Boulevard. — A mesma idade daqueles meninos.

Ouvir aquilo doeu. De alguma forma, eu tinha vivido me recusando a acreditar que Amanda McCready tivesse envelhecido. Que ela fosse qualquer coisa diferente da menina de quatro anos que eu tinha visto pela última vez no apartamento da mãe olhando para uma televisão enquanto um comercial de comida para cachorro passava no tubo de raios catódicos que banhavam seu rosto.

— Dezesseis anos — falei.

— Dá para acreditar? — Beatrice sorriu. — Aonde será que o tempo vai parar?

— No tanque de gasolina de outra pessoa.

— Verdade.

Outro grupo de atletas e algumas crianças com cara de estudiosas vieram na nossa direção.

— No telefone você disse que ela tinha sumido de novo.

— É.

— Ela fugiu de casa?

— Com uma mãe feito Helene, isso não é nada impossível.

— Algum motivo para pensar que a situação seja mais... sei lá, mais grave do que isso?

— Bom, para começo de conversa, Helene se recusa a admitir que a filha sumiu.

— Você ligou para a polícia?

Ela concordou.

— Claro. Eles foram perguntar a Helene sobre a filha. Ela disse que Amanda estava bem. A polícia parou por aí.

31

— Por que a polícia pararia por aí?
— *Por quê?* Em 1998, Amanda foi sequestrada por funcionários municipais. O advogado de Helene processou a polícia, o sindicato, a cidade. Ele conseguiu três milhões de dólares. Embolsou um milhão e os outros dois foram para uma poupança em nome de Amanda. A polícia morre de medo de Helene, de Amanda, dessa história toda. Se Helene olha nos olhos deles e diz: "Minha filha está bem, podem ir embora", adivinha o que eles fazem?
— Você falou com alguém da imprensa?
— Falei — ela respondeu. — Eles também não quiseram se meter.
— Por quê?
Ela deu de ombros.
— Porque têm mais o que fazer, acho.
Aquilo não fazia sentido. Havia alguma coisa que ela não estava me contando, embora eu não conseguisse imaginar o que era.
— Beatrice, o que você acha que eu posso fazer em relação a isso?
— Não sei — ela disse. — O que você pode fazer?
A brisa agora mais fraca agitou seus cabelos brancos. Não havia nenhuma dúvida de que ela o culpava pelo fato de o marido ter sido baleado e acusado de uma série de crimes enquanto estava numa cama de hospital. Ele saíra de casa para se encontrar comigo em um bar do sul de Boston. De lá, fora para o hospital. Do hospital, para a cadeia. Tinha saído de casa numa quinta-feira à tarde para nunca mais voltar.
Beatrice continuava me olhando do mesmo jeito que as freiras costumavam me olhar na escola primária. Eu não gostava disso na época, e continuava não gostando agora.
— Beatrice? — falei. — Eu sinto muito se seu marido sequestrou a própria sobrinha porque achava que a irmã era uma péssima mãe.
— *Achava?*
— Mas ele a sequestrou.

— Foi para o bem da menina.

— Ah, tá bom. Então a gente deveria deixar qualquer pessoa decidir o que é melhor para uma criança que não é sua. Sério, por que não? Atenção, crianças com pai ou mãe babaca, façam fila na estação de metrô mais próxima. Vamos despachar vocês para a Terra Encantada, onde vão viver felizes para sempre.

— É só isso que você tem para dizer?

— Não, ainda não acabei. — Eu podia sentir crescendo dentro de mim uma raiva que ia se aproximando da superfície da minha pele a cada ano. — Eu já tive de aguentar muita merda estes anos por ter feito o meu trabalho com Amanda. Porque foi isso que eu fiz, Bea. O trabalho que fui contratado para fazer.

— Pobrezinho... — ela disse. — Como você é incompreendido.

— O trabalho que *você* me contratou para fazer. "Encontre minha sobrinha", você disse. E eu a encontrei. Se você agora quer passar os próximos dez anos fazendo cara feia para mim para que eu me sinta culpado, fique à vontade. Fiz o meu trabalho.

— E várias pessoas saíram machucadas.

— Mas quem as feriu não fui *eu*. Tudo o que fiz foi encontrá-la e levá-la de volta para casa.

— É assim que você convive com essa história?

Recostei-me na parede e soltei um suspiro comprido de frustração. Levei a mão ao bolso e saquei meu cartão do metrô para passar pela catraca.

— Bea, eu preciso ir trabalhar. Foi um prazer ver você. Sinto muito não poder ajudar.

— É por causa de dinheiro? — ela indagou.

— Por causa de dinheiro o quê?

— Eu sei que nunca pagamos por aquela vez em que você a encontrou, mas...

— O quê? Não... — falei. — Não tem nada a ver com dinheiro.

— Então o que é?

— Olha aqui — falei, com a voz mais branda possível. — Na atual conjuntura econômica, o meu cinto está tão apertado quanto o de qualquer outra pessoa. *Não*, não tem nada a ver com dinheiro, mas eu também não posso me dar ao luxo de pegar um trabalho não remunerado. E estou a caminho de uma entrevista com alguém que *talvez* me arrume um emprego fixo, então de qualquer forma eu não poderia aceitar nenhum caso. Entende?

— Helene está namorando um cara — ela disse. — Quer saber a última dela? O cara esteve preso, é claro. Adivinha por quê.

Balancei a cabeça frustrado e esbocei um gesto de desinteresse.

— Crimes sexuais.

Doze anos antes, Amanda McCready fora sequestrada por seu tio Lionel e por alguns policiais que agiam fora da lei e que não tinham nenhum interesse em pedir resgate ou machucar a menina. O que eles queriam era pôr a criança em um lar com uma mãe que não bebesse como se fosse sócia de uma fábrica de gim nem escolhesse seus namorados na Galeria de Aberrações Sexuais. Quando encontrei Amanda, ela estava morando com um casal que a amava. Os dois estavam decididos a lhe proporcionar saúde, estabilidade e felicidade. Em vez disso, foram presos, e Amanda foi devolvida à casa da mãe. Por mim.

— Você nos deve, Patrick.

— O quê?

— Eu disse que você nos deve.

Senti a raiva vindo outra vez, um tique-taque que aos poucos foi se transformando na batida de um tambor. Eu tinha feito a coisa certa. Sabia que tinha. Na minha cabeça não havia a menor dúvida disso. No lugar da dúvida, porém, o que eu sentia era aquela raiva — uma raiva confusa, desprovida de lógica, que ficava mais profunda a cada dia dos doze anos anteriores da minha vida. Pus as mãos nos bolsos para evitar dar um soco na parede onde estava o mapa branco do metrô.

— Eu não devo nada a ninguém. Nem a você, nem a Helene, nem a Lionel.

— E a Amanda? Não acha que deve alguma coisa a ela? — Bea levantou o polegar e o indicador, quase encostando um no outro. — Nem um pouquinho?

— Não — respondi. — Cuide-se, Bea. — Comecei a andar em direção às catracas.

— Você nunca perguntou sobre ele.

Parei. Enfiei as mãos mais fundo nos bolsos. Dei um suspiro. Tornei a me virar para ela.

Ela passou o peso do corpo do pé esquerdo para o direito.

— Lionel. A esta altura ele já deveria ter saído, você sabe, um cara normal como ele. Quando ele se declarou culpado, o advogado nos disse que ele seria condenado a doze anos, mas só cumpriria seis. Bom, essa foi a sentença. Até aí eles disseram a verdade. — Ela deu um passo na minha direção. Parou. Então deu dois passos para trás. A multidão ia passando entre nós dois, e algumas pessoas nos lançavam olhares. — Ele apanha muito lá dentro. Coisas piores também, só que não fala sobre isso comigo. Lionel não foi feito para um lugar daquele. Ele é um homem doce, sabe? — Ela deu mais um passo para trás. — Ele entrou numa briga. Um cara tentou pegar alguma coisa que meu marido não quis dar. Lionel é grande, e acabou machucando o sujeito. Então teve que cumprir os doze anos, e a pena agora está quase no fim. Só que eles estão falando em novas acusações se ele não delatar outros presos. Para ajudar a polícia federal com uma gangue que trafica drogas e outras coisas para dentro da prisão, sabe? Estão dizendo que, se Lionel não ajudar, vão aumentar a pena dele. E nós pensávamos que ele fosse sair em *seis anos*. — Os lábios dela se imobilizaram entre um sorriso interrompido e um franzir de cenho impotente. — Eu às vezes não sei mais de nada, sabe? Juro que não sei.

Eu não tinha onde me esconder. Sustentei o olhar da melhor maneira que pude, mas acabei baixando os olhos para o piso de borracha preta.

Outro grupo de estudantes passou atrás dela. Riam de alguma coisa, alheios a tudo. Beatrice os viu passar, e sua alegria fez com que ela murchasse. Ela parecia leve o bastante para a brisa soprá-la escada abaixo.

Estendi as mãos.

— Eu não presto mais serviços independentes.

Ela assentiu com a cabeça ao ver minha mão esquerda.

— Você se casou?

— Casei. — Dei um passo em sua direção. — Bea, escute...

Ela ergueu uma das mãos em um gesto duro.

— Tem filhos?

Parei. Não disse nada. De repente, não consegui achar as palavras.

— Não precisa responder. Eu sinto muito. Sinto mesmo. Foi burrice minha vir aqui. É que eu, sei lá, eu... — Ela moveu os olhos para a direita por alguns instantes. — Aposto que você é bom nisso.

— Hã?

— Aposto que você é um pai muito bom. — Ela me deu um sorriso contido. — Sempre achei que fosse ser.

Ela se virou para acompanhar a multidão que saía da estação e desapareceu do meu campo de visão. Passei pela catraca e desci a escada até a plataforma do metrô. Dali podia ver o estacionamento que conduzia ao Morrisey Boulevard. A multidão avançava da escada para o asfalto, e por alguns instantes tornei a ver Bea, mas só por alguns instantes. Então a perdi de vista. Na multidão havia muitos alunos do ensino médio, muitos dos quais eram mais altos do que ela.

4

Meu trajeto era de apenas quatro estações na linha vermelha do metrô. Mesmo assim, quando se está imprensado dentro de uma lata de sardinhas ambulante com uma centena de pessoas, quatro estações podem amarrotar bastante um terno. Desci na estação South e sacudi braços e pernas em uma inútil tentativa de recuperar o viço do meu terno e do meu sobretudo, depois caminhei até o número dois da Internacional Place, um arranha-céu tão elegante e implacável quanto um picador de gelo. O escritório da Duhamel-Standiford Global ficava no vigésimo oitavo andar.

A Duhamel-Standiford não tuitava. Não tinha blog nem aparecia nenhum *pop-up* seu do lado direito da tela quando alguém digitava "investigação particular boston" no campo de pesquisa do Google. A agência não constava das páginas amarelas nem da contracapa da revista *Você & Sua Segurança*, nem implorava por clientes às duas da manhã entre um comercial de aparelho de musculação e outro de garotas de programa. A maioria das pessoas da cidade nunca tinha ouvido falar na empresa. Todo trimestre, seu orçamento publicitário era o mesmo: zero.

E eles estavam em atividade havia cento e setenta anos.

A empresa ocupava metade do vigésimo oitavo andar do edifício. A janela leste dava para o porto. As salas voltadas para o norte tinham vista para a cidade lá embaixo. Em nenhuma das janelas havia persianas. Todas as portas e baias eram de vidro fosco. Às vezes, mesmo no auge do verão, isso fazia com que a gente quisesse vestir o casaco.

Os dizeres na porta de vidro da frente eram menores do que a maçaneta:

**DUHAMEL-STANDIFORD
CONDADO DE SUFFOLK, MA
FUNDADA EM 1840**

Depois que a porta se abriu automaticamente para mim, entrei em uma sala de espera ampla com paredes brancas. A única coisa pendurada nelas eram quadrados e retângulos de vidro fosco, nenhum com mais de trinta centímetros de altura ou largura, a maioria com dezoito por vinte e três centímetros mais ou menos. Impossível ficar sentado ou em pé nessa sala sem se sentir observado.

Atrás da única mesa dessa imensa sala, estava sentado um homem que sobrevivera a qualquer pessoa que não se lembrasse do tempo em que ele não estivera sentado ali. Seu nome era Bertrand Wilbraham. Sua idade, indefinível: ele tanto podia ser um cinquentão detonado quanto um oitentão bem conservado. Sua pele me lembrava o sabão em barra marrom que meu pai usava no banheiro do porão e, com exceção das duas sobrancelhas muito finas e muito pretas, sua cabeça não tinha um só pelo. Sua barba nem sequer despontava no fim do dia. Todos os funcionários e colaboradores do sexo masculino da Duhamel-Standiford eram obrigados a usar terno e gravata. O estilo do terno e da gravata ficava a critério de cada um — embora cores pastel e estampas floridas fossem vistos com maus olhos —, mas a camisa tinha de ser branca. Branca e lisa, sem nenhuma risca, por mais fina que fosse. Bertrand Wilbraham, porém, sempre usava camisa cinza-clara. Os ternos e as gravatas mudavam, por mais difícil que fosse detectar a diferença, passando de cinza liso a preto liso a marinho liso, mas a camisa cinza dele permanecia a mesma, sempre quebrando o protocolo, como quem diz: A revolução será implacável.

O sr. Wilbraham não parecia gostar muito de mim, mas

eu me consolava pensando que ele não parecia gostar muito de ninguém. Nessa manhã, assim que me deixou entrar, ele ergueu um papelzinho de recados cor-de-rosa de sua escrivaninha imaculada.

— O senhor Dent pediu que o senhor vá à sala dele assim que chegar.

— Eu já cheguei.

— Devidamente anotado. — O sr. Wilbraham abriu os dedos. A folhinha de papel cor-de-rosa caiu de sua mão e flutuou para dentro do cesto de lixo.

Ele abriu para mim o conjunto seguinte de portas automáticas, e desci um corredor forrado com carpete cinza-claro. Na metade do corredor, ficava uma sala usada por colaboradores externos como eu, quando dávamos expediente no escritório a serviço da empresa. Não havia ninguém na sala nesse dia, o que significava que o direito de ocupação era todo meu. Entrei e, por um breve instante, permiti-me fantasiar que, quando o dia chegasse ao fim, aquela sala seria minha. Tirei esse pensamento da cabeça e larguei minhas malas em cima da mesa. Na mala de ginástica, estava minha câmera e a maior parte do equipamento de vigilância que eu tinha usado no caso Trescott. Na mala do laptop, estavam o computador e uma foto da minha filha. Tirei minha arma do coldre e a coloquei na gaveta da mesa. Ali ela ficaria até o fim do dia, pois eu gostava tanto de andar armado de um lado para o outro quanto de comer couve-portuguesa.

Saí do cubículo de vidro e percorri o corredor cinza-claro até a sala de Jeremy Dent. Dent era o vice-presidente de recursos humanos, e fora ele quem havia me dado trabalho pela primeira vez dois anos antes. Antes disso, eu trabalhava como autônomo. Tinha um escritório enfurnado na torre do campanário da igreja de São Bartolomeu, onde não pagava aluguel. Um arranjo inteiramente ilegal entre mim e o pastor Drummond. Quando a arquidiocese de Boston foi obrigada a começar a acertar as contas pelas décadas de acobertamento de estupros de crianças por padres depravados, mandaram um avaliador à igreja. Assim, minha sala de aluguel gratuito desapareceu de forma tão completa quanto o sino que outrora habitava o campanário, mas que não existia desde que Carter fora presidente dos Estados Unidos.

Dent vinha de uma extensa linhagem de militares de boa família e posição social da Virginia, e havia se formado em terceiro lugar na sua turma da academia de West Point. Depois vieram o Vietnã, o War College, universidade que acolhia oficiais, e uma carreira de ascensão veloz nas Forças Armadas. Ele tinha servido em um posto de comando no Líbano em meados da década de 1980, regressado aos Estados Unidos e se aposentado. Afastara-se de tudo com trinta e seis anos e a patente de tenente-coronel, por motivos que nunca foram inteiramente elucidados. Em Boston, seu caminho cruzou com o de antigos amigos da família — gente cujos antepassados tinham chegado ao país no *Mayflower*, o primeiro navio de imigrantes a atracar na Nova Inglaterra —, que lhe falaram de uma vaga em uma empresa que poucos no círculo deles sequer mencionavam, a menos que a situação ficasse muito feia.

Vinte e cinco anos depois, Dent era sócio dessa empresa. Tinha uma mansão de ripas brancas em estilo tradicional em Dover e uma casa de veraneio em Vineyard Haven. Tinha uma linda esposa, um filho de rosto másculo, duas filhas longilíneas e quatro netos que pareciam passar suas horas de lazer posando para anúncios da Abercrombie & Fitch. E apesar de tudo ele carregava consigo, como um prego cravado na nuca, aquilo que o fizera abandonar a carreira militar. Por mais que seus modos fossem encantadores, ninguém nunca se sentia completamente à vontade com ele, pois ele nunca parecia completamente à vontade consigo mesmo.

— Pode entrar, Patrick — disse depois que a secretária me acompanhou até sua porta.

Entrei, e trocamos um aperto de mão. O prédio da alfândega de Boston, a Custom House, espiava por cima do

ombro direito dele, enquanto uma das pistas do aeroporto de Logan despontava por baixo de seu cotovelo esquerdo.
— Sente-se, sente-se.
Sentei-me, e Jeremy Dent também se sentou na cadeira de sua sala de canto e pousou os olhos na cidade por um minuto.
— Layton e Susan Trescott me ligaram ontem à noite. Eles me disseram que você resolveu aquela situação do Brandon. Que conseguiu fazê-lo tropeçar.
Assenti.
— Não foi muito complicado.
Ele ergueu um copo d'água para brindar a isso e tomou um gole.
— Eles disseram que vão mandá-lo para a Europa.
— O supervisor da condicional dele vai adorar.
Ouvir o que ele próprio havia pensado o fez arquear as sobrancelhas.
— Foi exatamente o que eu disse. Além do mais, a mãe dele é juíza. Ela pareceu genuinamente surpresa. Criar filhos, meu Deus... um milhão de maneiras de fazer merda, umas três de fazer a coisa certa. E isso no caso das mães. Como pai, sempre senti que o melhor que poderia esperar era conseguir chegar ao nível do eunuco com o maior saco. — Ele terminou sua água e tirou os pés da borda da mesa. — Quer um suco ou algo assim? Não posso mais tomar café.
— Aceito.
Ele foi até o bar debaixo de um televisor de tela plana e pegou uma garrafa de suco de *cranberry*, depois começou a procurar gelo. Trouxe os dois copos, brindou batendo o dele no meu, e nós dois bebemos um gole de suco em pesados copos de cristal Waterford. Ele tornou a se sentar, pôs os calcanhares sobre a mesa e pousou os olhos na cidade.
— Você provavelmente deve estar pensando na sua situação aqui na empresa.
Arqueei as sobrancelhas de leve para ele. Torci para

que o gesto transmitisse a mensagem de que eu estava interessado, mas não desesperado.

— Você já fez excelentes trabalhos para nós, e eu disse que reavaliaríamos a ideia de contratá-lo como fixo quando você encerrasse o caso Trescott.

— É, eu me lembro.

Ele sorriu, tomou outro gole.

— Como você acha que correu o caso?

— Com Brandon Trescott?

Ele concordou.

— Da melhor forma que se poderia esperar. Quer dizer, conseguimos fazer o garoto mostrar para nós o jogo que estava escondendo antes de mostrá-lo para alguma repórter de jornal popular disfarçada de stripper. Tenho certeza de que os Trescott já começaram a esconder de novo os seus bens.

Ele deu uma risadinha.

— Sim, por volta das cinco da tarde de ontem.

— Certo, então. Eu diria que tudo correu bastante bem.

Ele concordou.

— Correu, sim. Você economizou um caminhão de dinheiro para eles e nos deixou bem na fita.

Aguardei o "mas".

— Mas — ele continuou — Brandon Trescott também disse aos pais que você o ameaçou na cozinha de sua casa e que o xingou.

— Eu o chamei de burro, se bem me lembro.

Ele ergueu um pedacinho de papel de cima da mesa e o consultou.

— E de imbecil. E de idiota. E fez uma piada dizendo que ele transformava pessoas em legumes.

— Ele deixou aquela garota numa cadeira de rodas — falei. — Para o resto da vida.

Ele deu de ombros.

— Não somos pagos para nos importar com ela ou com a família dela. Somos pagos para impedir que eles arranquem dinheiro dos nossos clientes. A vítima? Não é problema nosso.

— Eu nunca disse que era.

— Você acabou de dizer: "Ele deixou aquela garota numa cadeira de rodas".

— E eu não tive nenhuma má vontade com ele por causa disso. Como você disse, trabalho é trabalho. E eu fiz o meu.

— Mas você o xingou, Patrick.

Repeti lentamente cada uma daquelas palavras.

— Eu... o... xinguei...

— É. E os pais dele ajudam a manter esta empresa funcionando.

Coloquei meu copo sobre a mesa dele.

— Eu confirmei para eles o que todos nós sabemos: que, do ponto de vista funcional, o filho deles é um débil mental. Dei a eles todas as informações de que precisam para continuar a protegê-lo de si mesmo, para que ele consiga impedir os pais de uma menina paraplégica de pôr as mãos gananciosas no seu carro de duzentos mil dólares.

Os olhos dele se arregalaram por um segundo.

— Aquele carro custa isso? O Aston Martin?

Concordei.

— Duzentos mil. — Ele deu um assobio. — Por um carro fabricado no Reino Unido.

Passamos alguns segundos sentados em silêncio. Não tornei a pegar minha bebida e, depois de algum tempo, falei:

— Então pelo que entendo não vai haver proposta de trabalho fixo.

— Não. — Ele sacudiu a cabeça devagar. — Você ainda não está entendendo como as coisas funcionam por aqui, Patrick. Você é um grande investigador. Mas esse seu recalque...

— Recalque? Que recalque?

— Que recalque? — Ele deu uma risadinha e fez com o copo o gesto de um pequeno brinde. — Você acha que está usando um terno bonito, mas tudo o que vejo você usando é raiva social. Você está coberto dela. E os nossos clientes também veem isso. Por que acha que nunca foi apresentado a Big D?

Big D era o apelido que a empresa inteira usava para se referir a Morgan Duhamel, seu presidente de setenta anos. Ele era o último homem da família Duhamel — tinha quatro filhas, todas casadas com homens cujos sobrenomes haviam adotado —, mas tinha sobrevivido aos Standiford. O último homem dessa família não era visto desde meados da década de 1950. Assim como vários sócios mais velhos, Morgan Duhamel mantinha sua sala na sede original da Duhamel-Standiford, uma discreta casinha com arcos na fachada, escondida na Acorn Street, no sopé da colina de Beacon Hill. Os clientes das famílias ricas mais tradicionais eram levados até lá para conversar sobre seus casos; seus filhos e os novos-ricos iam ao prédio da International Place.

— Sempre achei que Big D não se interessasse muito por colaboradores externos.

Dent balançou a cabeça.

— Ele tem um conhecimento enciclopédico desta empresa. Todos os funcionários, todas as esposas e parentes. *E* todos os colaboradores externos. Foi Duhamel quem me falou sobre o seu contato com um negociante de armas. — Ele arqueou as sobrancelhas para mim. — O velho não deixa escapar porra nenhuma.

— Ele sabe sobre mim.

— Ahã. E gosta do que vê. Ele adoraria contratá-lo como fixo. Eu também. E pôr você no caminho para se tornar sócio. Mas isso se, e somente se, você deixar de lado essa arrogância. Você acha que os clientes gostam de ficar sentados dentro de uma sala com um cara que os está julgando?

— Eu não...

— Você se lembra do ano passado? O diretor da Branch Federated veio da sede de Houston até aqui especialmente para agradecer a você. Ele nunca tinha pego um avião para agradecer a nenhum sócio, e pegou um avião para agradecer a um *externo*. Está lembrado disso?

Não era fácil esquecer aquele momento. O bônus do caso em questão tinha pago o seguro-saúde inteiro da minha família no ano anterior. A Branch Federated controlava algumas centenas de empresas, e uma das mais rentáveis se chama Downeast Lumber Incorporated, uma madeireira. A DLI funcionava em Bangor e Sebago Lake, no estado do Maine, e era a maior produtora nacional de CST, ou colunas de suporte temporário, usadas na construção civil para substituir vigas que estivessem sendo reformadas ou fabricadas fora da obra. Eu tinha me infiltrado no escritório da Downeast Lumber em Sebago Lake. Meu trabalho era me aproximar de uma mulher que tinha o esplêndido e aliterativo nome de Peri Pyper. A Branch Federated desconfiava que ela estivesse vendendo segredos industriais para a concorrência. Depois de um mês trabalhando com Peri Pyper, ficou óbvio que ela estava reunindo indícios para provar que a Branch Federated vinha adulterando o equipamento que monitorava a emissão de poluentes de sua madeireira. Quando me aproximei dela, Peri Pyper já havia reunido provas cabais de que a Downeast Lumber e a Branch Federated tinham violado intencionalmente tanto a Lei do Ar Puro quanto a Lei do Falso Testemunho. Ela podia provar que a Branch Federated tinha mandado seus gerentes manipularem a calibragem dos monitores de emissão de poluentes em oito estados da federação, que tinha mentido para o departamento de saúde pública em quatro estados e forjado os resultados de seus próprios testes de controle de qualidade em todas as unidades, sem exceção.

Peri Pyper sabia que estava sendo monitorada, de modo que não podia tirar nenhum material do prédio nem transferi-lo para o computador de sua casa. Mas Patrick Kendall, seu companheiro de bar e subgerente responsável pelas contas do departamento de marketing, podia. Depois de dois meses, ela finalmente pediu minha ajuda em uma lanchonete da rede Chili's em South Portland. Eu aceitei. Brindamos ao nosso pacto com margaritas e pedimos mais um prato de entradas mistas. Na noite seguinte, eu a ajudei a cair direto nos braços dos seguranças da Branch Federated.

Ela foi processada por violação de contrato, violação de responsabilidade fiduciária e violação de sua cláusula de confidencialidade. Foi julgada por roubo e condenada. Perdeu a casa. Perdeu também o marido, que se mandou enquanto ela cumpria a pena de prisão domiciliar. Sua filha foi expulsa da escola particular em que estudava. Seu filho foi forçado a abandonar a faculdade. De acordo com as últimas notícias que eu tivera, Peri Pyper estava trabalhando como telefonista em uma concessionária de carros usados de Lewiston, e à noite fazia faxina em uma loja da rede atacadista BJ's Wholesale na localidade próxima de Auburn.

Ela pensou que eu fosse seu companheiro de bar, seu flerte inofensivo, sua alma gêmea política. Ao ser algemada, encarou-me e viu minha traição. Seus olhos se arregalaram. Sua boca formou um O perfeito.

— Patrick, nossa — ela disse logo antes de ser levada embora. — Você parecia tão real.

Tenho quase certeza de que foi o pior elogio que já recebi.

Quando o chefe dela, um panaca gordo com um *handicap* 7 no golfe e uma bandeira norte-americana pintada no estabilizador de seu jatinho Gulfstream, veio a Boston me agradecer pessoalmente, apertei sua mão com firmeza suficiente para fazer tremer seus peitos flácidos. Respondi às suas perguntas e cheguei até a tomar uma bebida com ele. Fiz tudo o que tinham me pedido para fazer. A Branch Federated e a Downeast Lumber podiam continuar a despachar suas CST para obras espalhadas pelos Estados Unidos, México e Canadá. E o lençol freático e o solo das comunidades em que suas madeireiras operavam podiam continuar envenenando as mesas de jantar de todos os habitantes em um raio de trinta quilômetros. Quando a reunião terminou, voltei para casa com azia e tive que tomar um Zantac de cento e cinquenta miligramas com um gole de Maalox.

— Eu fui muito educado com aquele cara — falei.

— Educado da mesma forma que eu sou educado com a irmã da minha mulher quando ela está com aquela porra daquela ferida de herpes debaixo da narina esquerda.

— Você fala bastante palavrão para um homem de sangue azul — comentei.

— Falo palavrão pra caralho. — Ele ergueu um dedo. — Mas só com as portas fechadas, Patrick. Aí está a diferença. Eu modulo a minha personalidade conforme o ambiente em que estou. Você, não. — Ele deu uma volta na mesa. — É, nós desmascaramos um dedo-duro na DLC, e a Branch Federated nos recompensou regiamente. Mas e da próxima vez? Quem vai cuidar do caso deles da próxima vez? Porque não vamos ser nós.

Eu não disse nada. A vista da sala era uma beleza. O céu hesitava entre o cinza e o azul. Uma fina camada de névoa fria deixava o ar perolado. Ao longe, bem distante do centro da cidade, eu podia ver árvores negras e sem galhos.

Jeremy Dent deu a volta na mesa e se apoiou no tampo, cruzando os pés.

— Você já preencheu o formulário 479 do caso Trescott?

— Não.

— Bom, vá para a sala dos colaboradores externos e preencha. Faça a prestação de contas de despesas, e não se esqueça de preencher também o formulário 692. Fale com o Barnes, dos equipamentos, para devolver o material que usou... O que você escolheu, a Canon e a Sony?

Assenti.

— Usei também aqueles grampos novos da Taranti no apartamento do cara.

— Ouvi dizer que eles travam.

Fiz que não com a cabeça.

— Funcionaram perfeitamente.

Ele terminou de beber seu suco e me encarou.

— Olhe aqui, nós vamos arrumar um caso novo para você. E, se você conseguir resolver esse caso sem deixar ninguém puto, vamos contratá-lo como fixo, certo? Pode dizer à sua mulher que eu dei a minha palavra.

Concordei com a cabeça, sentindo um buraco no estômago.

De volta à sala vazia, refleti sobre as minhas alternativas.

Não eram muitas. Eu estava trabalhando em apenas um caso, e não havia muito dinheiro envolvido, longe disso. Um velho amigo chamado Mike Colette tinha me pedido para ajudar a descobrir que funcionário estava roubando sua empresa de transportes. Levei alguns dias examinando os papéis e cheguei a uma lista de candidatos que incluía o supervisor do turno da noite e um ou dois motoristas de fretes de curta distância, mas depois pesquisei mais um pouco e nenhum dos três me pareceu um candidato tão bom quanto eu havia pensado inicialmente. Comecei então a me interessar pela gerente de contas a pagar, que ele havia me jurado ser uma funcionária de confiança, acima de qualquer suspeita.

Eu provavelmente cobraria mais umas cinco, seis horas por aquele serviço.

A verdade era que no fim do dia eu iria embora da Duhamel-Standiford e ficaria esperando a próxima ligação deles, o próximo teste. Enquanto isso, as contas continuavam chegando todos os dias pelo correio. A comida na geladeira ia sendo consumida e as prateleiras não iam se encher de novo por um milagre. A fatura do seguro-saúde ia vencer no final do mês e eu não tinha dinheiro para pagar.

Recostei-me na cadeira. Bem-vindo à vida adulta.

Eu tinha seis dossiês de casos para atualizar e três relatórios sobre Brandon Trescott para escrever, mas em vez disso peguei o telefone e liguei para Richie Colgan, o preto mais branco dos Estados Unidos.

— *Boston Tribune*, caderno cidade — ele atendeu.
— Sua voz não parece nem um pouco a de um irmão de cor.
— O meu povo não tem voz, apenas um legado altivo e nobre interrompido temporariamente pelo chicote de brancos ordinários.
— Você está me dizendo que, se Dave Chappelle atender um telefone e George Will outro, eu vou ter dificuldade para saber qual dos dois é branco?
— Não, mas esse tipo de conversa entre cavalheiros ainda é *verboten*.
— Ah, você virou alemão agora? — perguntei.
— Só por parte do meu pai francês racista — ele respondeu. — O que você manda?
— Você se lembra de Amanda McCready? A menininha que foi...
— Sequestrada há uns cinco anos, não é?
— Doze.
— Merda. Doze anos? Com que idade nós estamos?
— Lembra quando estávamos na faculdade? Lembra o que achávamos dos coroas que ficavam falando de Dave Clark Five e Buddy Holly?
— Lembro.
— É isso que a garotada de hoje pensa quando falamos do Prince e do Nirvana.
— Que nada.
— Pode acreditar, cara. Mas voltando ao assunto: Amanda McCready.
— Tá, tá. Você a encontrou com a família do policial, levou ela de volta para casa, todo mundo na polícia detesta a sua raça e você precisa de um favor meu.
— Não.
— Não precisa de um favor meu?
— Bom, até preciso, mas o favor tem relação direta com Amanda McCready. Ela sumiu de novo.
— Não brinca!
— Sério. E, segundo a tia, ninguém está nem aí. Nem a polícia nem vocês da imprensa.

— Isso é duro de engolir. Com essa história de ciclo de notícias de vinte e quatro horas? Hoje em dia qualquer assunto rende pauta.
— Isso explica Paris Hilton.
— Nada explica Paris Hilton — ele retrucou. — Mas nesse caso... uma menina que desaparece de novo doze anos depois de o primeiro sumiço desmantelar uma gangue de policiais e custar alguns milhões para o bolso da cidade durante um ano apertado? Porra, branquelo, isso é notícia.
— Foi o que eu pensei. A propósito, você agora falou quase como um preto.
— Seu racista. Qual é o nome da tia, cara?
— Bea. Ou melhor, Beatrice McCready.
— Tia Bea, como no *The Andy Griffith Show*? Bom, aqui não é Mayberry.

Ele me ligou de volta vinte minutos depois.
— Foi bem fácil.
— O que houve?
— Conversei com o agente encarregado da investigação, inspetor Chuck Hitchcock. Ele disse que a queixa da tia foi investigada, que eles foram à casa da mãe, deram uma olhada e conversaram com a garota.
— Conversaram com a garota? Com Amanda?
— É. Era tudo invenção.
— Por que Bea inventaria um...?
— Ah, essa Bea é dura na queda, sério mesmo. Sabe a mãe da Amanda? Qual é mesmo o nome dela? Helene? Então, Helene precisou pedir uma ou duas medidas cautelares de afastamento contra essa mulher. Desde que o filho dela morreu, ela saiu do...
— Espera aí, filho de quem?
— O filho de Beatrice McCready.
— O filho dela não morreu. Ele estuda na Monument.
— Não — disse Richie devagar —, ele não estuda na

Monument. Ele morreu. No ano passado, ele e uns outros garotos estavam num carro. Nenhum deles tinha idade para dirigir, nenhum deles tinha idade para beber, mas mesmo assim estavam fazendo as duas coisas. Eles passaram reto por uma parada obrigatória no pé daquela colina grande onde ficava o hospital Santa Margarida, sabe? Um ônibus que vinha pela Stoughton Street bateu de frente no carro. Dois garotos morreram e outros dois vão passar o resto da vida falando esquisito, e nunca mais vão andar. Um dos que morreram foi Matthew McCready. Estou olhando para o nome dele neste exato instante no nosso arquivo da internet. Dia 15 de junho do ano passado. Quer o link?

5

Saí da estação JFK/UMass e tomei a direção de casa com a cabeça ainda girando. Assim que desliguei o telefone, cliquei no link enviado por Richie, e ali estava a notícia: página quatro, junho do ano anterior, um texto sobre quatro garotos que tinham ido passear em um carro roubado e descido uma ladeira à toda, doidões de maconha e Jagermeister. O motorista do ônibus não teve tempo nem de buzinar. Harold Endalis, quinze anos, paralisado da cintura para baixo. Stuart Burrfield, quinze anos, paralisado do pescoço para baixo. Mark McGrath, dezesseis anos, morto ao dar entrada no pronto-socorro de Carney. Matthew McCready, dezesseis anos, morto no local. Subi a Crescent Avenue em direção à minha casa, pensando em todas as merdas que eu tinha feito aos dezesseis anos e nas dez ou doze vezes em que poderia ter morrido — em que provavelmente eu *deveria* ter morrido — antes de chegar aos dezessete.

As primeiras duas casas na calçada sul da Crescent, um par de casinhas brancas idênticas em estilo Cape Cod, estavam abandonadas, vítimas da forte crise hipotecária que tanta alegria havia espalhado pelo país recentemente. Um sem-teto me abordou em frente à segunda casa.

— Aí, mano, você tem um minuto para me escutar? Não estou pedindo esmola.

Era um cara baixinho, musculoso e barbado. O boné de beisebol, o moletom com capuz e os jeans surrados estavam encardidos. O forte cheiro que emanava me informou que fazia algum tempo que ele não tomava banho. Mas o cara não tinha olhar de maluco; não havia maldade nenhuma nele nem indício de loucura.

Parei.

— O que foi?

— Eu não sou mendigo. — Ele estendeu a mão para se defender das minhas suposições. — Que isso fique bem claro.

— Legal.

— Não sou mesmo.

— Certo.

— Mas eu tenho um filho, sabe? E arrumar emprego não está fácil. Minha mulher está doente e meu bebê precisa de leite em pó. Cada lata custa tipo sete pratas e...

Eu nem vi seu braço se mover, mas mesmo assim ele arrancou a mala com o laptop do meu ombro. Saiu correndo com ela em disparada em direção aos fundos da casa abandonada mais próxima. A bolsa continha os dossiês dos meus casos, meu laptop e uma foto da minha filha.

— Seu imbecil — falei, sem saber se estava me referindo a mim mesmo ou ao sem-teto; talvez aos dois. Quem ia adivinhar que o filho da puta tinha braços tão compridos?

Saí correndo atrás dele margeando a lateral da casa, passando por cima de ervas daninhas que batiam na altura dos joelhos e de latas de cerveja amassadas, caixas de ovo de isopor vazias e garrafas quebradas. As casas decerto serviam de moradia para desabrigados. Quando eu era criança, quem morava lá era a família Cowan, depois os Ursini. Em seguida a casa foi comprada por uma família vietnamita que fez várias reformas. Um pouco antes de o pai perder o emprego e a mãe também eles começaram a reformar a cozinha.

Nessa parte da casa, ainda faltava a parede dos fundos; algumas lonas plásticas pregadas na estrutura se agitavam à brisa da tarde. Quando cheguei ao quintal atrás da casa, o sem-teto estava apenas algumas dezenas de metros na minha frente e sua velocidade seria reduzida por uma cerca de arame. Percebi um movimento à minha esquerda. Uma das lonas foi afastada e um cara de cabelo escuro golpeou a lateral do meu rosto com um pedaço de cano, fazendo-me girar para cima da lona e cair dentro da cozinha inacabada.

Não tenho certeza de quanto tempo fiquei ali; foi o suficiente para perceber, enquanto o recinto tremeluzia por trás de ondas de ar que pareciam água, que todos os canos sob a pia e atrás das paredes tinham sido removidos. Tempo suficiente para ter quase certeza de que meu maxilar não estava quebrado, embora eu sentisse o lado esquerdo do rosto ao mesmo tempo anestesiado e em chamas, e ainda sangrando bastante. Consegui me ajoelhar e uma bomba explodiu dentro do meu crânio. Tudo que não estava bem diante do meu nariz desapareceu atrás de panos pretos. O chão tremeu feito gelatina.

Alguém me ajudou a ficar em pé, depois me empurrou contra uma parede, e outra pessoa riu. Uma terceira pessoa, mais afastada, disse:

— Traga ele aqui.

— Acho que ele não consegue andar.

— Então ajude.

Dedos seguraram com força a minha nuca e me guiaram até a antiga sala da casa. Os panos pretos sumiram do meu campo de visão. Pude distinguir uma pequena lareira, cuja moldura havia sido arrancada e provavelmente usada como lenha. Eu já tinha estado naquela sala uma vez, quando um bando de garotos de dezesseis anos fora até lá com Brian Cowan saquear o armário de bebidas do seu pai. Debaixo das janelas que davam para a rua, costumava ficar um sofá. Ele tinha sido substituído por um banco de jardim no qual estava sentado um homem com os olhos pregados em mim. Fui largado no sofá logo à sua frente, um troço laranja esfarrapado que tinha o mesmo cheiro de um latão de lixo nos fundos de um restaurante.

— Você vai vomitar?

— Eu também estou curioso para saber — respondi.

— Mandei ele te dar uma rasteira, não acertar você com um cano, mas ele se empolgou.

Eu agora podia ver o cara do cano: um homem de origem latina, magro, de cabelos escuros, que usava uma calça cargo cáqui e uma regata. Enquanto batia com o cano repetidamente na palma da mão, ele deu de ombros para mim. — Foi mal.

— Foi mal — repeti. — Vou me lembrar disso.

— Vai se lembrar o cacete, *pendejo*. Eu acerto você de novo.

Era difícil argumentar contra a lógica. Tirei os olhos do ajudante e me concentrei no chefão sentado no banco. Eu teria imaginado alguém magro e malvado como um presidiário, com os olhos embotados de gim. Em vez disso, o cara estava usando uma camisa xadrez amarelo e verde debaixo de um suéter de lã preta e uma calça de veludo cotelê marrom. Nos pés, um tênis de lona Vans estampado com quadrados pretos e dourados. Seus cabelos ruivos estavam meio compridos e despenteados. Ele não parecia um marginal; parecia o professor de ciências de uma escola para filhos de gente rica.

— Eu sei que você tem uns amigos durões e sei que já passou por poucas e boas, então não é de se assustar fácil — ele disse.

Aquilo era novidade para mim. Eu estava me cagando de medo. Estava puto da vida e instintivamente já ia memorizando todos os detalhes que eu conseguia perceber daqueles dois caras. Eu pensava em maneiras de pegar o cano que o latino estava segurando e enfiá-lo bem no meio do rabo dele — mas mesmo assim estava morrendo de medo.

— Seu primeiro instinto, se deixarmos você vivo, vai ser tentar nos encontrar. — Ele desembrulhou um chiclete e o colocou na boca.

Se.

— Tadeo, dê um pano para ele limpar o rosto. — O professor de ciências arqueou uma sobrancelha para mim.

— É, eu falei o nome dele. Sabe por que, Patrick? Porque você não vai tentar nos encontrar. E sabe por que não vai tentar nos encontrar?

Sacudir a cabeça doeria demais, então eu disse apenas:

— Não.

— Porque nós somos dois caras fodidos de maus e você é um frouxo. Talvez um dia não tenha sido, mas já não é "um dia". Ouvi dizer que a sua empresa foi para o saco porque você começou a desistir de qualquer coisa que cheirasse a dificuldade. É compreensível para um cara que já levou uma porção de tiros, quase morreu por causa de uma hemorragia e tal. Mesmo assim corre por aí que você não tem mais colhão para ser mau como nós. Não faz mais parte desta vida. E nem quer fazer.

Tadeo voltou do lado da casa onde ficava a cozinha e pôs na minha mão duas folhas de papel toalha. Tateei para pegá-las, inclinando o corpo para a esquerda, e ele correu a ponta do cano pela lateral do meu pescoço com uma risadinha.

Arranquei o cano da mão dele ao mesmo tempo que enfiava um pé no seu joelho. Tadeo caiu para trás e eu me levantei do sofá. O professor de ciências gritou "Ei!" e apontou uma arma para mim; gelei. Tadeo rastejou de bunda para trás até encostar na parede. Então se levantou, apoiando o peso na perna boa. Continuei parado, com o cano na mão e o braço erguido. O professor de ciências abaixou a arma, indicando que eu deveria abaixar o cano. Assenti com a cabeça de leve para ele. Então fiz um movimento com o pulso. O cano saiu girando pela sala e acertou Tadeo entre os olhos. Ele soltou um grito e foi projetado contra a parede. O corte acima de seu nariz se abriu e inundou seus olhos de sangue. Ele deu dois passos em direção ao centro da sala e em seguida mais três para o lado. Depois de mais alguns passos, trombou de cara com a parede. Levou as mãos à parede e arquejou em busca de ar.

— Foi mal — falei.

O professor de ciências pressionou o cano da arma no meu pescoço.

— Sentado — ele sibilou. — Sentado, porra.

Foi então que um terceiro cara entrou na sala: imenso, devia medir um e noventa e três e pesar uns cento e setenta quilos. Respirava e caminhava com dificuldade.

— Leve Tadeo lá para cima — disse o ruivo. — Ponha o cara debaixo do chuveiro frio e veja se ele teve uma concussão.

— Como é que eu vejo se ele teve uma concussão? — perguntou o grandão.

— Olhe nos olhos dele, porra! Como é que eu vou saber? Peça para ele contar até dez.

— E vai ser alguma novidade se ele não conseguir? — perguntei.

— Falei para você ficar quieto.

— Não. Você me disse para eu ficar sentado, e já está ficando sem opções.

O gordo levou Tadeo embora da sala. Tadeo não parava de agitar as mãos à frente do corpo, como um cachorro quando está sonhando.

Peguei as folhas de papel toalha do chão. Um dos lados estava limpo e o pressionei contra o rosto; o papel voltou manchado de vermelho, parecendo um teste de Rorschach.

— Vou ter que levar uns pontos.

O professor de ciências se inclinou para a frente no banco em que estava sentado, com a arma apontada para a minha barriga. Tinha um rosto de expressão franca, coberto por leves sardas da mesma cor dos cabelos. Seu sorriso era inexpressivo e ávido, como se estivesse representando o papel de alguém prestativo em uma peça de teatro amador. — O que faz você pensar que vai sair daqui?

— Como eu disse, seu leque de opções está acabando. Tinha gente na rua quando aquele cara roubou minha mala. Alguém já deve ter chamado a polícia. A casa aqui ao lado não está ocupada, mas a casa de trás, sim, seu idiota, e há uma boa chance de alguém ter visto Tadeo me dar aquela porrada com o cano. Portanto, seja lá quem foi que contratou você para me dar não sei que recado, eu faria isso meio depressa.

O professor de ciências não parecia um cara burro. Se quisesse me matar, já teria me dado dois tiros na nuca quando eu estava ajoelhado no chão da cozinha inacabada.

— Fique longe de Helene McCready. — Ele se agachou na minha frente com a arma entre as pernas e olhou bem nos meus olhos. — Se começar a fuçar sobre ela ou a filha dela, se começar a fazer perguntas, eu encho a sua vida inteira de chumbo.

— Entendi — eu disse, com falso desinteresse.

— Você também tem uma filha agora, Patrick, uma filha e uma mulher. Tem uma vida boa. Volte para ela e fique lá. E vamos todos esquecer essa história.

Ele se levantou e recuou alguns passos enquanto eu me punha de pé. Fui até a cozinha e encontrei o rolo de papel toalha caído no chão. Arranquei várias folhas e as pressionei contra o rosto. Ele continuou em pé no vão da porta, com os olhos grudados em mim e a arma presa no cós da calça. A minha arma, por sua vez, estava na gaveta da mesa da Duhamel-Standiford. Não que ela fosse ser de grande utilidade depois de Tadeo me acertar a cara com um cano. Eles teriam simplesmente ficado com ela e eu teria perdido um laptop, uma mala de laptop e uma arma.

Olhei na direção dele.

— Preciso ir a um pronto-socorro levar uns pontos na cara, mas não se preocupe, não levei para o lado pessoal.

— Meu Deus, jura? — ele zombou.

— Você ameaçou me matar, mas não tem problema nisso também.

— Que gentil da sua parte. — Ele fez uma bola com o chiclete e deixou-a estourar.

— Mas você roubou meu laptop — falei —, e eu realmente não tenho dinheiro para comprar outro. Será que poderia me devolver?

Ele fez que não com a cabeça.

— Achado não é roubado.

— Isso vai me foder, cara, vai me foder mesmo, mas não vou transformar a situação em uma coisa que ela não é. Porque o papo aqui é só profissional, certo?
— Se não for, "profissional" serve até a palavra certa aparecer.

Afastei o papel toalha do rosto. Estava ensopado. Dobrei-o e tornei a encostá-lo na lateral da cabeça por alguns instantes, então olhei de novo para o professor de ciências ruivo em pé na soleira da porta.

— Então falou — eu disse; joguei o bolo de papel toalha sujo de vermelho no chão, arranquei várias outras folhas e saí da casa.

6

Quando nos sentamos para comer, Angie me olhou por cima da mesa com a mesma fúria contida que vinha exibindo desde que dera uma boa olhada no meu rosto, ouvira meu relato sobre a ida ao posto de saúde e certificara-se de que eu realmente não morreria naquela noite.

— Então — ela disse — vamos começar do começo. — Angie espetou alguns pedaços de alface com o garfo.
— Beatrice McCready foi procurar você no metrô JFK.
— Sim, senhora.
— E disse que aquela fuleira da cunhada dela tinha perdido a filha outra vez.
— Helene, fuleira? — falei. — Eu nem tinha reparado.
Minha mulher sorriu. Não seu sorriso simpático. O outro.
— Papai?
Olhei para nossa filha, Gabriella.
— O que foi, meu anjo?
— O que é fuleira?
— É tipo biruta, só que rima com rameira — respondi.
— E o que é rameira?
— É tipo maluca, só que não rima com biruta — respondi. — Por que não está comendo sua cenoura?
— Você está com uma cara engraçada.
— Toda quinta-feira eu cubro meu rosto com uma atadura.
— Cobre nada. — Os olhos de Gabriella se arregalaram, solenes. Minha filha tinha os mesmos olhos castanhos e grandes da mãe. Tinha também a mesma pele morena, a

mesma boca larga e os mesmos cabelos escuros. De mim ela tinha herdado os cachos, um nariz fino e uma predileção por bobagens e jogos de palavras.

— Por que você não está comendo a cenoura? — tornei a perguntar.

— Eu não gosto de cenoura.

— Mas na semana passada você gostava.

— Gostava nada.

— Gostava, sim.

Angie pousou o garfo.

— Não comecem, vocês dois. Não comecem.

— Gostava nada.

— Gostava, sim.

— Gostava nada.

— Gostava, sim. Eu tenho fotos.

— Gostava nada.

— Gostava, sim. Vou buscar a câmera.

Angie estendeu a mão para pegar o copo de vinho.

— Por favor? — Ela me encarou com olhos imensos como os de nossa filha. — Por mim?

Olhei de novo para Gabriella.

— Coma a sua cenoura.

— Tá bom. — Gabby cravou o garfo em um pedaço de cenoura, levou-o à boca e mastigou. Seu rosto se iluminou ao fazer isso.

Ergui as sobrancelhas para ela.

— É gostoso — ela disse.

— Não é?

Gabriella espetou outro pedaço e continuou mastigando.

— Estou observando você há quatro anos, mas ainda não sei como faz isso — disse Angie.

— É um antigo segredo chinês. — Mastiguei um pedacinho de peito de frango bem devagar. — Aliás, não sei bem o que você andou ouvindo por aí, mas é meio difícil comer quando não se pode usar o lado esquerdo da boca.

— Sabe o que é mais engraçado? — disse Angie com uma voz que não sugeria nada de engraçado.

— Não — respondi.

— A maioria dos investigadores particulares nunca é sequestrada nem agredida.

— Mas parece que a frequência desse tipo de prática está aumentando.

Ela franziu o cenho, e senti que estávamos os dois trancados dentro de nós mesmos, sem saber o que fazer com a violência desse dia. Houve um tempo em que essa teria sido a nossa especialidade. Ela teria me lançado um saco de gelo enquanto saía para a ginástica, esperando me encontrar louco para voltar ao trabalho quando chegasse em casa. Mas essa época já estava encerrada havia muito tempo, e a volta da violência fácil desse dia tinha nos levado a nos esconder dentro de nossas conchas protetoras. A concha de Angie é feita de fúria silenciosa e distanciamento cabreiro. A minha é feita de humor e sarcasmo. Juntos, parecemos um comediante levando bomba em uma aula de gerenciamento de raiva.

— Sua cara está horrível — ela disse com uma ternura que me surpreendeu.

— A dor está só umas quatro ou cinco vezes pior do que o aspecto. Brincadeira. Eu estou bem.

— Isso é por causa do analgésico.

— E da cerveja.

— Achei que as duas coisas não pudessem ser misturadas.

— Eu me recuso a acatar o bom senso popular. Quem decide sou eu. E eu decidi que não quero sentir dor.

— E está dando certo?

Levantei minha cerveja para brindar com ela.

— Missão cumprida.

— Papai?

— O que foi, meu amor?

— Eu gosto das árvores.

— Eu também gosto das árvores, meu anjo.

— As árvores são altas.

— É, são, sim.

— Você gosta de *qualquer* árvore?
— Eu gosto de todas.
— Mesmo se for baixa?
— Claro, meu anjo.
— Mas por quê? — Minha filha estendeu as mãos com as palmas viradas para cima, sinal de que considerava essa linha de interrogatório de suma importância e, para nossa sorte, possivelmente infinita.
Angie me lançou um olhar que dizia: bem-vindo ao meu dia.

Nos três últimos anos, eu tinha passado meus dias no trabalho ou, conforme as oportunidades foram minguando, tentando arrumar trabalho. Três noites por semana, eu ficava cuidando de Gabby enquanto Angie tinha aula. Mas o Natal estava chegando e as provas finais de Angie seriam na semana seguinte. Depois do Ano-Novo, ela começaria um estágio no Centro Educacional Céu Azul, organização sem fins lucrativos especializada na educação de adolescentes com síndrome de Down. Ao final do estágio, em maio, terminaria o mestrado em sociologia aplicada. Até lá, porém, continuaríamos sendo uma família de um salário só. Mais de um amigo havia sugerido que nos mudássemos para o subúrbio: o aluguel era mais barato, as escolas mais seguras, os impostos e os seguros mais baixos.
Mas Angie e eu tínhamos crescido juntos na cidade. Gostávamos tanto de cercas de ripa e ranchos de dois andares quanto de carpete felpudo e partidas de vale-tudo. Ou seja: não muito. Eu tinha um carro bom, mas o vendera para começar a juntar dinheiro para a faculdade de Gabby, e agora meu jipe pangaré passava semanas a fio parado em frente de casa. Prefiro usar o metrô: você desce no buraco de um lado da cidade e sobe lá do outro lado sem ter que pôr a mão na buzina nem uma vez. Não gosto de cortar grama nem de podar cercas vivas, tampouco de recolher a grama cortada ou as aparas da cerca viva. Não gosto

de ir ao shopping nem de comer em restaurantes fast-food. Na verdade, não entendo os atrativos de um ideal de vida suburbano — nem no sentido geral nem no específico.

Eu gosto do barulho de britadeiras, do grito das sirenes durante a noite, de lanchonetes vinte e quatro horas, de grafite, de café servido em copos de papelão, de vapor saindo das tampas dos bueiros, de paralelepípedos, de tabloides, do letreiro da Citgo, de alguém gritando "Táxi!" numa noite gelada, de gente na rua, de arte de calçada, de pubs irlandeses e de caras chamados Sal.

Não vou conseguir encontrar muitas dessas coisas no subúrbio, pelo menos não na intensidade com a qual me habituei. E Angie é ainda pior.

Então decidimos criar nossa filha na cidade. Compramos uma casinha em uma rua boa. Ela tem um pequeno quintal e fica a uma curta distância a pé de um parquinho (fica também a uma curta distância a pé de um conjunto habitacional barra-pesada, mas isso é outro assunto). Conhecemos a maioria dos vizinhos, e Gabriella já sabe o nome de cinco estações de metrô da linha vermelha, na ordem, proeza que enche seu pai de um orgulho inexplicável.

— Ela dormiu? — Ao me ver entrar na sala, Angie ergueu os olhos do livro da faculdade. Havia trocado de roupa e agora vestia um conjunto de moletom e uma camiseta branca minha, da turnê *Stay Positive* da banda The Hold Steady. A camiseta ficava imensa nela, e fiquei preocupado que minha mulher não estivesse comendo direito.

— Nossa Gabby tagarela deu um tempo no discurso sobre árvores...

— Putz. — Angie jogou a cabeça para trás, contra a almofada do sofá. — Que papo é esse de árvores?

— ... e pegou no sono na mesma hora. — Deixei-me cair no sofá a seu lado, segurei sua mão e dei um beijo nela.

— Além de você ter sido espancado, aconteceu mais alguma coisa hoje? — ela perguntou.

— Na Duhamel-Standiford, você quer dizer?

— É.
Respirei fundo.
— Não, eu não arrumei um emprego fixo.
— Ah, que merda! — Ela gritou tão alto que tive de levantar uma mão para chamar sua atenção; ela deu uma olhada na direção do quarto de Gabby e fez uma careta.
— Eles disseram que eu não deveria ter xingado Brandon Trescott. Deram a entender que sou um grosso e que preciso azeitar minhas boas maneiras antes de entrar no programa de benefícios deles.
— Que merda — ela repetiu, dessa vez mais baixo e com um tom que estava mais para o desespero do que para o choque. — O que nós vamos fazer?
— Não sei.
Passamos algum tempo ali sentados. Não havia muita coisa a dizer. Estávamos ficando imunes àquilo, ao medo, ao peso da preocupação.
— Vou largar o mestrado.
— Não vai, não.
— Vou, sim. Eu posso voltar daqui a...
— Você está quase terminando — falei. — Falta uma semana para as provas finais, depois só um estágio; no verão do ano que vem você já vai pôr comida dentro de casa, e quando isso acontecer...
— *Se* eu conseguir arrumar um emprego.
— ... quando isso acontecer eu vou poder continuar autônomo. Você não pode desistir assim tão perto da chegada. É a primeira da turma. Não vai ter problema nenhum para arrumar um emprego. — Sorri para ela com uma segurança que não sentia. — Nós vamos dar um jeito.
Ela se inclinou um pouco para trás para estudar novamente meu rosto.
— Tá bom — falei, mudando de assunto —, vou falar.
— Falar o quê? — Quanta inocência fingida.
— Quando nos casamos, fizemos um pacto para nunca mais chegar perto dessas merdas.
— É, fizemos.

— Nada de violência, nada de...
— Patrick. — Ela segurou minhas mãos. — O que aconteceu?
Eu contei.
Quando terminei, Angie disse:
— Então, concluindo, você não apenas não arrumou o emprego na Duhamel-Standiford como a pior mãe do mundo perdeu a filha de novo, você não quis ajudar, mas aí alguém assaltou, ameaçou e espancou você mesmo assim. Você gastou um belo dinheiro no hospital e perdeu um laptop bem bacana.
— Não é? Eu adorava aquele laptop. Ele pesava menos do que o seu copo de vinho. Além disso, uma carinha sorrindo saltava na tela e me dizia "Oi" toda vez que eu o abria.
— Você está puto.
— É, estou puto, sim.
— Mas não vai embarcar numa cruzada só porque perdeu um laptop, vai?
— Eu falei sobre a carinha sorrindo?
— Você pode arrumar outro computador com outra carinha sorrindo.
— Com que dinheiro?
Para isso não havia resposta.
Passamos algum tempo sentados sem dizer nada, com as pernas dela no meu colo. Eu tinha deixado a porta do quarto de Gabby entreaberta e, no silêncio, podia ouvir minha filha respirar; suas expirações terminavam com um leve assobio. Como tantas vezes acontecia, o som de sua respiração me lembrou o quanto ela era vulnerável. E o quanto nós também éramos vulneráveis por amá-la tanto. O medo — de que talvez acontecesse algo com ela a qualquer momento, algo que eu não conseguiria impedir — tinha se tornado tão onipresente na minha vida que eu às vezes o imaginava brotando, como um terceiro braço, do meio do mcu pcito.
— Você se lembra de muita coisa do dia em que levou um tiro? — perguntou Angie, lançando outro assunto divertido na roda.

Movi a mão de um lado para o outro no ar.

— Só flashes. Eu me lembro do barulho.

— É mesmo? — Ela sorriu, lembrando-se daquele dia. — Foi uma barulheira... todas aquelas armas, as paredes de cimento. Caramba.

— É. — Soltei um leve suspiro.

— O seu sangue espirrou nas paredes — ela disse. — Você estava desacordado quando os socorristas chegaram, e eu só me lembro de olhar para aquela parede. Aquilo era o seu sangue, era *você*, e não estava dentro do seu corpo, onde deveria estar. Estava espalhado pelo chão e pelas paredes. Você não estava branco como um fantasma, estava azul-claro, da cor dos seus olhos. Estava deitado ali, mas já tinha ido embora, sabe? Como se já estivesse a meio caminho do céu com o pé afundado no acelerador.

Fechei os olhos e levantei a mão. Detestava ouvir falar daquele dia, e ela sabia disso.

— Eu sei, eu sei — ela disse. — Só queria que nós dois lembrássemos por que nos afastamos dessa vida de violência. Porque éramos viciados nela. Adorávamos aquilo. Ainda adoramos. — Ela correu uma das mãos pelos cabelos. — Eu não vim a este mundo só para ficar lendo *Boa noite, lua* três vezes por dia e ter conversas de quinze minutos sobre mamadeiras.

— Eu sei — falei.

E sabia mesmo. Ninguém tinha menos vocação para ficar em casa e ser mãe em tempo integral do que Angie. Não que ela não fosse boa nisso: ela era, mas não tinha o menor desejo de que esse papel a definisse. Só que resolveu voltar a estudar, o dinheiro ficou curto, e fazia mais sentido economizar alguns meses de creche, assim ela podia estudar à noite e cuidar de Gabby de dia. E fora desse modo, de forma gradual e repentina, como se diz, que tínhamos ido parar naquela situação.

— Estou ficando maluca com isso. — Os olhos dela apontaram para os livros de colorir e os brinquedos espalhados no chão da sala.

— Imagino.
— Completamente fora da porra da casinha.
— Sim, esse seria o termo científico. Você é uma mãe incrível.
Ela me lançou um olhar terno.
— Você é um amor. Mas sabe de uma coisa, querido? Eu posso estar fingindo que é uma maravilha, mas ainda assim estou fingindo.
— E todo pai e toda mãe não estão fingindo?
Ela inclinou a cabeça para mim com uma careta.
— Não, sério — falei. — Quem, em sã consciência, quer ter catorze conversas sobre árvores em toda a vida? E em vinte e quatro horas então? Eu amo a nossa filha, mas ela é uma anarquista. Ela nos acorda quando quer, pensa que estar cheio de energia às sete da manhã é normal, às vezes grita sem motivo, decide de um segundo para o outro as comidas que vai comer e as que vai brigar para não comer, põe as mãos e a boca em lugares nojentos, e vai ficar grudada em nós por pelo menos mais catorze anos, isso se tivermos a sorte de uma faculdade que não podemos pagar tirá-la das nossas costas.
— Mas aquela vida de antigamente estava nos matando.
— É, estava mesmo.
— Sinto tanta falta dela — disse Angie. — Dessa vida de antigamente que estava nos matando.
— Eu também. Mas uma das coisas que aprendi hoje foi que eu meio que virei um banana.
Ela sorriu.
— Ah, foi?
Fiz que sim.
Ela inclinou a cabeça para mim.
— Para começo de conversa, você nunca foi tão durão assim.
— Eu sei. Então imagine o peso-pena que eu sou agora.
— Porra — ela disse —, eu às vezes te amo tanto.

— Eu também te amo.
Ela começou a deslizar as pernas de um lado para o outro por cima das minhas coxas.
— Mas você quer mesmo recuperar seu laptop, não quer?
— Quero.
— E vai recuperar, não vai?
— Eu tinha pensado nisso.
Ela assentiu.
— Com uma condição.
Eu não esperava que ela fosse concordar comigo. E a pequena parte de mim que esperava isso com certeza não imaginava que fosse acontecer tão depressa. Sentei-me, atento e obediente como um setter irlandês.
— Pode falar.
— Leve Bubba com você.
Bubba não era apenas o parceiro perfeito para aquela empreitada porque era forte como a porta de um cofre de banco e desconhecia o medo. (É sério. Ele um dia me perguntou como era essa sensação. Também ficou sem entender direito o conceito de empatia.) Não: o que o tornava particularmente ideal para as festividades daquela noite era que ele tinha passado os últimos anos diversificando seus negócios para incluir o mercado negro de seguros-saúde. Tudo começara como um simples investimento — ele tinha financiado um médico que pouco tempo antes perdera o direito de exercer a profissão e queria montar um escritório para atender as pessoas que não podiam declarar aos hospitais seus ferimentos a bala, ferimentos na cabeça, facadas e ossos quebrados. Naturalmente, esses pacientes precisam de remédios, e Bubba foi obrigado a encontrar um fornecedor de drogas lícitas ilícitas. Essas drogas vinham do Canadá e, mesmo com toda a baboseira pós-Onze de Setembro sobre o controle reforçado nas fronteiras, Bubba recebia mensalmente várias dúzias de sacos de trinta galões de comprimidos. Até então, não tinha perdido um carregamento sequer. Se uma companhia de seguros se

recusasse a reembolsar determinado remédio, ou se as indústrias farmacêuticas o vendessem a um preço inacessível para os trabalhadores e as pessoas de classe mais baixa dos bairros populares, o boca a boca das ruas em geral conduzia os pacientes até uma das redes de barmans, floristas, condutores de carrinhos de lanche ou caixas de armazéns de esquina comandadas por Bubba. Em pouco tempo, qualquer pessoa que vivesse à margem ou perto da margem do sistema de saúde tinha uma dívida com Bubba. Ele não era nenhum Robin Hood: seu negócio dava lucro. Mas também não era nenhuma grande empresa farmacêutica como a Pfizer: seu lucro girava em torno de razoáveis quinze a vinte por cento, e não na faixa equivalente a um estupro anal de mil por cento.

Recorrendo aos membros da comunidade dos sem-teto que trabalhavam para Bubba, levamos cerca de vinte minutos para identificar um cara que correspondia à descrição do que tinha roubado meu laptop.

— Está falando de Webster? — perguntou o lavador de pratos de um refeitório para sem-teto em Fields Corner.

— Aquele pretinho que aparecia na tevê nos anos noventa? — indagou Bubba. — Por que deveríamos estar procurando por ele?

— Não, cara, eu não estou falando daquele pretinho que aparecia na tevê nos anos noventa. Estamos nos anos 2010, sabia? — O lavador de pratos fez uma careta. — Webster é branco, mais para baixinho, e usa barba.

— É esse o Webster que estamos procurando — falei.

— Não sei se esse é o nome ou o sobrenome dele, mas ele costumava dormir em uma casa na Sidney perto da...

— Não, ele saiu de lá hoje.

Outra careta. Aquele cara se ofendia bem fácil para um lavador de pratos.

— Uma casa na Sidney, perto de Savin Hill Avenue?

— Não, eu estava pensando na outra ponta, uma casa perto da Crescent.

— Então não estava pensando direito. Você não sabe porra nenhuma. Entendeu? Então cala essa boca, garoto.

— É — disse Bubba. — Cala essa boca, garoto.

Como eu não estava perto o suficiente para lhe dar um chute, calei a boca.

— Então: o lugar onde ele mora fica no final da Sidney. Sabe a esquina da Bay Street? Bem ali. Segundo andar, uma casa amarela. Na janela tem um ar-condicionado que deve ter parado de funcionar durante o governo Reagan e que parece que a qualquer momento vai cair na cabeça de alguém.

— Obrigado — falei.

— Pretinho que aparecia na tevê nos anos noventa... — ele disse para Bubba. — Cara, se eu não tivesse cinquenta e nove anos e meio nas costas, eu ia ficar muito puto com esse seu comentário.

7

Ao cruzar a Savin Hill Avenue, a Sidney Street vira Bay Street e fica bem em cima de uma galeria do metrô. A cada cinco minutos, mais ou menos, o quarteirão inteiro estremece quando um trem passa lá embaixo. Bubba e eu já tínhamos sentido cinco estremecimentos desses, o que significava que fazia quase meia hora que estávamos sentados dentro do utilitário Escalade de Bubba.

Bubba não tem muito talento para ficar sentado sem fazer nada. Isso lhe lembra excessivamente os abrigos, orfanatos e prisões em que morou durante mais ou menos metade de sua vida. Ele já tinha mexido no GPS — inserindo endereços aleatórios em cidades aleatórias para ver se existia alguma Groin Street em Amarillo, Texas, ou se Toronto mandava os turistas passarem pela Rogowski Avenue. Quando ele esgotou o potencial de entretenimento dessa busca por ruas inexistentes em cidades que ele não tinha a menor intenção de visitar, começou a brincar com o rádio por satélite, e raramente parava mais de trinta segundos em qualquer frequência antes de soltar algo entre um suspiro e um muxoxo e trocar de emissora. Depois de algum tempo, pegou debaixo do banco uma garrafa de vodca polonesa feita com batatas e deu um gole.

Estendeu a garrafa para mim. Recusei. Ele deu de ombros e tomou outro gole.

— Vamos arrombar a porta e pronto.
— Nós nem sabemos se ele está lá dentro.
— Vamos arrombar mesmo assim.

— E se ele chegar em casa enquanto estivermos lá dentro, vir a porta arrombada e sair correndo? O que nós vamos fazer?

— Atirar nele pela janela.

Olhei para Bubba. Ele ergueu os olhos para o segundo andar do prédio de três andares condenado onde Webster supostamente morava. Seu semblante de querubim maluco estava sereno, expressão que geralmente exibia quando estava pensando em cometer alguma violência.

— Não vamos atirar em ninguém. Não vamos encostar um dedo nesse cara.

— Ele te roubou.

— Ele é inofensivo.

— Ele te roubou.

— Ele é um sem-teto.

— Tá, mas ele te roubou. Você devia dar o exemplo.

— Para quem... para todos os outros sem-teto que estão na fila para roubar meu laptop e me obrigar a persegui-los até dentro de uma casa onde eu vou ser espancado?

— É, justamente. — Ele tomou outro gole de vodca. — E não me venha com esse papo de "Ele é um sem-teto". — Ele apontou com a garrafa para o prédio condenado do outro lado da rua. — Ele está morando ali, não está?

— Ele está ocupando esse prédio.

— Mesmo assim é um lugar para morar — disse Bubba. — Não se pode chamar de sem-teto uma pessoa que tem... ora, que tem uma porra de um teto.

Em um nível puramente Bubba, ele tinha razão.

Do outro lado da Savin Hill Avenue, a porta do bar Donovan's se abriu. Cutuquei Bubba e apontei para o outro lado da avenida enquanto Webster atravessava na nossa direção.

— Ele é um sem-teto, mas estava em um bar. Esse cara tem uma vida melhor do que a minha. Deve ter até uma porra de uma tevê de plasma e uma brasileira que vem toda terça-feira fazer faxina e passar aspirador.

Bubba abriu a porta do carro quando Webster estava

prestes a passar em frente ao utilitário. Webster parou e, nesse único segundo, desperdiçou qualquer chance de fugir. Bubba assomou acima dele enquanto eu dava a volta pelo outro lado, e disse:

— Está lembrado dele?

Webster tinha adotado uma postura meio encolhida. Quando me reconheceu, fechou os olhos até transformá-los em fendas.

— Eu não vou bater em você, cara.

— Mas eu vou. — Bubba deu um tapa na lateral da cabeça de Webster.

— Ei! — ele protestou.

— E vou bater de novo.

— Webster, cadê a minha bolsa? — perguntei.

— Que bolsa?

— Está falando sério? — retruquei.

Webster olhou para Bubba.

— A minha mala — repeti.

— Eu já devolvi.

— Para quem?

— Max.

— Quem é Max?

— Max. O cara que me pagou para pegar a sua mala.

— Um ruivo? — indaguei.

— Não. O cara tem cabelo preto.

Bubba deu outro tapa na lateral da cabeça de Webster.

— Porra, por que você fez isso?

Bubba deu de ombros.

— Ele se entedia com facilidade — falei.

— Eu não fiz *nada*.

— Não? — Apontei para o meu rosto.

— Eu não sabia que eles iam fazer isso. Só me disseram para roubar sua mala.

— Cadê o ruivo? — perguntei.

— Não conheço nenhum ruivo.

— Tá. Cadê o Max?

— Não sei.

— Para onde você levou a mala? Não pode ser para a mesma casa até onde eu o segui.
— Não, cara, foi para uma oficina.
— Oficina de quê?
— Hã? Uma oficina que conserta carros e tal. Tem uns carros à venda na frente.
— Onde fica?
— Na Dot Avenue, logo antes de Freeport, à direita.
— Eu conheço essa oficina — disse Bubba. — Automotivos Castle, ou algo assim.
— Kestle. Com K — disse Webster.
Bubba deu outro tapa na cabeça dele.
— Ai, porra.
— Você pegou alguma coisa da mala — perguntei. — Pegou?
— Não, cara. Max disse para eu não pegar, então não peguei.
— Mas você olhou o que tinha lá dentro.
— Olhei. Não. — Ele revirou os olhos. — Olhei.
— Tinha uma foto de uma menininha dentro da bolsa.
— É, eu vi.
— E você colocou a foto de volta?
— Coloquei, cara, juro.
— Se a foto não estiver lá quando encontrarmos a mala, Webster, nós vamos voltar. E não vamos ser simpáticos.
— Vocês acham que estão sendo simpáticos? — disse Webster.
Bubba deu um quarto tapa na lateral da cabeça dele.
— Mais simpático impossível — falei.

A Kestle Carros & Consertos ficava em frente a um Burger King em uma região do meu bairro que os moradores chamam de Trilha Ho Chi Minh, uma sequência de sete quarteirões na Dorchester Avenue ocupada por levas de imigrantes de Vietnã, Camboja e Laos. Havia seis carros no estacionamento da oficina, todos em um estado suspeito, todos com as palavras FAÇA UMA OFERTA escrita em tinta amarela no para-brisa. As portas da garagem da oficina estavam fechadas e as luzes apagadas, mas podíamos ouvir um ruído alto vindo lá dos fundos. À esquerda de uma das portas havia uma porta verde-escura. Dei um passo para o lado e olhei para Bubba.

— O que foi?
— Está trancada.
— Você não sabe mais arrombar uma fechadura?
— É claro que sei, mas não ando com as minhas ferramentas. A polícia não gosta dessas merdas.

Ele fez uma careta e tirou do bolso um estojo de couro enrolado. Desenrolou o couro e escolheu um furador pequeno.

— Tem alguma coisa que você *ainda* saiba fazer?
— Sei fazer um peixe-espada à provençal delicioso — respondi.

Ele balançou a cabeça de leve daquele jeito só seu.

— Das duas últimas vezes estava meio seco.
— O peixe que eu faço não fica seco.

Ele abriu a fechadura.

— Então o de um cara igualzinho a você fica, e ele me serviu peixe seco nas duas últimas vezes que estive na casa dele.

— Que maldade — falei.

O escritório nos fundos da oficina recendia a calor confinado, óleo de motor queimado, lufadas rançosas de maconha e cigarro mentolado. Havia quatro caras lá dentro. Dois eu já tinha visto antes: o gordo que respirava feito uma locomotiva e Tadeo, que exibia uma atadura ridícula em cima do nariz e da testa, ao lado da qual minha atadura ficava um pouquinho menos ridícula. O gordo estava no canto esquerdo da sala. Tadeo estava bem na nossa frente, com metade do corpo escondida atrás de uma escrivaninha de metal. Um terceiro cara, vestido com um macacão de mecânico, estava passando um baseado quando entramos. Tinha menos de vinte e um anos, e seu rosto foi tomado pelo medo quando Bubba entrou atrás de mim; a menos que o medo o tornasse estupidamente corajoso (isso acontece), ele seria o menor dos nossos problemas.

O quarto cara estava ligeiramente à nossa direita, atrás da escrivaninha. Tinha cabelos escuros. Sua pele estava coberta por uma película de suor, e novas gotas brotavam dos poros bem diante dos nossos olhos. Ele parecia um trintão acabado e dava para sentir o cheiro da metanfetamina correndo em suas veias até do Canadá. Seu joelho esquerdo batucava embaixo da mesa, enquanto a mão direita batia um ritmo constante no tampo. Meu laptop estava aberto na frente dele. O cara olhou para nós com olhos brilhantes e tão fundos que pareciam grudados na parede posterior do crânio.

— Esse é um dos caras?

O gordo apontou para mim.

— Foi ele que estragou a cara do Tadeo.

Falando comigo, Tadeo disse:

— A revanche está chegando, cara. Pode acreditar. — Mas a voz dele soou meio oca tamanho o esforço que fazia para não olhar na direção de Bubba.

— Meu nome é Max. — O viciado em metanfetamina que estava atrás do meu laptop abriu um sorriso largo para mim. Puxou oxigênio pelas narinas e piscou o olho. — Eu sou o especialista em TI do pedaço. Laptop legal este.

Assenti com a cabeça, olhando para a escrivaninha.

— Esse laptop é meu.

— Hã? — Ele pareceu não estar entendendo. — Não, este laptop é meu.

— Que engraçado. É bem parecido com o meu.

— Isso se chama modelo. — Os olhos dele saltaram das órbitas. — Se fossem todos diferentes, seriam bem difíceis de fabricar, não acha?

— É, porra — disse Tadeo. — Você por acaso é retardado?

— Sou só uma garota diante de um rapaz procurando seu laptop — falei.

— Ouvi dizer que você tinha entendido a situação — disse Max. — Não era para a gente ver você de novo. Esse assunto deveria estar encerrado. Se você quer que a gente entre na sua vida, não tem *a menor ideia* de como vai ser ruim. — Ele fechou meu laptop e o guardou na gaveta à sua direita.

— Olha aqui, eu não tenho dinheiro para comprar outro — falei.

Ele se inclinou para a frente em direção à escrivaninha, e todos os seus ossos saltaram debaixo da pele.

— Ligue para a porra do seguro.

— Eu não tenho seguro.

— Porra, mano, esse cara, vou te contar... — ele disse a Bubba, e em seguida verificou a posição de seus homens. Então tornou a olhar para mim. — Fique fora disso. Esqueça essa história toda e fique fora disso. Volte correndo para a sua vidinha.

— É o que eu vou fazer. Só quero levar meu laptop comigo. E a foto da minha filha que estava dentro da minha mala. Com a mala você pode ficar.

Tadeo saiu completamente de trás da escrivaninha. O gordo continuou encostado na parede, com a respiração pesada. O rapaz vestido de mecânico também respirava pesadamente e não parava de piscar.

— Eu sei que essa mala é minha. — Max se levantou. — Sei também que este escritório é meu, este teto e as pregas do seu cu também, se eu quiser.

— Ahã, tá bom — falei. — A propósito, quem contratou você?

— Cara, você e essas suas *perguntas*. — Lançou as duas mãos na minha direção como se estivesse fazendo um teste para participar de um clipe de rap, depois começou a coçar a nuca furiosamente. — Para de exigir coisas. Vai pra casa, porra. — Fez um gesto com os dedos, mandando eu ir embora. — Porra, mano, se disser mais uma palavra você vai...

O tiro de Bubba o fez girar em torno do próprio eixo.

Max soltou um grito agudo e caiu sentado de novo na cadeira. Ela bateu na parede e derrubou Max no chão. Ele passou um tempo caído ali, com o sangue escorrendo de algum lugar perto da cintura.

— Que porra é essa de "mano" agora? — Bubba baixou a arma. Era a sua nova arma preferida, uma Steyr nove milímetros. Fabricação austríaca. Tinha um aspecto medonho.

— Caralho! — disse Tadeo. — Caralho, puta que pariu!

Bubba apontou a Steyr para Tadeo e depois para o gordo. Tadeo levou as mãos à cabeça. O gordo o imitou. Ambos ficaram parados onde estavam, tremendo e aguardando novas instruções.

Bubba nem sequer prestou atenção no garoto, que tinha caído de joelhos, abaixado a cabeça até o chão e não parava de sussurrar:

— Por favor, por favor.

— Porra, você atirou no cara? — falei. — Meio drástico, não?

— Não me traga para estas porras se for para deixar os colhões em casa. — Bubba franziu o cenho. — Você virou civil mesmo, cara, me dá até vergonha.

Dei uma olhada em Max com mais atenção enquanto ele soltava uma lufada de ar pela boca. Ele encostou a testa no piso de cimento e começou a socar o chão com o punho fechado.

— Ele está fodido — falei.

— Eu mal acertei o cara.

— Você explodiu um dos lados do quadril dele.

— Ele tem dois — disse Bubba.

Max começou a tremer. Os tremores logo se transformaram em convulsões. Tadeo deu um passo na direção dele e Bubba deu dois passos na direção de Tadeo com a Steyr apontada para o peito dele.

— Posso te matar pelo simples fato de você ser baixo — disse Bubba.

— Desculpa. — Tadeo levantou as mãos o mais alto que pôde.

Max virou de costas. Assobios fortes como os de uma chaleira precediam cada inspiração sua.

— Posso te matar pelo simples fato de você estar usando esse desodorante — disse Bubba a Tadeo. — Posso matar seu amigo só porque ele é seu amigo.

Tadeo abaixou as mãos até elas ficarem tremendo na frente do seu rosto. Fechou os olhos.

— Nós não somos amigos — disse o amigo. — Ele vive me sacaneando porque eu sou gordo.

Bubba arqueou uma sobrancelha.

— Você bem que poderia perder uns quilinhos, mas não é nenhuma baleia. Porra, cara, é só parar de comer pão branco e queijo.

— Estou pensando em fazer a dieta do doutor Atkins — disse o gordo.

— Eu já fiz.

— Ah, já?

— Você tem que ficar duas semanas sem beber. — Bubba fez uma careta. — *Duas semanas.*

O cara assentiu.

— Foi o que eu disse para a minha mulher.

Max deu um chute na mesa. A parte de trás de sua cabeça bateu repetidamente no chão. Então ele parou de se mexer.

— Ele morreu? — perguntou Bubba.

— Não — respondi. — Mas está caminhando para isso se não chamarmos um médico.

Bubba sacou um cartão de visitas.

— Qual é o seu nome? — ele perguntou ao gordo.

— Augustan.

— Bom... Não, é sério?

— Sério. Por quê?

Bubba olhou na minha direção e deu de ombros antes de olhar de novo para Augustan. Ele lhe entregou o cartão.

— Ligue para esse cara. Ele trabalha para mim. Vai cuidar do seu amigo. O serviço é grátis, mas vocês vão ter que pagar pelos remédios.

— É justo.

Bubba revirou os olhos para mim e soltou um suspiro.

— Pega o seu laptop.

Peguei.

— Tadeo — falei.

Tadeo tirou as mãos trêmulas da frente do rosto.

— Quem contratou vocês?

— O quê? — Tadeo piscou várias vezes. — Hã, um amigo do Max. Kenny.

— *Kenny?* — repetiu Bubba. — Você me tirou da cama para eu atirar em um cara por causa de um *Kenny*? Que humilhação.

Ignorei Bubba.

— O ruivo lá da casa, Tadeo?

— É, Kenny Hendricks. Ele disse que você conhecia a mulher dele. Disse que você tinha encontrado a filha dela uma vez quando a menina sumiu.

Helene. Se algo cheirava a estupidez, Helene não podia deixar de estar por perto.

— *Kenny* — repetiu Bubba com um suspiro amargurado.

— Cadê minha mala? — perguntei.

— Na outra gaveta — respondeu Tadeo.

— Posso ligar agora para o seu médico? — perguntou Augustan para Bubba.

— É sempre Augustan? — quis saber Bubba. — Nunca chamam você de Gus?

— Nunca me chamam de Gus — respondeu o gordo.

Bubba pensou um pouco sobre isso, depois assentiu.

— Vá em frente. Pode ligar.

Augustan abriu um celular e digitou o número. Encontrei minha mala na gaveta da escrivaninha, com a foto de Gabby e os dossiês dos meus casos. Enquanto Augustan informava ao médico que seu amigo estava perdendo muito sangue, guardei o laptop na mala e caminhei até a porta. Bubba pôs a arma no bolso e me seguiu para fora da oficina.

8

No meu sonho, Amanda McCready tinha dez anos, onze talvez. Estava sentada na varanda da frente de uma casinha amarela com degraus de pedra na frente, e um buldogue branco roncava a seus pés. Velhas árvores altas brotavam de uma faixa de grama entre a calçada e a rua. Estávamos em algum lugar do sul dos Estados Unidos que podia ser Charleston. Chumaços de barba-de-velho pendiam das árvores e a casa tinha um telhado de zinco.

Jack e Tricia Doyle estavam sentados em cadeiras de vime atrás de Amanda, de um lado e de outro do tabuleiro de xadrez. Não tinham envelhecido nada.

Eu andava em direção à casa vestido de carteiro, e o cachorro erguia a cabeça e me encarava com olhos negros e tristes. Sua orelha esquerda tinha uma mancha da mesma cor preta do focinho. Ele lambia o focinho, depois rolava de costas.

Jack e Tricia Doyle tiravam os olhos de sua partida de xadrez e me encaravam.

"Estou só entregando a correspondência", eu dizia. "Sou só o carteiro."

Eles continuavam me encarando. Sem dizer nada.

Eu entregava a correspondência para Amanda e ficava parado esperando a gorjeta. Ela folheava os envelopes e começava a jogá-los para o lado, um depois do outro. Os envelopes aterrissavam no meio dos arbustos e ficavam amarelados e úmidos.

Amanda então erguia os olhos para mim, com as mãos vazias. "Você não trouxe nada que nos sirva."

* * *

Na manhã seguinte, mal consegui levantar a cabeça do travesseiro. Quando o fiz, os ossos junto à minha têmpora esquerda estalaram. Meus malares doíam, meu crânio latejava. Enquanto eu dormia, alguém tinha salpicado as dobras do meu cérebro com pimenta e vidro.

E não era só isso — nenhum dos meus membros ou articulações gostou quando rolei de lado, sentei ou respirei. Debaixo do chuveiro, a água doeu. O sabonete doeu. Quando tentei esfregar a cabeça com xampu, com a ponta dos dedos apertei sem querer a lateral esquerda do crânio e provoquei um choque de dor que quase me fez cair de joelhos.

Enquanto eu me secava, olhei-me no espelho. A lateral superior esquerda do meu rosto, incluindo metade do olho, parecia um mármore roxo. A única parte que não estava roxa era aquela coberta pela linha preta dos pontos. Meus cabelos estavam cheios de fios brancos; da última vez que eu olhara de perto, eles tinham se espalhado até pelo peito. Passei o pente pela cabeça com cuidado, depois me virei para pegar a gilete, e meu joelho inchado reclamou. Eu mal tinha me mexido — tudo que eu fizera fora passar o peso do corpo de uma perna para a outra —, mas foi como se tivesse golpeado a patela com o lado pontudo de um martelo.

Porra, como eu amo envelhecer.

Quando entrei na cozinha, minha mulher e minha filha levaram as mãos ao rosto e deram um grito com os olhos esbugalhados. Fizeram isso com tamanha sincronia que eu soube que era uma performance ensaiada e mandei um "valeu" para elas com o polegar erguido enquanto me servia uma xícara de café. As duas trocaram um cumprimento com os punhos fechados; Angie voltou a abrir o jornal matutino e disse:

— Muito suspeito... isso aí está parecendo a mala de laptop que dei para você no Natal passado.

Pendurei a mala no encosto da minha cadeira enquanto me sentava à mesa.

— É a própria.

— E o conteúdo? — Ela virou uma página do *Herald*.

— Totalmente recuperado — respondi.

Angie arqueou as sobrancelhas, revelando sua admiração. Admiração e talvez um pouco de inveja. Olhou de relance para nossa filha, temporariamente fascinada com o desenho de seu jogo americano de plástico.

— E houve algum, hã, algum dano colateral?

— Talvez um dos cavalheiros envolvidos tenha alguma dificuldade de participar de uma corrida de saco nos próximos meses. Ou de passear, sei lá — falei bebericando meu café.

— E por que isso?

— Bubba decidiu acelerar a negociação.

Ao ouvir o nome Bubba, Gabriella levantou a cabeça. O sorriso que tomou conta de seu rosto era o mesmo da mãe: tão largo e caloroso que era capaz de abraçar seu corpo inteiro.

— Tio Bubba? — ela perguntou. — Você estava com o tio Bubba?

— Estava, sim. Ele me disse para dar um oi para você e para o senhor Lubble.

— Vou buscar o senhor Lubble. — Ela se levantou da cadeira com um pulo, saiu da sala, e o som seguinte que escutamos foi de brinquedos sendo revirados no chão do quarto.

Sr. Lubble era um bicho de pelúcia maior do que Gabby que Bubba tinha dado de presente no aniversário de dois anos dela. Até onde podíamos ver, o sr. Lubble era uma espécie de cruzamento de chimpanzé com orangotango, embora talvez representasse um primata desconhecido para nós. Por algum motivo, ele usava um smoking verde-limão, uma gravata amarela e tênis também amarelos. Gabby o havia batizado de sr. Lubble, mas nem eu nem Angie conseguíamos nos lembrar por que, porém imaginávamos que, aos dois anos, "Lubble" foi o mais perto que tinha conseguido chegar de "Bubba".

— Senhor Lubble — gritou ela do quarto —, venha cá, venha cá.

Angie abaixou o jornal e afagou minha mão. Estava um pouco chocada com minha aparência do segundo dia, que era pior do que minha aparência do primeiro dia, quando chegamos do posto de saúde.

— Precisamos nos preocupar com represálias?

Era uma pergunta pertinente. Em qualquer ato de violência, é preciso partir do princípio de que haverá represálias. Quando você machuca alguém, na maior parte das vezes essa pessoa tentará machucá-lo também.

— Acho que não — falei, percebendo que era verdade. — Eles até poderiam se meter comigo, mas com Bubba, não. Além disso, eu não peguei nada que não me pertencesse.

— Na cabeça deles, não pertencia mais.

— É verdade.

Trocamos um olhar cauteloso.

— Eu tenho aquela Beretta fofinha — ela disse. — Cabe direitinho no meu bolso.

— Faz um tempo que você não usa.

Ela fez que não com a cabeça.

— Sabe quando eu saio de carro sozinha às vezes?

— Sei. O que tem?

— Eu vou ao estande de tiro de Freeport.

Sorri.

— Ah, é?

— É. — Ela sorriu também. — Algumas garotas relaxam fazendo ioga. Eu prefiro esvaziar um ou dois pentes.

— Bom, neste casal você sempre foi o melhor atirador.

— Melhor? — Ela tornou a abrir o jornal.

A verdade era que eu só conseguia acertar areia na praia.

— Tudo bem. Só você sabe atirar.

Gabby voltou para a sala arrastando o sr. Lubble por

um dos braços verde-limão. Sentou-o na cadeira a seu lado e tornou a subir na sua.

— Tio Bubba deu um beijo de boa-noite no senhor Lubble? — ela perguntou.

— Deu, sim. — Eu teria me sentido pior por mentir para minha filha se já não tivesse aberto um precedente com o Papai Noel, o Coelhinho da Páscoa e a Fada do Dente.

— E deu um beijo de boa-noite em mim?

— Deu, sim.

— Eu me lembro. — Aparentemente, as mentiras começam cedo, e chamamos isso de criatividade. — E ele me contou uma história.

— Que história?

— Uma história da árvore.

— Ah, claro.

— E ele também disse que o senhor Lubble tinha que comer mais sorvete.

— E chocolate? — perguntou Angie.

— Chocolate? — Gabby pareceu ponderar os prós e os contras do chocolate. — Acho que tudo bem.

— Você *acha*, é? — Dei uma risadinha e olhei para Angie. — É culpa sua, aliás.

Angie abaixou o jornal. De repente, tinha ficado pálida e sua boca estava entreaberta.

— Mamãe? — Até Gabby percebeu. — Que foi?

Angie deu um sorriso fraco e me passou o jornal.

— Nada, meu amor. A mamãe só está cansada.

— É de tanto ler — disse nossa filha.

— Ler nunca é demais — falei. Olhei para o jornal, depois tornei a olhar para Angie com uma expressão de quem não estava entendendo.

— Embaixo, à direita — ela disse.

Era o Registro Criminal, seção sensacionalista publicada na última página do caderno Cidade. A última notícia tinha o seguinte título: "Mulher do Maine morre em roubo de carro". Foi então que vi o lide e abaixei o jornal por um instante. Angie estendeu a mão por cima da mesa e usou a palma para acariciar meu antebraço.

> *Uma mulher, mãe de dois filhos, foi morta a tiros durante uma suposta tentativa de roubo de carro nas primeiras horas da manhã de terça-feira, quando ia para o trabalho, na BJ's Wholesaler de Auburn. Peri Pyper, 34 anos, natural de Lewiston, foi abordada pelo suspeito quando tentava dar a partida em seu Honda Accord 2008. Testemunhas relatam ter ouvido sinais de briga seguidos de um disparo. O suspeito, Taylor Biggins, 22 anos, natural de Auburn, foi preso a dois quilômetros do local após uma perseguição policial e não apresentou resistência. Peri Pyper foi levada de helicóptero ao Centro Médico do Maine, mas faleceu às 6h34, segundo informações da porta-voz do hospital, Pamela Dunn. Peri Pyper deixa um filho e uma filha.*

— Não é culpa sua — disse Angie.
— Isso eu não sei. Não sei mais de nada.
— Patrick.
— Não sei mais de nada — repeti.

A viagem de carro de Boston a Auburn, no Maine, demorava três horas, e durante esse tempo meu advogado, Cheswick Hartman, organizou tudo. Cheguei ao escritório de advocacia da Dufresne, Barrett e McGrath e fui conduzido a uma sala onde estava James Mayfield, sócio júnior do escritório, responsável pela maior parte dos casos litigiosos.

James Mayfield era um negro de cabelos levemente grisalhos, bigode no mesmo estilo, e altura e peso consideráveis. Tinha um aperto de mão de urso e um jeito descontraído que parecia autêntico e espontâneo.

— Obrigado por me receber, senhor Mayfield.

— Pode me chamar de treinador, senhor Kenzie.
— Treinador?
— Eu sou técnico de beisebol, basquete, golfe, futebol americano e futebol aqui em Auburn. Todo mundo me chama de treinador.
— É claro — falei. — Está bem, treinador então.
— Quando um advogado importante como Cheswick Hartman me liga para dizer que quer mover uma ação litigiosa comigo, *pro bono*, eu me interesso logo.
— Pois é.
— Ele disse que o senhor é um homem de palavra.
— Ele foi muito gentil em dizer isso.
— Gentil ou não, quero a sua palavra por escrito.
— É compreensível — falei. — Eu trouxe minha própria caneta.

O treinador Mayfield empurrou uma pilha de papéis por cima da mesa, e comecei a assinar. Ele pegou o telefone.
— Pode vir agora, Janice. E traga o carimbo.

Assim que eu terminava de assinar uma página, Janice a autentificava com o carimbo. Quando acabei, ela tinha carimbado catorze páginas. O teor do contrato era bem simples: eu concordava em trabalhar para o escritório de advocacia Dufresne, Barrett e McGrath como investigador na defesa de Taylor Biggins. Como tal, qualquer coisa que o sr. Biggins me dissesse estaria sujeita à cláusula de confidencialidade entre advogado e cliente. Se eu comentasse sobre nossas conversas com qualquer pessoa, poderia ser processado, julgado e condenado.

Fui de carro até o fórum com o treinador Mayfield. O céu exibia aquele tom de azul leitoso que às vezes adquire antes da chegada de um vento nordeste, mas o ar não estava muito frio. A cidade recendia a fumaça de lareira e asfalto molhado.

As celas de detenção ficavam bem nas entranhas do fórum. O treinador Mayfield e eu conversamos com Taylor Biggins através das grades, junto às quais os carcereiros tinham deixado um banco de madeira para nos sentarmos.

— Fala, treinador — disse Taylor Biggins. Ele parecia ter menos de vinte e dois anos. Era um jovem negro magrelo vestido com uma camiseta branca extragrande que envolvia seu corpo como um sininho de prata cobrindo um palito de dentes e com uma calça jeans frouxa que ele vivia puxando por cima da cueca samba-canção amarfanhada porque tinham levado embora seu cinto.

— Oi, Bigs — respondeu o treinador Mayfield antes de se dirigir a mim. — Bigs jogou para mim pela liga juvenil Pop Warner. Beisebol e futebol americano.

— Quem é esse cara?

Mayfield explicou.

— E ele não pode dizer nada para ninguém?

— Nada.

— Se disser, vai para o buraco?

— Sem nem uma lanterna, Bigs.

— Tá bom, tá bom. — Bigs passou alguns instantes andando pela cela, com os polegares enganchados nos passadores do cinto. — O que vocês precisam saber?

— Alguém pagou você para matar aquela mulher? — perguntei.

— Como é, mano?

— Você ouviu o que eu disse.

Bigs inclinou a cabeça.

— Está dizendo que eu fui *obrigado* a cometer essa burrice?

— Estou.

— Porra, e quem é que ia fazer isso em sã consciência? Eu estava muito doido, cara. Passei três dias na bolinha.

— Bolinha?

— É, na bolinha — disse Bigs. — Metanfetamina, cristal, ice, como você quiser.

— Ah — falei. — Então por que você atirou naquela mulher?

— Eu não estava *tentando* atirar em ninguém. Você está me escutando? É que ela não quis me dar a chave. Quando ela segurou meu braço... *pá*. Aí ela soltou meu braço. Eu só queria ficar com o carro. Tenho um amigo que compra carros, o nome dele é Edward. Foi assim.

Ele olhou para mim pelo meio das grades, já enveredando por um negro corredor de *delirium tremens*, com a pele reluzente de suor, os olhos maiores do que a cabeça, a boca sorvendo ar em golfadas rápidas e desesperadas.

— Explique para mim com detalhes — pedi.

Ele me lançou um olhar ofendido e incrédulo, como se eu o estivesse incomodando.

— Olha aqui, Bigs — falei. — Além do treinador, você tem um dos melhores advogados de defesa do país cuidando do seu caso a pedido meu. Ele pode diminuir sua sentença pela metade. Entendeu?

Depois de algum tempo, Bigs finalmente assentiu.

— Então responda às minhas perguntas, seu imbecil, ou eu faço com que ele desapareça.

Bigs abraçou a própria barriga e soltou vários silvos. Uma vez passadas as cãibras, endireitou o corpo e tornou a olhar para mim por entre as grades.

— Não tem detalhe nenhum para explicar. Eu precisava de um carro com desmanche fácil. Um Honda ou um Toyota. As peças desses carros duram anos... pouco importa se são tiradas de um modelo 1998 ou 2003. Essas porras são totalmente intercambiáveis. Eu estava no estacionamento, vestido com o meu casaco preto de capuz e esta calça jeans, e ninguém estava me vendo. A mulher saiu e andou até o Accord. Pensei em chegar correndo e mostrar minha cara preta e minha nove milímetros. Deveria bastar. Mas ela começou a falar um monte de merda e não quis me dar a chave. Ficou segurando a chave, aí a mão dela escorregou e bateu no meu braço. E foi como eu disse, *pá*. Ela caiu no chão. E eu comecei a pensar "Puta merda!". Mas eu precisava do carro, então peguei a chave. Entrei no carro e saí do estacionamento a mil por hora, mas a polícia começou a chegar ao estacionamento com as luzes todas piscando. Não consegui andar nem dois quilômetros antes de me pegarem. — Ele deu de ombros. — Foi isso. Frio? É, eu sei.

Mas se ela tivesse simplesmente me dado a chave... — Ele mordeu a língua antes de dizer alguma coisa, depois olhou para o chão. Quando ergueu os olhos de novo, tinha o rosto banhado de lágrimas.

Ignorei o choro.

— Você disse que ela começou a falar um monte de merda. O que foi que ela disse?

— Nada, cara.

Me aproximei das grades. Olhei por elas direto para o rosto dele.

— O que foi que ela disse?

— Que precisava do carro. — Ele tornou a olhar para o chão e meneou a cabeça várias vezes para si mesmo.

— Ela disse que precisava do carro. Como é que alguém precisa tanto assim de um carro?

— Você conhece algum ônibus que circula às três da manhã, Bigs?

Ele fez que não com a cabeça.

— Sabe essa mulher que você matou? Ela tinha dois empregos. Um em Lewiston, outro em Auburn. O turno dela em Lewiston acabava meia hora antes do turno em Auburn começar. Está entendendo agora?

Ele concordou; as lágrimas brotavam de seus olhos aos borbotões, seus ombros tremiam.

— Peri Pyper — falei. — Era esse o nome dela.

Ele manteve a cabeça baixa.

Virei-me para o treinador Mayfield.

— Já acabei.

Fiquei em pé ao lado da porta enquanto o treinador Mayfield conversava com seu cliente por alguns minutos sem que a voz deles ultrapassasse o nível de sussurros; depois ele pegou sua pasta em cima do banco e caminhou em direção ao guarda e a mim.

Quando a porta estava se abrindo, Bigs gritou:

— Porra, era só um carro.

— Para ela não.

— Eu não vou começar a desfiar para você uma história triste sobre como Bigs é um ótimo garoto e tal — disse o treinador Mayfield. — Ele sempre foi meio estabanado, meio míope quando se tratava de avaliar uma situação de longe. Sempre teve o pavio curto e, quando queria alguma coisa, queria na hora. Mas ele não era isso. — O treinador apontou com as mãos pela janela de seu Chrysler 300 enquanto passávamos pelas ruas da cidade com suas igrejas de campanários brancos, seus amplos parques públicos e suas pousadas excêntricas. — Se você olhar por trás da fachada que esta cidade exibe, vai encontrar um monte de rachaduras. A taxa de desemprego passa de dez por cento, e quem contrata paga salários baixos. Pacote de benefícios? — Ele riu. — Sem chance. Plano de saúde? — Ele balançou a cabeça. — Tudo aquilo que nossos pais consideravam normal contanto que você trabalhasse duro, toda a rede de segurança, os salários justos, o relógio de ouro no final? Isso tudo desapareceu por aqui, meu amigo.

— Desapareceu em Boston também — falei.

— Aposto que desapareceu em toda parte.

Ficamos algum tempo em silêncio dentro do carro. Enquanto estávamos na cadeia, o céu azul tinha ficado cinza. A temperatura caíra uns bons seis ou sete graus. O ar parecia feito de papel de alumínio molhado. Não havia dúvida: a neve não demoraria a chegar.

— Bigs teve uma chance de entrar para o Colby College. Disseram que, se ele passasse um ano cursando o ciclo básico em uma faculdade regional para melhorar sua média até torná-la aceitável, iriam lhe garantir uma vaga no time de beisebol do ano seguinte. Então ele segurou a onda. — O treinador olhou para mim com as sobrancelhas arqueadas para confirmar o que estava dizendo. — Segurou mesmo. Estudava de dia, trabalhava à noite.

— O que houve então?

— A empresa em que ele trabalhava demitiu todo mundo. Aí, um mês depois, ofereceram os empregos de volta. É aquela fábrica de enlatados logo ali. — Enquanto atravessávamos uma pequena ponte, ele apontou para um prédio bege de tijolos às margens do rio Androscoggin. — Só trabalhadores não qualificados receberam ofertas; os qualificados foram demitidos e ponto final. Mas a empresa ofereceu os empregos aos não qualificados por metade do valor da hora de antes. Sem pacote de benefícios, sem plano de saúde, sem nada. Mas com muitas horas extras se eles quisessem, contanto que não esperassem um valor maior nem nada dessa baboseira comunista. Então Bigs aceitou o emprego de volta. Para pagar o aluguel e os estudos. Ele começou a trabalhar setenta e duas horas por semana. Além de estudar em tempo integral. Então adivinhe como ele fazia para ficar acordado?

— Cristal.

Ele assentiu enquanto fazia a curva para entrar no estacionamento de seu escritório de advocacia.

— Sabe isso que a fábrica de enlatados fez? Tem empresas fazendo a mesma coisa em toda a cidade, em todo o estado. E o tráfico de metanfetamina está indo de vento em popa.

Saímos do seu carro e ficamos em pé no estacionamento gelado. Eu agradeci e ele fez um gesto de quem desdenha o elogio; era um sujeito que lidava melhor com críticas do que com elogios.

— Bigs agiu como um filho da puta, mas antes do cristal ele não era um filho da puta.

Assenti.

— Isso não significa que o que ele fez foi certo — prosseguiu —, mas aquele tiro não surgiu do nada.

Cumprimentei-o com um aperto de mão.

— Fico contente por você estar tentando defendê-lo.

Ele desdenhou esse segundo elogio também.

— Tudo por causa da porra de um carro.

— Tudo por causa da porra de um carro — falei antes de entrar no meu e ir embora.

Em um posto de gasolina logo depois da divisa com Massachusetts, parei para comer alguma coisa; fui me sentar dentro do carro com a comida que tinha comprado e abri meu laptop no banco da frente. Apertei qualquer tecla para fazê-lo sair da hibernação. Uma sensação agradável percorreu meu couro cabeludo. Depois de acessar o site IntelSearchabs, digitei meu nome de usuário e senha e fui clicando até chegar à página dos registros de busca por indivíduos. Ali, uma telinha verde estava à minha espera pedindo que eu optasse entre nome e apelido. Cliquei em nome.

Angie ia me matar. Eu deveria ter fechado a tampa daquela história toda. Tinha recuperado meu laptop. Tinha recuperado a mala do meu laptop e a foto de Gabby. Tinha conseguido respostas sobre Peri Pyper. Estava tudo acabado, fim. Eu podia virar as costas.

Lembrei-me de Peri e eu bebendo no Chili's de Lewiston e no Friday's de Auburn. Fazia menos de um ano. Tínhamos compartilhado histórias de infância, batido boca por causa de times, provocado um ao outro por causa de nossas desavenças políticas, citado filmes que ambos amávamos. Havia zero ligação entre o fato de ela ter tentado denunciar uma grande corporação e o de ter sido baleada por um garoto estúpido e drogado em um estacionamento às três da manhã. Nenhuma ligação mesmo.

Mas tudo se conecta.

A sua motivação não deveria ser essa, disse uma voz. *Você está puto, só isso. E quando está puto você sai distribuindo porrada.*

Recostei-me no banco do carro e fechei os olhos. Vi o rosto de Beatrice McCready: sofrido, prematuramente envelhecido, possivelmente transtornado.

Outra voz disse: *Não faça isso.*

A voz se parecia com a da minha filha e me deixou pouco à vontade.

Deixe isso para lá.

Abri os olhos. As vozes estavam certas.

Vi a Amanda do meu sonho daquela manhã e os envelopes jogados entre os arbustos.

Tudo se conecta.

Não se conecta, não.

O que era mesmo que eu tinha dito no sonho?

Eu sou só o carteiro.

Inclinei-me para a frente para fechar o computador. Em vez disso, digitei:

Kenneth Hendricks

Apertei ENTER e me recostei no banco.

PARTE 2

RYTHM & BLUES DA MORDÓVIA

9

Kenneth James Hendricks tinha vários apelidos. Já fora conhecido, em épocas diferentes, como KJ, K Boy, Richard James Stark, Edward Toshen e Kenny B. Nascido em 1969 em Warrensburg, Missouri, era filho de um mecânico de aviões na 340ª Unidade de Bombardeiros da Base da Força Aérea em Whiteman. De lá, tinha percorrido os Estados Unidos de ponta a ponta: Biloxi, Tampa, Montgomery, Great Falls. A primeira prisão, ainda como menor de idade, fora em King Salmon, no Alasca; a segunda em Lompoc, na Califórnia. Aos dezoito anos, ele tinha sido preso em Lompoc acusado de agressão e lesão corporal e indiciado como adulto. A vítima era o próprio pai. A queixa foi retirada pela suposta vítima. A segunda prisão como adulto ocorreu dois dias depois. Novamente agressão e lesão corporal, mesma vítima. Dessa vez o pai deu queixa, talvez porque o filho tivesse tentado decepar sua orelha. Kenny estava no meio do serviço quando os gritos do pai alertaram um vizinho. Hendricks cumpriu pena de um ano e meio pela agressão, mais três anos de condicional. Seu pai morreu enquanto ele estava na cadeia. A prisão seguinte foi em Sacramento por vagabundagem, em uma região notoriamente frequentada por michês. Seis semanas depois, também em Sacramento, ele foi detido por agressão pela terceira vez, agora por ter enchido um homem de socos no hotel de beira de estrada Come On Inn, na interestadual I-80. A vítima, um diácono da igreja pentecostal e importante promotor de eventos beneficentes, achou difícil explicar o que estava fazendo pelado num quarto de hotel na companhia de um michê, portanto desistiu de prestar queixa. Mesmo assim, o estado da Califórnia suspendeu a condicional de Kenny por ele estar sob o efeito de cocaína e álcool quando foi preso.

Ao sair da prisão, em 1994, Kenny tatuou o símbolo da Waffen-ss na nuca, presente de seus novos melhores amigos da Irmandade Ariana. Além disso, especializou-se em um crime específico: todas as suas prisões ao longo dos vários anos seguintes foram por suspeita de estelionato. Quanto mais sofisticados iam ficando os computadores, mais sofisticado Kenny também ficava. No entanto, ele não conseguiu se redimir por completo das antigas compulsões e em 1999 foi detido por estupro e lesão corporal contra uma menor de idade em Peabody, Massachusetts. A garota tinha dezessete ou dezesseis anos, dependendo da hora da noite em que o estupro ocorreu de fato. O advogado de Kenny brigou muito por esse detalhe. A promotoria percebeu que, se pusesse a vítima no banco de testemunhas, o que ainda restava da garota seria devorado até o osso. Kenny acabou optando por se declarar culpado da acusação atenuada de lesão sexual a um adulto. Como o Estado levava muito a sério toda acusação de estupro, foi condenado a dois anos, menos do que havia cumprido em 1991 por cheirar algumas carreiras de pó em Sacramento e entornar seis latinhas de cerveja. A última prisão tinha ocorrido em 2007. Kenny foi pego recebendo televisores no valor de cinquenta mil dólares comprados sob identidade falsa. O plano era vender todos os aparelhos por baixo do pano por um preço quinhentos dólares menor do que ele havia pago usando o cartão de crédito corporativo de um tal de Oliver Orin, proprietário da rede Ollie O de bares esportivos, vários dos quais tinham acabado de passar por reformas estruturais. Tive de tirar o chapéu para ele: se havia alguém capaz de encomendar televisores de plasma no valor de cinquenta mil dólares, seria um cara como Oliver Orin. Por causa de seus antecedentes, Kenny foi indiciado e condenado a cinco anos. Cumpriu pouco menos de três. Desde então, não voltara a ser condenado.

— Mas ele é um cara legal mesmo assim — comentou Angie.

— Sem dúvida. Deve ser um charme.

— Só precisa de carinho, de um abraço apertado.

— E de uns pesinhos para malhar.

— Claro — disse Angie. — Não somos uns bárbaros.

Estávamos no misto de quarto de hóspedes e closet que era o nosso *home office*. Passava um pouco das nove da noite, e Gabby tinha ido dormir por volta das oito. Desde então, nós dois estávamos pesquisando mais sobre a vida de Kenny Hendricks.

— Então esse é o namorado de Helene.

— Isso.

— Bom, então está tudo bem.

Ela se recostou na cadeira e soprou o ar para cima entre as sobrancelhas, indício certeiro de que estava prestes a soltar o verbo.

— Deus bem sabe que eu nunca esperei que Helene fosse ser uma boa mãe — ela disse —, mas nem dessa puta viciada em crack eu esperava tamanho retardamento mental em relação à própria filha.

— Calma, calma — falei. — Ela me parece mais viciada em cristal do que em crack. Tecnicamente, portanto, seria uma puta viciada em cristal.

Angie me lançou o olhar mais tenebroso que me lançara em muitos meses. Não era mais hora para brincadeiras. O elefante branco no nosso relacionamento, que nenhum dos dois mencionava, eram as atitudes que havíamos tomado quando Amanda McCready sumira pela primeira vez. Quando Angie tivera que escolher entre a lei e o bem-estar de uma criança de quatro anos, sua reação na época podia ser resumida com a seguinte frase: a lei que se foda.

Eu, por minha vez, tinha seguido a lei à risca e ajudado as forças de segurança pública a devolver uma criança maltratada à mãe responsável por esses maus-tratos. Nosso relacionamento tinha acabado por causa disso. Passamos quase um ano sem nos falar. Alguns anos são mais longos do que outros; aquele demorou quase uma década e meia. Desde a reconciliação, não tínhamos pronunciado os nomes *Amanda* ou *Helene McCready* em casa até três dias antes. Nesses três dias, sempre que um de nós pronunciava um desses nomes, parecia que alguém havia puxado o pino de uma granada.

Doze anos antes, eu tinha agido errado. Tinha certeza disso todos os dias que haviam se passado desde então, mais ou menos uns quatro mil e quatrocentos.

No entanto, doze anos antes, eu também tinha agido certo. Deixar Amanda morando com sequestradores, por mais que eles estivessem investindo no seu bem-estar, significava deixá-la morando com sequestradores. Durante os quatro mil e quatrocentos dias desde que eu a havia tirado de lá, tivera certeza disso. Sendo assim, qual era minha situação?

Minha situação era ter de encarar uma mulher que ainda tinha certeza de que eu tinha feito a coisa errada.

— Nós sabemos onde esse Kenny mora? — ela perguntou, batendo com o dedo no meu laptop.

— Temos o seu último endereço conhecido.

Ela correu as mãos pelos cabelos escuros e compridos.

— Vou um pouco lá para a varanda.

— Claro.

Vestimos nossos casacos. Na varanda dos fundos de casa, fechamos a porta com cuidado, e Angie abriu a tampa da churrasqueira, onde guardava um maço de cigarros e um isqueiro. Ela jurava que só fumava um ou dois cigarros por dia, mas às vezes eu notava que o maço estava bem mais leve do que deveria estar. Até ali, ela conseguira esconder as provas do vício de nossa filha, mas seu tempo estava se esgotando e nós sabíamos disso. No entanto, por mais que eu quisesse que minha mulher não tivesse vícios, em geral não suporto pessoas sem vícios. Elas confundem o instinto narcisista de autopreservação com superioridade moral. Além do mais, são especialistas em estragar prazeres. Angie sabe que eu adoraria que ela não fumasse, e a própria Angie adoraria não fumar. Mas por enquanto fuma. Eu, de minha parte, seguro a onda e não encho o saco dela.

— Se Beatrice não estiver maluca — ela disse —, e se Amanda de fato tiver sumido de novo, essa é a nossa segunda chance.

— Não — falei. — Não é, não.

— Você nem sabe o que eu ia dizer.

— Sei, sim. Você ia sugerir que, se conseguirmos dar um jeito de localizar Amanda McCready, então *desta vez* vamos poder nos redimir dos nossos erros.

Ela me lançou um sorriso triste enquanto soprava a fumaça por cima da balaustrada da varanda.

— Então você sabia o que eu ia dizer.

Sorvi uma baforada de fumaça passiva e dei um beijo na clavícula da minha mulher.

— Eu não acredito em redenção.

— Pensei que você não acreditasse em resolver assuntos pendentes.

— Também não acredito nisso.

— No que você acredita mesmo?

— Em você. Nela. Nisto aqui.

— Querido, você precisa ser mais equilibrado.

— Você por acaso é minha *sensei*?

— *Hai*. — Ela me dirigiu uma pequena mesura. — Estou falando sério. Você pode ficar em casa emburrado por causa do que aconteceu com Peri Pyper e por ter ajudado um filho da mãe como Brandon Trescott a se esquivar da responsabilidade pelos próprios atos ou pode fazer algo de bom.

— E isso é algo de bom?

— Com certeza! Você acha que um cara como Kenny Hendricks deveria estar convivendo com Amanda McCready?

— Não, mas isso não basta para sair me metendo na vida dos outros.

— O que bastaria?

Dei uma risadinha.

Angie não riu.

— Ela está desaparecida.
— Você quer que eu vá atrás de Kenny e Helene.
Ela fez que não com a cabeça.
— Eu quero que *nós* vamos atrás de Kenny e Helene. E que *nós* encontremos Amanda de novo. Talvez eu não tenha muito tempo livre.
— Você não tem tempo livre nenhum.
— Tá bom, não tenho tempo livre nenhum — ela reconheceu. — Mas ainda saco tudo de computador, companheiro.
— Você disse que *saca* tudo?
— Estou revisitando o começo dos anos 2000.
— Eu me lembro do começo dos anos 2000... nessa época nós ganhávamos dinheiro.
— E éramos mais bonitos, e você tinha muito mais cabelo. — Ela apoiou as mãos espalmadas no meu peito e ficou na ponta dos pés para me dar um beijo. — Sem querer ofender, querido, o que mais você tem para fazer estes dias?
— Sua insensível. Eu te amo. Mas você é muito insensível.
Ela me presenteou com a gargalhada rouca que é sua marca registrada, aquela que corre direto pelas minhas veias.
— Você *ama* isso.

Meia hora depois, Beatrice McCready estava sentada à nossa mesa de jantar. Tomava uma xícara de café. Não parecia tão destruída como alguns dias atrás, mas isso não queria dizer que não estivesse.
— Eu não deveria ter mentido sobre Matt — ela disse. — Sinto muito.
Ergui uma das mãos.
— Pelo amor de Deus, Beatrice. Não precisa se desculpar.
— É que ele... É uma dessas coisas que você sabe que provavelmente nunca vai superar, mas mesmo assim precisa continuar vivendo, fazendo suas coisas. Não é?

— Meu primeiro marido foi assassinado — disse Angie. — Isso não quer dizer que eu conheço o tamanho da sua tristeza, Bea, mas aprendi que ter um segundo de um dia qualquer, um segundo apenas, sem sentir tristeza não é pecado.

Beatrice meneou a cabeça de leve.

— Eu... obrigada. — Ela correu os olhos pela nossa pequena sala de jantar.

— Você agora tem uma filha, não é?

— É. O nome dela é Gabriella.

— Ah, que nome bonito. Ela é parecida com você?

Angie olhou para mim à espera de confirmação, e eu concordei.

— Mais do que com ele, sim — ela respondeu. Então apontou para uma foto de Gabby em cima do aparador. — Aquela ali é Gabby.

Beatrice pegou o retrato e, depois de algum tempo, sorriu.

— Ela parece sapeca.

— E é — disse Angie. — Sabe aquilo que dizem sobre os dois anos, como é uma idade difícil?

Beatrice inclinou o corpo para a frente.

— Ah, sei, sim. Começa com um ano e meio e vai até os três e meio.

Angie meneou a cabeça vigorosamente.

— Ela virou um monstro. Sério, meu Deus, é...

— Uma coisa horrorosa, não é? — disse Beatrice. Ela parecia prestes a nos contar alguma história sobre o filho, mas se controlou. Baixou os olhos para a mesa com um sorriso estranho no rosto e se balançou um pouco na cadeira. — Mas passa.

Angie olhou para mim. Retribuí seu olhar, sem saber o que dizer em seguida.

— Bea — disse Angie —, a polícia falou que foi investigar a sua queixa e encontrou Amanda em casa.

Beatrice fez que não com a cabeça.

— Desde que elas se mudaram, Amanda ligava para mim todos os dias. Todos os dias sem falta, até duas sema-

nas atrás. Logo depois do dia de Ação de Graças. Desde então não tenho notícias dela.
— Elas se mudaram? Saíram do bairro?
Bea assentiu.
— Há uns quatro meses. Helene tem uma casa em Foxboro. Sala e três quartos.
Foxboro era um subúrbio uns trinta quilômetros ao sul de Boston. Não era chique como Belmont Hills, mas era bem melhor do que St. Bart's Parish em Dorchester.
— No que Helene anda trabalhando ultimamente?
Beatrice riu.
— Trabalhando? Pelas últimas informações que tive, ela estava vendendo bilhetes de loteria em uma loja de conveniência da rede New Store on the Block, mas isso já faz algum tempo. Tenho quase certeza de que deve ter dado um jeito de ser demitida de lá, como de todos os outros empregos que teve. Ela já conseguiu ser mandada embora até da companhia municipal de gás de Boston. Quem é que consegue ser demitido de uma prestadora de serviços públicos?
— Então, se ela não tem trabalhado muito...
— De onde veio o dinheiro para comprar a casa? — Bea deu de ombros. — Quem vai saber?
— Ela não recebeu nenhum dinheiro da prefeitura referente àqueles processos, recebeu?
Beatrice fez que não.
— Foi tudo colocado em uma poupança em nome de Amanda. Helene não pode mexer no dinheiro.
— Certo — disse Angie. — Vou tentar acessar os impostos do imóvel.
— E as medidas cautelares de afastamento contra você? — perguntei com a voz mais suave que consegui.
Beatrice desviou os olhos para mim.
— Helene sabe manipular o sistema. Vem fazendo isso desde a adolescência. Alguns anos atrás, Amanda ficou doente. Gripe. Helene tinha um namorado novo, um barman que lhe dava bebida de graça, então vivia se esque-

cendo de ir ver como Amanda estava. Isso foi quando as duas moravam na casa antiga, perto da Columbia Road. Eu ainda tinha uma chave e comecei a ir lá cuidar de Amanda. Ou eu fazia isso, ou ela pegava uma pneumonia.

Angie relanceou os olhos para a foto de Gabby, depois voltou a olhar para Bea.

— Helene encontrou você lá e solicitou a medida cautelar.

— É. — Bea tocou a borda de sua xícara de café. — Eu ando bebendo mais do que antes. Às vezes faço besteira de sair ligando para as pessoas bêbada. — Ela ergueu os olhos para mim. — Como fiz com você naquela noite. Fiz isso com Helene algumas vezes. Então ela solicitou uma nova medida cautelar. Isso foi há três semanas.

— E o que levou você a... Não quero usar o verbo "importunar", mas...

— Não tem problema, pode dizer "importunar" mesmo. Às vezes eu gosto de importunar Helene. — Ela sorriu. — Eu tinha falado com Amanda. Ela é uma boa menina. Durona, sabe? Muito madura, uma boa menina.

Pensei na menininha de quatro anos que eu tinha levado de volta para aquela casa. Ela agora era "durona". Ela era "muito madura".

— Amanda pediu que eu fosse até a casa antiga delas dar uma olhada na correspondência, umas cartas que o correio tinha esquecido de encaminhar. Isso acontece o tempo todo. Então eu fui até lá, e a maioria das cartas era propaganda. — Ela enfiou a mão dentro da bolsa. — Menos esta aqui.

Ela me entregou um pedaço de papel cor de marfim: uma certidão de nascimento do estado de Massachusetts, condado de Suffolk, em nome de Christina Andrea English, nascida em 4 de agosto de 1993.

Passei o papel para Angie.

— Quase a mesma idade — ela comentou.

Assenti.

— Christina English seria um ano mais velha.

Nós dois estávamos pensando a mesma coisa. Angie pôs a certidão ao lado do laptop, e seus dedos começaram a dançar sobre o teclado.

— Como Amanda reagiu quando você disse que tinha encontrado esse papel? — perguntei a Bea.

— Ela parou de ligar. Depois sumiu.

— E aí você começou a ligar para Helene.

— E a pedir respostas. É claro que foi isso que eu fiz.

— Fez bem — disse Angie. — Queria estar lá com você.

— Aí você ligou para Helene? — perguntei.

Ela assentiu com a cabeça.

— Várias vezes. E deixei vários recados raivosos.

— Que Helene gravou e mostrou ao juiz — disse Angie.

Beatrice concordou.

— Exatamente.

— E você tem certeza de que Amanda não está na casa de Foxboro?

— Absoluta.

— Por quê?

— Porque eu passei três dias vigiando a casa.

— Vigiando a casa. — Sorri. — Com medida cautelar e tudo. Puxa vida. Você é dura na queda, Bea.

Ela deu de ombros.

— Não sei com quem a polícia falou, mas não foi com Amanda.

Angie ergueu os olhos do computador por um instante, sem parar de digitar.

— Nenhuma escola de ensino fundamental tem registro de uma menina chamada Christina English. Ela também não tem número de previdência social. Nunca deu entrada em nenhum hospital.

— O que isso significa? — indagou Bea.

— Significa que Christina English pode ter se mudado para outro estado. Ou então...

— Achei — disse Angie. — Data de óbito, 16 de setembro de 1993.

— ... que ela morreu — terminei.

— Acidente de carro — disse Angie. — Em Wallingford, Connecticut. O pai e a mãe morreram no mesmo dia.

Bea olhou para nós dois, sem entender.

— Amanda estava tentando se fazer passar por Christina English, Bea — explicou Angie. — E você chegou para atrapalhar. O estado de Massachusetts não tem nenhum registro da certidão de óbito. Talvez haja um registro em Connecticut, vou ter que pesquisar mais, mas existe uma boa chance de alguém se fazer passar por Christina English sem que o Estado se dê conta. A pessoa conseguiria tirar um registro na previdência social, inventar um histórico de empregos e um dia, se quisesse, forjar um acidente de trabalho nesse emprego inexistente e começar a receber uma pensão do Estado.

— Ou então — falei — essa pessoa poderia gastar dezenas de milhares de dólares em vários cartões de crédito durante um período de trinta dias sem nunca pagar nada porque, bem, porque essa pessoa não existe.

— Então, das duas uma: ou Amanda está trabalhando para Helene e Kenny em uma operação de estelionato... — disse Angie.

— Ou está tentando se transformar em outra pessoa.

— Mas nesse caso ela nunca vai poder receber os dois milhões que a cidade vai ter que lhe pagar no ano que vem.

— Bom argumento — falei.

— Ainda que — continuou Angie — o fato de ela assumir uma nova identidade não queira necessariamente dizer que ela vá abrir mão da sua verdadeira identidade.

— Mas eu interceptei a certidão de nascimento — disse Bea —, então ela não pode mais ser ninguém a não ser ela mesma. Não é?

— Bem, a identidade de Christina provavelmente não vai mais funcionar — falei.

— Mas?

— Mas é como os avatares dos jogos de computador — disse Angie. — Se ela for esperta, pode ter vários. Amanda é inteligente?

— Muito acima da média — respondeu Bea.

Ficamos ali sentados sem dizer nada por um minuto. Peguei Bea olhando para a foto de Gabriella. Tínhamos tirado aquela foto no outono anterior. Gabby estava sentada no meio de um monte de folhas, com os braços bem abertos, como aquelas estatuetas que ficam em cima dos troféus, e com um sorriso contagiante do mesmo tamanho que o monte de folhas. Um milhão de fotos iguais àquela enfeitavam parapeitos, aparadores e consoles mundo afora. Bea, vidrada, não tirava os olhos da foto.

— Que idade incrível — disse. — Quatro, cinco anos. Cheia de surpresas, de mudanças.

Não consegui encarar minha mulher.

— Vou fazer umas pesquisas — falei.

Angie me lançou um sorriso maior do que o condado de Suffolk.

Bea estendeu as mãos por cima da mesa. Eu as segurei. Estavam quentes por causa da xícara.

— Você vai encontrá-la de novo.

— Eu disse que vou fazer umas pesquisas, Bea.

O olhar cravado em mim era quase devocional.

— Você vai encontrá-la de novo.

Não respondi nada. Mas Angie, sim.

— Vamos, Bea. Custe o que custar.

Depois que ela foi embora, ficamos os dois sentados na sala, e eu olhei a fotografia de Bea com Amanda que eu tinha no colo. Fora tirada um ano antes em um salão de eventos da organização católica Knights of Columbus. Mostrava as duas em pé diante de uma parede revestida de madeira. Bea estava olhando para Amanda, e irradiava amor como uma lanterna irradia luz. Amanda olhava diretamente para a câmera. Seu sorriso era duro, seu olhar era duro, e seu maxilar estava um pouco torto para a direita. Os cabelos, antes louros, eram agora castanho-avermelhados. Ela usava um corte comprido e reto. Era uma adolescente baixinha, magra, vestida com uma camiseta cinza da Newbury Comics, um moletom azul-royal do Red Sox e um jeans escuro. Seu nariz ligeiramente torto era coberto por leves sardas, e seus olhos verdes eram bem miúdos. Amanda tinha lábios finos, malares saltados, um queixo bem marcado. Os olhos eram tão expressivos que a fotografia jamais poderia lhe fazer jus. Aquele rosto provavelmente mudava de expressão umas trinta vezes em quinze minutos. Nunca chegava a ser bonito, mas nunca deixava de ser fascinante.

— Uau — comentou Angie. — Aquela menina não é mais uma menina.

— Eu sei. — Fechei os olhos por um segundo.

— O que você esperava? — ela indagou. — Com uma mãe como Helene... Se Amanda conseguir ficar longe dos Narcóticos Anônimos antes dos vinte anos, já terá sido um sucesso retumbante.

— Por que é que eu estou fazendo isso de novo? — perguntei.

— Porque você é um homem bom.

— Não sou tão bom assim — falei.

Ela beijou o lóbulo da minha orelha.

— Quando a sua filha perguntar que valores você defende, não vai querer ser capaz de responder?

— Seria legal — falei. — Seria mesmo. Mas essa recessão, essa depressão, essa sei lá que porra... isso é de verdade, meu amor. E não vai desaparecer.

— Vai, sim — ela disse. — Vai desaparecer, sim. Um dia. Mas o seu posicionamento aqui e agora é para sempre. — Ela se virou no sofá, levantou as pernas e as segurou pelos tornozelos. — Eu acompanho você por dois ou três dias. Vai ser divertido.

— Divertido. Como é que você vai...?

— A PR está me devendo pelo verão passado, quando fiquei cuidando do Monstro. Ela pode cuidar da Gabby enquanto eu me divirto uns dois dias por aí com você.

O Monstro era o filho de Peggy Rose, amiga de Angie,

também conhecida como PR. Gavin Rose tinha cinco anos e, até onde eu sabia, nunca dormia e nunca parava de quebrar coisas. Também gostava de ficar gritando sem motivo. Os pais achavam isso uma gracinha. Quando PR tinha tido o segundo filho, no ano anterior, o nascimento coincidiu com a morte de sua sogra, e foi por isso que Angie e eu ficamos com o Monstro durante os cinco dos dias mais longos da história da humanidade.

— Ela nos deve mesmo — concordei.

— Deve, sim. — Angie olhou para o relógio. — Agora está meio tarde para ligar, mas amanhã de manhã eu tento. Você pode passar aqui em casa à tarde para ver se tem uma parceira.

— É muita gentileza sua, mas isso não vai nos render mais dinheiro — eu disse. — E o que nós precisamos é de mais dinheiro. Eu poderia encontrar algum trabalho para fazer de dia. Tem sempre um jeito de cavar alguma coisa, sei lá. No cais, quem sabe? Eu poderia tirar carros dos navios lá em Southie. Ou então... — Parei de falar; o desespero que ouvi em minha própria voz me deu ódio. Recostei-me no sofá e fiquei olhando a neve úmida bater na vidraça. Ela formava redemoinhos sob os postes da rua e rodopiava em torno das linhas telefônica. Olhei para minha mulher. — Nós corremos o risco de falir.

— Vai levar só alguns dias, uma semana no máximo. E, se até lá a Duhamel-Standiford ligar oferecendo outro caso, você larga tudo. Mas, por enquanto, tente encontrar Amanda.

— Falidos a ponto de ter que entrar na fila do sopão dos pobres.

— Nesse caso, comeremos sopa — disse Angie.

10

Até três semanas antes, Amanda McCready frequentava a Escola para Meninas Caroline Howard Gilman. A Gilman ficava escondida em uma ruazinha lateral que saía do Memorial Drive, em Cambridgeport, poucas remadas acima do MIT subindo o rio Charles. A escola havia começado suas atividades como uma instituição de ensino médio para meninas da alta burguesia. Em 1843, sua declaração de objetivos afirmava: "Verdadeira necessidade em uma época desafiadora, a Escola para Meninas Caroline Howard Gilman transformará sua filha em uma moça de modos irrepreensíveis. Quando o marido pedir a mão dela em casamento, vai apertar a sua para lhe agradecer por ter lhe proporcionado uma esposa de criação e solidez inigualáveis".

A Gilman tinha mudado um pouco desde 1843. Ainda educava meninas de famílias ricas, mas seu corpo discente se destacava nem tanto pelos bons modos como pela falta deles. Hoje em dia, se você tivesse dinheiro e contatos para pôr sua filha na Windsor ou na St. Paul's, mas ela tivesse um histórico de aproveitamento muito baixo ou, pior, problemas de comportamento, você a mandava para a Gilman.

— Não gostamos de ser classificados como "escola terapêutica", por mais bem-intencionada que seja essa categorização — explicou-me a diretora, Mai Nghiem, enquanto me conduzia até sua sala. — Preferimos acreditar que somos o último bastião antes dessa alternativa. Um bom número de nossas meninas vai sair daqui para cursar alguma universidade de primeira linha da Ivy League ou das Seven

Sisters; a trajetória delas é um pouco menos tradicional que a de suas outras colegas, só isso. E, como nós apresentamos resultados, conseguimos financiamentos generosos, o que nos permite recrutar moças inteligentes com históricos menos privilegiados.

— Como Amanda McCready.

Mai Nghiem assentiu e me guiou para dentro de sua sala. Tinha trinta e poucos anos e era uma mulher baixa de cabelos compridos e retos tão pretos que quase chegavam a ser azuis. Movia-se como se o chão que pisasse fosse mais macio e mais liso que o meu. Estava usando uma blusa marfim que deixava o ombro de fora por cima de uma saia preta, e indicou uma cadeira enquanto ia para trás de sua escrivaninha. Quando Beatrice telefonou para sua casa na noite anterior a fim de marcar aquele encontro, ela tinha resistido, mas, como eu sabia por experiência própria, Beatrice era capaz de vencer resistências com bastante rapidez.

— Beatrice é a mãe que Amanda deveria ter tido — disse Mai Nghiem. — Aquela mulher é uma santa.

— Sei muito bem disso.

— Não quero ser indelicada, mas vou ter que fazer algumas coisas aqui enquanto conversamos — Mai Nghiem fez uma careta para a tela do computador e pressionou algumas teclas.

— Não faz mal — falei.

— A mãe de Amanda nos telefonou para dizer que a menina vai faltar à escola por algumas semanas porque foi visitar o pai.

— Eu não sabia que Amanda conhecia o pai.

Os olhos escuros de Mai se afastaram da tela por um instante; seu rosto estampava um sorriso triste.

— E não conhece. Helene inventou essa história, mas, a não ser que o pai ou a mãe demonstrem tendências violentas contra a filha e que nós *documentemos* essas tendências, não podemos fazer muita coisa a não ser acreditar no que eles dizem.

— A senhora acha que Amanda pode ter fugido de casa?

Ela pensou um pouco, depois fez que não com a cabeça.

— Amanda não é o tipo de adolescente que foge de casa — disse. — Ela é o tipo de adolescente que ganha prêmios e mais prêmios, e depois uma bolsa para uma boa faculdade. E que vence na vida.

— Então ela venceu na vida aqui.

— Do ponto de vista acadêmico, sem dúvida.

— E do ponto de vista não acadêmico?

Seus olhos voltaram à tela, e ela digitou algumas frases no teclado usando apenas uma das mãos.

— O que o senhor precisa saber?

— Tudo. Qualquer coisa.

— Não estou entendendo.

— Parece que ela era uma garota bem prática.

— Muito.

— Racional?

— Excepcionalmente.

— Tinha algum hobby?

— Como?

— Algum hobby. Coisas que gostasse de fazer fora ser racional o tempo todo.

A diretora apertou a tecla ENTER e se recostou na cadeira por alguns instantes. Batucou na mesa com uma caneta e ergueu os olhos para o teto.

— Ela gostava de cachorros.

— Cachorros.

— De qualquer tipo e de qualquer tamanho. Foi voluntária no Centro de Resgate de Animais de East Cambridge. Ter feito algum serviço comunitário é um dos pré-requisitos para se formar aqui.

— E a pressão para ser igual às outras? Ela é uma menina que veio do lado ruim da cidade. As outras alunas daqui dirigem o Lex do papai. Ela não tem nem o passe de ônibus do papai.

A diretora concordou.

— Acho que no primeiro ano dela aqui algumas meninas foram meio cruéis. Zombaram dela por não usar joias, por causa das roupas.

— Das roupas?

— Não me leve a mal, as roupas dela eram totalmente aceitáveis. Mas eram da Gap ou da Aéropostale, não da Nordstrom ou da Barneys. Os óculos escuros que ela usava eram da Polaroid, comprados em farmácia, enquanto suas colegas usavam óculos da Maui Jim ou da Dolce & Gabbana. A bolsa de Amanda era da Old Navy...

— E a das outras meninas era da Gucci.

Ela sorriu e assentiu com a cabeça.

— Mais provavelmente Fendi ou Marc Jacobs, talvez Juicy Couture. O público-alvo da Gucci são mulheres um pouco mais velhas.

— Como eu estou por fora.

Outro sorriso.

— O problema é justamente esse... *nós* podemos fazer piada. Para nós, isso tudo é uma bobagem. Mas para meninas de quinze ou dezesseis anos, não.

— É uma questão de vida ou morte.

— Praticamente.

Pensei em Gabby. Era esse o mundo para o qual eu a estava criando?

— Mas aí as zombarias simplesmente acabaram — ela disse.

— Simplesmente acabaram.

Ela tornou a assentir com a cabeça.

— Amanda é uma dessas adolescentes muito raras que realmente não parecem ligar para o que os outros dizem. Elogios ou críticas, a tudo ela responde com o mesmo olhar neutro. Fico pensando se as outras meninas se cansaram de provocá-la quando viram que não adiantava. — Um sinal tocou e ela ficou olhando pela janela alguns instantes enquanto uma dúzia de adolescentes passava depressa. — Eu me expressei errado antes, sabe?

— Como assim?

— Eu disse que Amanda nunca fugiria, e acho que *fisi-*

camente ela não fugiria. Mas... bom, em outro sentido, ela vivia fugindo. Foi isso que a trouxe para cá. Foi isso que lhe valeu um boletim repleto de notas dez. A cada dia de sua vida, ela ia aumentando a distância que a separava da mãe. O senhor sabe que foi Amanda quem articulou sua entrada nesta escola?

Fiz que não com a cabeça.

— Ela se candidatou, preencheu os formulários de auxílio financeiro, chegou até a pedir algumas daquelas bolsas raras e quase desconhecidas concedidas pelo governo federal. Começou a fazer todos esses preparativos no sexto ano do ensino fundamental. A mãe não fazia a menor ideia.

— Esse poderia ser o epitáfio de Helene.

Ao ouvir o nome de Helene, ela revirou os olhos de leve.

— Quando me encontrei com Amanda e a mãe pela primeira vez, Helene estava irritada. Ali estava sua filha, prestes a entrar para uma escola particular de razoável prestígio com uma bolsa integral, e Helene olhou em volta desta sala e disse: "A escola pública foi suficiente para mim".

— Ah, claro, nossa amiga Helene é um modelo de sucesso do ensino público de Boston.

Mai Nghiem sorriu.

— Auxílio financeiro, bolsas de estudo... existe um subsídio para cada caso, basta saber procurar os certos, e Amanda soube. Anuidade, livros, tudo estava coberto. Mas não as taxas extras. E as taxas extras vão se acumulando. Amanda pagava as suas a cada semestre em dinheiro vivo. Lembro-me que, em determinado ano, ela pagou quarenta dólares de uma das taxas em moedas que tinha ganho de gorjeta vendendo rosquinhas numa loja. Ao longo da minha carreira, conheci poucas crianças que ganhavam menos do que isso dos pais e mesmo assim trabalhavam tanto que estava claro que nada ia detê-las.

— Mas alguma coisa a tirou dos trilhos. Pelo menos recentemente.

— É isso que me preocupa. Essa menina estava destinada a estudar em Harvard. Com bolsa integral. Ou então em Yale. Brown. Pode escolher. Agora, a não ser que ela volte bem depressa para compensar três semanas de provas perdidas e trabalhos não entregues, e para aumentar a média e torná-la novamente mais do que impecável, onde é que ela vai estudar? — A diretora tornou a balançar a cabeça. — Ela não fugiu.

— Bom, que chato isso.

Ela assentiu.

— Porque agora o senhor terá que partir do princípio que ela foi sequestrada. De novo.

— É, é isso que eu acho — falei. — De novo.

O som do aviso de chegada de um e-mail fez a diretora olhar de relance para a tela do computador e menear a cabeça de forma imperceptível para o que quer que tivesse visto ali. Então olhou outra vez para mim.

— Eu fui criada em Dorchester, sabia? Em uma travessa da avenida. Entre Savin Hill e Fields Corner.

— Não muito longe de onde eu fui criado.

— Eu sei. — Ela batucou no teclado algumas vezes e se recostou na cadeira. — Eu estava no primeiro ano da faculdade em Mount Holyoke quando o senhor a encontrou pela primeira vez. Fiquei obcecada pelo caso. Todas as noites eu voltava correndo para o alojamento para assistir ao noticiário das seis. Todos nós achávamos que ela estivesse morta durante todo aquele longo inverno e até o meio da primavera.

— Eu me lembro — falei, desejando não me lembrar.

— E aí... uau... aí o senhor a encontrou. Tantos meses depois. E a levou para casa.

— E o que a senhora achou?

— Sobre o que o senhor fez?

— Sim.

— O senhor fez o que era certo — ela disse.

— Ah. — Minha gratidão foi tanta que eu quase sorri. Ela me encarou nos olhos.

— Mas mesmo assim estava errado.

* * *

No armário de Amanda, examinei os livros escolares enfileirados em ordem decrescente de altura, as lombadas alinhadas com precisão junto à borda da prateleira. Um uniforme do Red Sox pendia de um gancho na porta: camisa azul-escura com detalhes vermelhos e um dezenove vermelho nas costas. Fora isso, mais nada. Nenhuma foto presa na porta com fita adesiva, nenhum decalque nas paredes, nenhuma coleção de brilho labial ou pulseiras.

— Quer dizer que ela gosta de cachorros e do Red Sox — falei.

— Red Sox? Por que o senhor diz isso? — indagou Mai.

— Tenho uma foto em que ela está usando um casaco do Red Sox.

— Eu vi Amanda usando essa camisa aqui várias vezes. De vez em quando uma camiseta. E já vi o tal casaco. Mas *eu* sou fã do Red Sox, sabe? Posso falar sem parar do sistema deles de base e da lógica ou da falta de lógica da última negociação de jogadores feita pelo dono do clube, essas coisas.

Sorri.

— Eu também.

— Mas Amanda, não. Já tentei puxar esse assunto com ela uma porção de vezes, até que um dia, olhando nos olhos dela, percebi que ela não conhecia a ordem de revezamento dos lançadores. Não sabia dizer quantas temporadas Wakefield havia jogado pelo time nem quanto tempo o Sox tinha demorado para passar da primeira base em determinada semana.

— Uma torcedora bissexta?

— Pior — ela disse. — Uma torcedora fashion. Ela gostava das cores do time. Só isso.

— Que heresia.

— Amanda era a aluna perfeita — disse Stephanie

Tyler. — Perfeita mesmo. — A srta. Tyler lecionava história europeia para alunas avançadas. Devia ter uns vinte e oito anos. Tinha cabelos louros bem claros e curtos, sem um fio sequer fora do lugar. Sua aparência era a de uma mulher acostumada a se cuidar. — Amanda nunca falava fora de hora e sempre vinha às aulas preparada. Eu nunca a pegava tuitando nem mandando torpedos, jogando no BlackBerry, essas coisas.

— Amanda tinha um BlackBerry?

A professora pensou um pouco.

— Não, pensando bem, não. Tinha um celular normal, antigo. Mas é incrível quantas meninas têm BlackBerry. Inclusive as do primeiro ano. Algumas têm um celular *e* um BlackBerry. As do segundo e do terceiro ano dirigem carros como BMW série cinco ou Jaguar, o senhor acredita? — A indignação fez com que ela se inclinasse para a frente, como se estivéssemos conspirando. — O ensino médio mudou muito, não acha?

Mantive o semblante impassível. Não tinha certeza se o ensino médio estava tão diferente assim; para mim, a única diferença eram os acessórios.

— Mas Amanda...

— Aluna perfeita — repetiu a srta. Tyler. — Não faltava a uma aula, respondia quando eu fazia perguntas, em geral acertava, ia para casa no final do dia e fazia os deveres para o dia seguinte. Não se pode pedir mais do que isso.

— Alguma amiga?

— A única amiga dela era Sophie.

— Sophie? — indaguei.

— Sophie Corliss. O pai dela é aquele cara da ginástica, sabe? Brian Corliss. Ele às vezes dá dicas sobre exercício físico no Channel 5.

Sacudi a cabeça em uma negativa.

— Eu só assisto ao *Daily Show*.

— E como faz para saber as notícias?

— Leio jornal.

— Sei — ela disse, e seus olhos ficaram subitamente opacos. — Enfim, muita gente sabe quem ele é.

— Ah, tá bom — falei. — E a filha dele?
— Sophie. Ela e Amanda eram unha e carne.
— Eram parecidas?
Stephanie Tyler inclinou ligeiramente a cabeça.
— Não, mas às vezes eu confundia as duas. Não é esquisito? Amanda era mais baixa, mais clarinha, Sophie era mais morena e bem mais alta, mas eu tinha que ficar me lembrando dessas diferenças.
— Quer dizer que elas eram chegadas.
— Desde os primeiros dias de aula do primeiro ano.
— E o que as unia?
— Eram duas iconoclastas, embora no caso de Sophie eu acho que era mais uma questão de moda que de temperamento. Era como se... Amanda é diferente porque não sabe ser de outro jeito, e isso faz as outras alunas a respeitarem. Mas Sophie escolhia ser diferente, portanto...
— Era tudo pose — falei.
— É, um pouco.
— Quer dizer que as outras alunas respeitavam Amanda.
A srta. Tyler assentiu.
— E gostavam dela?
— Ninguém *não* gostava dela.
— Mas.
— Mas na verdade ninguém a conhecia. Quer dizer, ninguém a não ser Sophie. Pelo menos ninguém que eu me lembre. Aquela menina é uma ilha.

— Ótima aluna — disse Tom Dannal. Ele lecionava macroeconomia para alunas avançadas, mas parecia um treinador de futebol americano. — Na verdade, ela era uma em um milhão. Amanda é tudo que nós queremos que nossos filhos sejam, sabe? Educada, concentrada, inteligentíssima. Nunca se descontrola nem dá trabalho a ninguém.
— É o que todo mundo está me dizendo — falei. — Uma menina perfeita.
— Pois é — ele disse. — Mas, porra, quem é que quer ser assim?

— Tommy... — repreendeu Mai Nghiem.
— Não, não, sério. — Ele ergueu uma das mãos no ar.
— Tudo bem, Amanda era uma boa menina. Sabia ser simpática e agradável. Mas não tinha nada lá dentro, entende o que quero dizer? É assim que ela era. Fui professor de microeconomia dela no ano passado e de macro neste ano, e nas duas turmas Amanda foi minha melhor aluna. Mesmo assim eu não seria capaz de dizer nada sobre ela fora da escola. Nadinha mesmo. Se você fizesse qualquer pergunta pessoal, ela virava as costas. Se perguntasse como estavam as coisas, ela respondia: "Tudo bem, e com o senhor?". E parecia estar sempre bem. Parecia mesmo. Sempre satisfeita. Mas bastava olhar nos olhos dela para ter a impressão de que ela estava imitando um comportamento humano. Ela tinha estudado as pessoas, aprendido a andar e a falar como uma pessoa, mas continuava distante.

— Está dizendo que ela era estranha.

— Estou dizendo que ela era uma das pessoas mais solitárias que já conheci.

— E a tal amiga?

— Sophie? — Ele deu uma risadinha fria. — "Amiga" é bondade sua.

Olhei para a diretora Nghiem. Ela reagiu com um leve dar de ombros.

— Outro professor daqui me disse que Amanda e Sophie eram unha e carne.

— Não estou dizendo que não eram. Só estou dizendo que "amizade" não é a palavra que eu usaria para definir o relacionamento entre as duas. Era um pouco mais perverso do que isso, tipo *Mulher solteira procura*.

— Por parte de quem?

— De Sophie — respondeu Mai Nghiem, assentindo.

— É, pensando bem, Tom tem razão. Acho que Amanda nem reparava, mas Sophie com certeza a idolatrava.

— E, quanto menos Amanda reparava, mais alto ficava o pedestal em que Sophie a colocava — disse Tom Dannal.

— Então eu acho que tenho a pergunta de um milhão de dólares — falei.

Tom concordou.
— Onde está Sophie? Certo?
Olhei para a diretora Nghiem.
— Ela saiu da escola.
Meus olhos se arregalaram.
— Quando?
— No início do ano letivo.
— E vocês não acham que poderia haver uma relação?
— Entre o fato de Sophie Corliss decidir não estudar mais aqui no último ano e Amanda McCready não aparecer nas aulas depois do dia de Ação de Graças?
Olhei em volta da sala de aula vazia e tentei não deixar transparecer minha frustração.
— Tem mais alguém com quem eu possa falar?

Na sala de descanso dos alunos, encontrei sete colegas de turma de Amanda e Sophie. A diretora Nghiem e eu ficamos sentados no centro da sala, enquanto as meninas formavam um semicírculo à nossa volta.
— Amanda era meio assim, sabe? — disse Reilly Moore.
— Não, não sei — eu disse.
Risinhos.
— Meio assim, sabe?
Revirar de olhos. Mais risinhos.
— Ah — falei —, ela era *meio assim*. Agora entendi.
Olhares vazios, sem risinhos.
— Tipo, se você falasse com ela, ela ouvia, sabe? — disse Brooklyn Doone. — Mas se você esperasse ela contar as coisas dela, de quem ela era a fim ou que aplicativos ela tinha no iPad, essas coisas, aí você podia esperar sentado.
A menina ao lado dela, Coral ou Crystal, revirou os olhos.
— Tipo pra sempre.
— Pra sempre — repetiu outra menina, e todas menearam a cabeça, concordando.
— E Sophie, a amiga dela? — perguntei.

— Eeeca!
— Aquela vaca nojenta?
— Aquela menina era uma interesseira.
— Põe interesseira nisso.
— Não é?
— Falaram que ela tipo tentou adicionar você como amiga no Facebook.
— Eeeca!
— Sério.

Quando minha filha nasceu, pensei em comprar uma espingarda para afugentar namorados em potencial dali a uns catorze anos. Agora, enquanto eu ouvia essas meninas se expressando tão mal e imaginava Gabby um dia falando com aquela mesma superficialidade e pobreza linguística, pensei em comprar a mesma espingarda para dar um tiro na minha própria cabeça.

Aproximadamente cinco mil anos de civilização, dois mil e trezentos anos depois da biblioteca de Alexandria, mais de cem anos de aviões, computadores finos como folha de papel ao alcance da mão, capazes de acessar as riquezas intelectuais do mundo inteiro, e, a julgar pelas meninas sentadas naquela sala, o único progresso feito desde a descoberta do fogo foi a transformação de *tipo* em uma palavra onipresente, que podia fazer as vezes de verbo, substantivo, artigo e servia como uma frase completa, se necessário.

— Então ninguém aqui conhecia nenhuma das duas muito bem? — tentei.

Sete olhares inexpressivos.

— Suponho que a resposta seja não.

Seguiu-se o silêncio mais longo do mundo, quebrado apenas por algumas remexidas na cadeira.

— Lembram aquele cara? — perguntou Brooke depois de algum tempo. — Meio tipo o Joe Jonas.

— Tipo ele é tão... tipo tão gato.

— O cara?

— Dã... não, claro que não, otária. Joe Jonas.

— Eu acho que ele parece tipo muito gay.
— Sério?
— Total.
Concentrei-me na garota que tinha puxado o assunto.
— Esse cara... ele era namorado da Amanda?
Brooklyn deu de ombros.
— Sei lá.
— *O que* você sabe, então?
A pergunta a incomodou. Provavelmente até a luz do sol a incomodava.
— Sei lá. Eu só vi a Amanda com um cara uma vez no South Shore.
— No shopping South Shore?
— Ééé... — Ela me olhou espantada com a minha falta de conhecimento.
— Então você estava no shopping e...
— Ééé, tipo eu, a Tisha e a Reilly. — Ela apontou para outras duas meninas. — E esbarramos com os dois saindo da Diesel. Mas eles não compraram nada.
— Eles não compraram nada... — repeti.
Ela baixou os olhos para as próprias unhas, cruzou as pernas e soltou um suspiro.
— Mais alguma coisa? — perguntei, dirigindo-me à sala inteira.
Nada. Nem mesmo olhares inexpressivos. Todas tinham decidido examinar as próprias unhas, os próprios sapatos ou o próprio reflexo nas janelas.
— Bem, obrigado — falei. — Vocês todas ajudaram muito.
— Então tá — disseram duas delas.

Nos degraus em frente à escola, eu e a diretora Nghiem trocamos cartões e eu apertei sua mão miúda e macia.
— Obrigado — agradeci. — A senhora ajudou muito.
— Espero que sim. Boa sorte.
Comecei a descer os degraus.

— Senhor Kenzie?

Tornei a erguer os olhos para ela. O sol tinha saído, quente e forte. Havia transformado a neve do dia anterior em um regato que gorgolejava ao correr pelas sarjetas em direção ao bueiro.

Mai protegeu os olhos com a mão.

— Sabe as provas que Amanda perdeu? Os trabalhos atrasados? Se o senhor mandá-la de volta para cá, podemos dar um jeito de recuperar o trabalho perdido. Sem danos ao currículo acadêmico dela. Ela vai conseguir bolsa para uma universidade prestigiosa, eu prometo.

— Só preciso encontrá-la logo.

Ela assentiu.

— Então eu vou encontrá-la logo — falei.

— Eu sei que vai.

Reconhecemos a gravidade da situação com um menear de cabeça quase imperceptível, e também senti outra coisa naquele gesto dela, meio afetuoso, meio esperançoso, que era melhor não identificar nem tentar interpretar.

A diretora virou as costas e entrou na escola, e a pesada porta verde se fechou atrás dela. Subi a rua em direção ao meu jipe. Quando apertei o controle para destravar a porta, uma menina saiu de trás do carro.

Era uma das sete com quem eu havia acabado de conversar. Tinha olhos escuros, usava sombra, cabelos escuros escorridos e uma pele branca feito papel. Das sete meninas presentes na sala, era a única que não tinha dito nada.

— O que você vai fazer se a encontrar?

— Levá-la de volta para casa.

— Que casa?

— Ela não pode ficar sozinha por aí.

— Talvez ela não esteja sozinha. Talvez "por aí" não seja tão ruim assim.

— Às vezes pode ser bem ruim.

— Você já viu onde ela mora? — Ela acendeu um cigarro.

Fiz que não com a cabeça.

— Bom, cara, arromba a casa dela um dia desses. Começa dando uma olhada no micro-ondas.
— No micro-ondas?

Ela repetiu o que tinha acabado de dizer enquanto soprava uma série de círculos de fumaça pela boca.

— É. No micro-ondas.

Encarei aqueles olhos escuros rodeados por maquiagem ainda mais escura.

— Amanda não me parece o tipo de garota que leva amigos para casa.

— Eu nunca disse que foi Amanda que me levou à casa dela.

Demorei alguns segundos para entender.

— Você foi lá com Sophie?

A menina não disse nada, apenas mordeu o canto esquerdo do lábio superior.

— Tá. Quer dizer que Sophie ainda está lá?
— Pode ser — respondeu a menina.
— E Amanda... onde ela está?
— Eu não sei, sério. Juro que não sei.
— Por que você está falando comigo se não quer que eu a encontre?

Ela cruzou os braços, aninhando o cotovelo direito na palma da mão esquerda enquanto dava mais uma tragada. Uma série de cicatrizes cor-de-rosa subia por seu braço como os dormentes de um trilho de trem.

— Eu ouvi uma história sobre Amanda e Sophie por aí. Ouvi dizer que cinco pessoas entraram em um quarto durante o feriado de Ação de Graças. Está entendendo o que eu estou dizendo?

— Estou, acho que sim.

— Duas pessoas que estavam nesse quarto morreram. Mas quatro saíram vivas.

Dei uma risadinha.

— O que você andou fumando além desse cigarro?
— Lembra o que eu falei, só isso.
— Será que daria para ser *mais* misteriosa?

Ela deu de ombros e mordeu uma unha.
— Eu preciso ir.
Quando ela passou por mim, falei:
— Por que você está falando comigo?
— Porque Zippo era meu amigo. No ano passado, ele foi mais do que um amigo. O primeiro mais-do-que-um-amigo que eu já tive.
— Quem é Zippo?
Sua fachada de apatia e indiferença ruiu, e ela pareceu ter nove anos de idade. Nove anos de idade e esquecida pelos pais num shopping.
— Essa pergunta é séria?
— É.
— Meu Deus — ela disse, e sua voz falhou. — Você não sabe de nada.
— Quem é Zippo? — tornei a perguntar.
— Já falei, cara. — Ela jogou o cigarro no chão. — Tenho que voltar pra lá. Vê se dirige com cuidado.

Ela subiu a rua enquanto a neve derretida continuava a correr pelas sarjetas e o céu adquiria uma cor de ardósia. Quando desapareceu pela mesma porta que a diretora Nghiem, dei-me conta de que eu não tinha perguntado o nome dela. A porta se fechou, eu subi no meu jipe e cruzei novamente o rio.

11

Enquanto eu tinha passado a manhã toda interrogando alunas irritantes de uma escola particular, PR, a amiga de Angie, concordara em cuidar de Gabby durante algumas tardes. E foi assim que minha mulher juntou-se a mim para investigar um caso pela primeira vez depois de quase cinco anos, e nós dois pegamos o carro rumo ao norte para nos encontrarmos com o pai de Sophie Corliss.

Brian Corliss morava em Reading, em uma rua margeada de bordos com largas calçadas brancas e gramados que pareciam se barbear duas vezes por dia. Era uma região da cidade classe média, talvez classe média um pouco alta, mas não a ponto de ser elitista. As garagens eram para dois carros, não quatro, e os carros eram Audi e 4x4 da Toyota, não Lexus nem BMW 740. Todas as casas exibiam um aspecto bem cuidado, e todas estavam enfeitadas com luzinhas e decorações natalinas. Mas nenhuma estava tão enfeitada quanto a dos Corliss, uma casa em estilo tradicional de ripas brancas com persianas e janelas de molduras pretas, e uma porta da frente também preta. Luzinhas brancas em forma de pingentes de gelo pendiam das calhas, das colunas e da balaustrada da varanda da frente. Acima da porta da garagem, estava pendurada uma coroa verde do tamanho do sol. Diante dos arbustos do gramado em frente à casa, tinham montado um presépio com manjedoura, reis magos, Maria, José e uma fazendinha completa em volta de um berço vazio. À direita, uma coleção um tanto incongruente de bonecos de neve, elfos, renas, Papai e Mamãe Noel, além de um Grinch sorridente. Em cima do telhado, um trenó ao lado da chaminé e mais luzinhas formando as palavras FELIZ NATAL. A coluna da caixa de correio era listrada como um pirulito.

Quando chegamos à casa, Brian estava na garagem, tirando compras do porta-malas de um utilitário Infiniti. Cumprimentou-nos com um aceno e um sorriso tão aberto como uma pradaria do meio-oeste. Ele era um homem esbelto que vestia uma camisa jeans desabotoada sobre uma camiseta branca enfiada dentro de uma calça cáqui bem passada. Sua jaqueta de lona estilo safári era marrom-avermelhada, com uma gola de couro preta. Ele tinha quarenta e poucos anos e sua forma física parecia excepcional. Fazia sentido, uma vez que durante os dez últimos anos aquele homem havia ganho a vida primeiro como personal trainer, depois como guru da boa forma. Percorria a Nova Inglaterra de ponta a ponta dando palestras em pequenas empresas sobre como era possível aumentar a produtividade melhorando a forma física dos funcionários. Chegara até a escrever um livro, *Perca peso e coisa e tal*, que durante algumas semanas aparecera na lista dos mais vendidos da região, e um estudo rápido de seus sites na internet (três) e de sua autobiografia sugeria que sua carreira ainda estava longe de atingir o auge. Ele nos cumprimentou com um aperto de mão, sem exagerar na força como fazem tantas pessoas da sua área, agradeceu-nos por ter ido até lá e se desculpou por não ter podido nos encontrar no meio do caminho.

— É o trânsito, sabem? Depois das duas, pode esquecer. Eu comentei com Donna e ela perguntou: "Mas na volta os investigadores não vão ter que enfrentar o mesmo trânsito?".

— Donna é sua esposa?

Ele assentiu.

— E ela estava certa. Então me senti culpado.

— Mas somos nós que estamos tomando o seu tempo — falei.

Ele fez um gesto de que aquilo não tinha importância.

— Não estão tomando tempo nenhum. Se conseguirem ajudar a trazer minha filha de volta, com certeza não estão tomando o meu tempo.

Ele pegou uma sacola de compras do chão da garagem. Eram seis ao todo, e eu peguei duas. Angie pegou outras duas.

— Ah, não — ele disse. — Deixem que eu carrego isso.

— Não seja bobo — falou Angie. — É o mínimo que podemos fazer.

— Puxa — ele disse. — Vocês são muito gentis. Obrigado.

Ele fechou o porta-malas do Infiniti e eu fiquei surpreso de ver colado no vidro traseiro um daqueles adesivos imbecis de Permissão para Caçar Terroristas criados depois do Onze de Setembro. Imagino que eu devia ter me sentido mais seguro sabendo que, se Bin Laden aparecesse para pedir uma xícara de açúcar emprestada, Brian Corliss estaria disposto a dar tudo de si para defender os Estados Unidos, mas o sentimento que me dominou foi irritação pelo fato de os milhares de mortos no Onze de Setembro estarem sendo explorados por um adesivo idiota. No entanto, antes de eu dizer alguma coisa da qual pudesse me arrepender, já estávamos seguindo Brian Corliss pelo caminho que conduzia à porta da frente preta e entrando em sua casa bicentenária.

Ficamos em pé junto à bancada de granito da cozinha enquanto ele guardava as compras na geladeira e nos armários. O piso térreo da casa havia passado por uma reforma tão recente que ainda era possível sentir o cheiro de serragem. Duzentos anos antes, duvido que o construtor tivesse sentido necessidade de rebaixar a sala de estar, pôr um teto de cobre na sala de jantar ou uma geladeira embutida na cozinha. Todas as molduras das janelas eram novas e estavam uniformemente pintadas com tinta amarela bem clara. Mesmo assim, a casa dava uma impressão de falta de harmonia. A sala era toda branca: sofá branco, mantas de sofá brancas, parapeito *off-white* na lareira, pedaços de madeira cinza-claros no cesto de lenha de metal cor de marfim e uma imensa árvore de Natal branca a um canto, dominando o ambiente. A cozinha, por sua vez, era escura: armários de cerejeira, bancadas de granito escuro, parede atrás da pia revestida de granito preto. Até a geladeira embutida e a coifa acima do fogão eram pretas. A sala de jantar tinha um estilo dinamarquês moderno, com uma mesa minimalista, clara e de ângulos retos, cercada por cadeiras de espaldar alto e ângulos também retos. O efeito geral era a sensação de que um número excessivo de catálogos tinha sido usado para decorar a casa.

Fotografias emolduradas de Brian Corliss e de uma mulher e um menino louros estavam dispostas no parapeito da lareira, nas prateleiras de um aparador e em cima da geladeira. Colagens de fotos das mesmas pessoas enfeitavam as paredes. Era possível acompanhar o crescimento do menino, desde o nascimento até uma idade que parecia estar em torno dos quatro anos. Supus que a loura fosse Donna. Era uma mulher bonita, com aquela beleza das garçonetes de bares de esporte e representantes de indústrias farmacêuticas: cabelos muito fartos da cor do rum, dentes brancos como a neve. Parecia uma mulher que sabia o telefone do cirurgião plástico de cor. A maioria das fotos destacava seus seios, que pareciam duas perfeitas bolas de beisebol. A testa não tinha uma ruga sequer, como a de uma pessoa recém-embalsamada, e o sorriso parecia o de alguém que estivesse passando por uma terapia de eletrochoques. Em algumas fotos — uma ou duas, não mais — havia também uma menina de cabelos escuros, olhar nervoso, rosto gordinho e expressão pouco segura de si: Sophie.

— Quando foi a última vez que vocês a viram? — perguntei.

— Já faz alguns meses.

Angie e eu olhamos para ele do outro lado da bancada.

Ele levantou as mãos.

— Eu sei, eu sei. Mas havia circunstâncias atenuantes... Ele fez uma careta, depois sorriu. — Digamos apenas que ter filhos não é fácil. O senhor tem filhos?

— Tenho um — respondi. — Uma menina.

— De quantos anos?

— Quatro.

— Filha pequena, problemas pequenos — ele disse. — Filha grande, problemas grandes. — Ele olhou para Angie por cima da bancada. — E a senhorita?

— Nós somos casados. — Angie meneou a cabeça na minha direção. — Tenho a mesma menina de quatro anos.

Isso pareceu tê-lo agradado. Ele sorriu consigo mesmo e pôs-se a cantarolar baixinho enquanto guardava uma dúzia de ovos e dois litros de leite na geladeira.

— Ela era uma menina tão feliz. — Ele terminou de esvaziar a sacola de compras e dobrou-a com esmero antes de guardá-la sob a bancada. — Uma alegria todos os dias. Eu não estava preparado para o dia em que virou uma garota carrancuda.

— E o que a fez virar... virar isso? — perguntou Angie.

Ele olhou para a berinjela que acabara de tirar da sacola seguinte por alguns instantes, sem saber o que fazer.

— A mãe — respondeu. — Que Deus a tenha. Mas, sim, ela... — Ele ergueu os olhos da berinjela como se a nossa presença ali fosse uma surpresa. — Ela foi embora.

— Quantos anos Sophie tinha quando ela foi embora?

— Bem, ela foi embora levando Sophie.

— Quer dizer que ela abandonou o senhor. E não Sophie. — Angie relanceou os olhos para mim. — Não estou entendendo muito bem.

Brian pôs a berinjela dentro da gaveta de legumes.

— Consegui a guarda de volta quando Sophie tinha dez anos. Ela é... é difícil dizer isso... A mãe de Sophie tinha uma dependência química. Primeiro Vicodin, depois OxyContin. Ela deixou de se comportar como uma adulta responsável. Então me abandonou e foi viver com outra

133

pessoa. Eles criaram um ambiente inteiramente inadequado para educar uma criança, podem acreditar no que estou dizendo. — Ele olhou para nós, aparentemente à espera de algum sinal de concordância.

Dei a ele o meu meneio de cabeça mais carregado de empatia e o meu olhar de compaixão mais intenso.

— Então eu a processei para pedir a guarda — ele disse —, e acabei ganhando.

— Quantos anos Sophie passou com a mãe antes disso? — perguntou Angie.

— Três.

— Três anos...

— E a mãe dela foi viciada em analgésicos durante todo esse tempo? — perguntei.

— Acabou ficando. Quer dizer, ela parou, ou disse que parou. Durante esses três anos.

— Então que ambiente inseguro era esse?

Ele nos presenteou com um sorriso caloroso.

— Eu não me sinto à vontade para falar disso agora.

— Tá bom — falei.

— Quer dizer que o senhor trouxe Sophie de volta para esta casa quando ela tinha dez anos? — perguntou Angie.

Ele assentiu.

— E no início foi meio esquisito, porque fazia seis anos que eu não participava da vida dela de forma permanente, mas depois, vou dizer uma coisa a vocês, nós demos um jeito. Achamos o nosso ritmo. Achamos, sim.

— Seis anos — disse Angie. — Pensei que o senhor tivesse dito três.

— Não, não. A mãe de Sophie e eu nos separamos quando Sophie estava para completar sete anos, e depois disso tive que passar mais três anos brigando pela guarda, mas os seis anos aos quais estou me referindo foram os seis primeiros anos da vida dela. Passei a maior parte desse período em postos no exterior. E Sophie e a mãe moravam aqui.

— Então na verdade o senhor esteve ausente durante

134

toda a vida dela — disse Angie com um tom de voz que não apreciei muito.
— Hã? — O rosto franco dele se fechou e sua expressão ensombreceu.
— Postos no exterior? — perguntei. — Nas Forças Armadas?
— Positivo.
— E o senhor fazia o quê?
— Protegia o nosso país.
— Não tenho dúvida — falei. — E agradeço ao senhor por isso. De coração. Agradeço mesmo. Só estou querendo saber onde o senhor serviu.

Ele fechou a porta da geladeira e dobrou e guardou o que restava das sacolas de papel. Lançou-me aquele seu sorriso muito, muito caloroso.

— Para poder fazer julgamentos infundados sobre a importância da minha contribuição?
— De forma nenhuma — falei. — É só uma pergunta.

Depois de uns poucos e constrangedores segundos, ele ergueu uma das mãos e abriu um pouco mais o sorriso.
— Claro, claro. Me desculpe. Eu era engenheiro civil na Bechtel, em Dubai.

Angie manteve a voz leve.
— Pensei que o senhor tivesse dito que trabalhava para as Forças Armadas.
— Não — ele disse sem fixar os olhos em lugar nenhum. — Eu concordei com a descrição do seu companheiro quando ele disse *Forças Armadas*. Quando você está nos Emirados trabalhando para um governo amigo do nosso, é como se trabalhasse para as Forças Armadas. Com certeza você se torna um alvo para qualquer mártir da guerra santa que decida te explodir em mil pedaços por você simbolizar a noção deturpada dele de decadência e influência ocidentais. Eu não queria minha filha crescendo nesse ambiente.
— Então por que aceitou o emprego?
— Vou lhe dizer uma coisa, Angela, eu fiz essa pergun-

135

ta a mim mesmo mil vezes, e não tenho orgulho da resposta. — Ele encolheu os ombros com o jeito sedutor de uma criança. — O salário era bom demais para recusar. Pronto. Eu confesso. O desconto fiscal também. Eu sabia que, se passasse cinco anos ralando muito, voltaria para casa com um tesouro digno de um rei para investir na minha família e na criação da minha empresa de personal trainer.

— Coisa que o senhor obviamente fez — falei. — E fez muito bem. — Nesse dia eu estava bancando o policial bonzinho. Talvez até o policial puxa-saco. Se funciona, então está bom: é esse o meu lema.

Ele percorreu com os olhos desde o balcão de sua cozinha até a sala de estar, como um Alexandre da era moderna, sem mais mundos para conquistar.

— Então, é, não foi uma ideia muito boa eu achar que ia conseguir manter uma família mesmo morando a quase dez mil quilômetros de distância. Admito o erro. Admito mesmo. Quando voltei, encontrei uma esposa com problemas de abuso de substância e com valores que eu considerava... — ele deu de ombros ao mesmo tempo que fazia uma careta — ... de mau gosto. Nós brigávamos muito. Eu não conseguia fazer Cheryl entender como ela estava sendo destrutiva para Sophie. E, quanto mais eu tentava fazê-la ver a realidade, mais ela se refugiava na mentira. Um dia, voltei do trabalho e encontrei a casa vazia. — Outro dar de ombros, outra careta. — Passei os três anos seguintes lutando por meus direitos de pai e acabei ganhando. Eu ganhei.

— O senhor obteve a guarda exclusiva?

Ele nos conduziu até a sala rebaixada. Brian e eu nos acomodamos no sofá, enquanto Angie se sentava na namoradeira à nossa frente. Sobre a mesa baixa entre nós havia um balde branco cheio de garrafinhas de água mineral. Brian nos ofereceu as garrafas, e pegamos uma cada um. Os rótulos faziam propaganda do programa de dieta dele.

— Depois que Cheryl morreu, sim.

— Ah — disse Angie com os olhos mais arregalados

que de costume, esforçando-se para não deixar transparecer a frustração na expressão da boca. — A sua mulher morreu. E *depois* disso o senhor, hã, obteve a guarda?
— Exato. Ela teve câncer no estômago. Eu vou para o túmulo sabendo que foram as drogas que a deixaram doente. Não se pode abusar assim do próprio corpo e esperar que ele consiga se recuperar continuamente.

Reparei que a pele mas próxima de seus olhos, onde deveriam estar os pés de galinha, era mais branca e mais esticada que o restante de seu rosto. Círculos do tamanho de bolachas-da-praia marcavam a pele. Assim como sua mulher, ele tinha feito plástica. Parecia que seu corpo também não conseguia se recuperar continuamente.

— E então o senhor obteve guarda exclusiva — disse Angie.

Ele assentiu.

— Graças a Deus estávamos morando em New Hampshire. Se fosse em Vermont ou aqui, eu provavelmente ia precisar passar mais três anos lutando.

Angie olhou para mim. Encarei-a com meu olhar mais neutro, aquele que reservo para as situações que me arrepiam a nuca.

— Brian, me desculpe se eu estiver tirando conclusões apressadas, mas por acaso estamos falando de casamento entre pessoas do mesmo sexo? — ela perguntou.

— Casamento, não. — Ele encostou a ponta de um dos indicadores no lado interno do tampo da mesa e dobrou o dedo até a unha adquirir um tom rosado. — Casamento, não. Não em New Hampshire. Mas, sim, uma parceria doméstica dessa natureza estava ocorrendo bem na frente da minha filha. Se elas pudessem ter se casado, quem sabe quanto tempo teria levado a disputa pela guarda?

— Por quê? — perguntei.
— Como?
— A companheira da sua ex-mulher...
— Elaine. Elaine Murrow.
— Elaine, obrigado. Elaine adotou Sophie legalmente?

— Não.

— Ela iniciou procedimentos nesse sentido?

— Não. Mas e se elas tivessem encontrado o ativista certo para defender seus direitos? Isso não é nada difícil por aqui. Quem me garante que elas não teriam conseguido transformar a minha luta para recuperar a guarda em um tubo de ensaio para negar todo o conceito de direitos dos pais biológicos?

Angie me lançou outro olhar cuidadoso.

— Isso me parece um exagero, Brian.

— Ah, é? — Ele girou e retirou a tampa da garrafa d'água, depois sorveu um grande gole. — Bom, para mim não parece. E eu vivi essa situação.

— Tudo bem — falei. — Então, depois que Sophie veio morar com o senhor e vocês dois acertaram as coisas, tudo correu bem?

— Correu. — Ele pôs a garrafa d'água sobre a mesa de centro, e por alguns instantes seu rosto se iluminou com alguma lembrança distante. — É. Durante uns três anos, tudo correu bem. É claro que enfrentamos algumas questões por causa da morte da mãe dela e da mudança de New Hampshire, mas no geral a nossa relação era boa. Ela me respeitava, fazia a cama todos os dias de manhã, parecia se dar bem com Donna, tirava notas boas na escola.

Sorri, sentindo a emoção de suas lembranças.

— Sobre o que vocês conversavam?

— Conversar?

— É — continuei. — Minha filha e eu gostamos de câmeras, sabe? Eu tenho uma SLR preta e ela tem uma digital cor-de-rosa pequenininha, e nós dois...

— Veja bem... — Ele se remexeu um pouco no sofá. — Nós gostávamos mais de *fazer* coisas juntos. Por exemplo, bem, eu fiz ela começar a correr e a praticar uma mistura de ioga e pilates com Donna que ajudou de verdade as duas a ficarem mais próximas. E ela frequentava a minha academia em Woburn. A que deu origem à minha empresa, sabe? É de lá que transmitimos nosso programa de domingo de manhã e atendemos aos pedidos pelo correio. Ela era uma ótima ajuda. Ótima mesmo.

— E depois?

— Depois começou a guerra — ele disse. — Um belo dia, sem motivo. Eu dizia preto, ela dizia branco. Eu servia frango no jantar, ela dizia que tinha virado vegan. Começou a fazer as tarefas domésticas de qualquer jeito, ou então nem fazia. Depois que BJ nasceu, a coisa fugiu ao controle.

— BJ?

Ele apontou para o menininho das fotos.

— Brian Júnior.

— Ah, BJ — falei.

Ele ficou de frente para mim, com as mãos unidas junto aos joelhos.

— Eu não sou nenhum feitor de escravos. Tenho poucas regras nesta casa, mas elas são rígidas. Entendeu?

— Claro — falei. — Com crianças é preciso ter regras.

— Então. — Ele começou a enumerar nos dedos. — É proibido dizer palavrão, é proibido fumar, é proibido convidar qualquer menino quando eu não estiver em casa, é proibido usar drogas e beber, e eu gostaria de saber o que minha filha está fazendo na internet.

— Totalmente razoável — falei.

— Além disso, nada de batom escuro, nem meias arrastão, nem amigo com tatuagem ou *piercing*, nem junk food, comida processada ou refrigerante.

— Ah — falei.

— Então — ele disse, como se eu tivesse acabado de dizer "muito bem". Inclinou o corpo um pouco mais para a frente. — Se Sophie comia mal, ficava com espinhas. Eu dizia isso a ela, mas ela não escutava. E o açúcar piorava sua hiperatividade e sua incapacidade de se concentrar na escola. Então as notas dela pioraram e ela engordou. Um péssimo exemplo para BJ.

— Ele não tem três anos ou algo assim? — perguntou Angie.

Brian arregalou os olhos e assentiu várias vezes com a cabeça.

— Três anos, e é muito suscetível. Vocês não acham que essa crise nacional de obesidade começa cedo? E devemos pensar também na crise educacional que o país está enfrentando. Está tudo relacionado, Angela. Com sua falta de controle e seus chiliques constantes, Sophie estava dando um péssimo exemplo ao nosso filho.

— Mas a essa altura ela tinha entrado na puberdade — disse Angie. — E estava no ensino médio. Isso mexe muito com a cabeça das meninas.

— Eu levei isso em conta. — Ele fez que sim com a cabeça. — Mas vários estudos recentes têm mostrado que é a superproteção aos pré-adolescentes deste país que contribui para uma adolescência tão prolongada e para o atraso no desenvolvimento. Eles não estão caindo na real.

— *Caindo na real...* Ainda não consigo acreditar que cancelaram essa série — falei. — Era genial.

— Hã?

— Desculpe — falei. — Eu estava pensando em outra coisa.

Angie teria me dado um tiro se fosse possível tirar as testemunhas do recinto.

— Continue — pedi.

— Então, é, Sophie estava atravessando a adolescência. Eu entendo isso. Entendo, claro. Mesmo assim existem regras. Não é? Só que ela não quis saber delas. Finalmente eu dei um ultimato: perder quatro quilos e meio em quarenta dias ou sair de casa.

Alguma coisa roncou debaixo de nós, um ronco mecânico, e então ouvimos a ventilação quente da calefação começar a sair do piso.

— Desculpe — disse Angie. — Acho que perdi alguma parte. O senhor condicionou a casa e a comida que dava à sua filha a ela fazer um regime?

— Não é tão simples.

— Então eu perdi algum detalhe complicado? — Angie meneou a cabeça. — Qual, Brian?

— Não se tratava de negar a ela determinadas coisas caso...

— Casa e comida — repeti.
— Sim — ele concordou. — Não se tratava de negar essas coisas caso ela se recusasse a fazer um regime. Eu ia *ameaçar* negar essas coisas caso ela não recuperasse o respeito por si mesma e começasse a viver de acordo com as nossas expectativas. Eu queria transformar Sophie em uma americana forte, orgulhosa, com valores dignos e autoestima genuína.
— E quanta autoestima ela ganharia morando na rua? — perguntou Angie.
— Bom, não achei que fosse chegar a tanto. Obviamente, eu estava errado.
Angie olhou na direção da cozinha, depois do hall. Piscou várias vezes. Passou a alça da bolsa por cima do ombro e se levantou do sofá. Lançou-me um sorriso que dizia que não tinha jeito, com os lábios contraídos por cima dos dentes.
— É, eu não consigo. Não consigo mais ficar sentada aqui. Vou esperar você lá fora. Tá bom?
— Tá — falei.
Ela estendeu a mão para um Brian Corliss perplexo.
— Foi um prazer conhecê-lo, Brian. Se vir uma fumaça passando pela sua janela, não precisa chamar os bombeiros. Sou só eu fumando um cigarro em frente à sua casa.
Ela saiu. Brian e eu ficamos sentados em silêncio escutando o aquecedor preencher a casa com seu chiado.
— Ela fuma? — ele perguntou.
Concordei.
— E adora cheesebúrguer e coca.
— E tem essa cara?
— Que cara?
— Bonita desse jeito? Ela tem o que, trinta e poucos anos?
— Quarenta e dois. — Não nego que gostei da expressão chocada em seu rosto.
— Ela fez plástica?
— Nossa, não — respondi. — É só genética e muita

energia. Ela também anda muito de bicicleta, mas não é nenhuma fanática.

— Você está dizendo que eu sou um fanático.

— De forma alguma. Esse é o seu trabalho e a sua opção de vida. Ótimo. Espero que viva até os cento e cinquenta anos. Só que eu noto que as pessoas às vezes confundem sua opção de vida com suas opções morais.

Passamos alguns instantes sem dizer nada. Cada um tomou um gole d'água.

— Eu vivo pensando que ela vai voltar. — A voz dele estava branda.

— Sophie.

Ele olhou para as mãos.

— Depois de alguns anos com ela criando todo tipo de problema enquanto tentávamos educar um menino pequeno, sabe, eu pensei que o melhor fosse voltar para a lógica de antigamente. Antigamente, as meninas não tinham distúrbios alimentares nem síndrome de déficit de atenção, e não respondiam aos adultos nem escutavam músicas que glorificam o sexo.

Franzi o cenho de leve, involuntariamente.

— Não acho que o passado tenha sido tão bom assim, cara. Escute "Wake up, little Susie" ou "Hound dog", depois me diga sobre o que eles estão cantando. Déficit de atenção, distúrbios alimentares? Você se lembra do que era a oitava série? Por favor, Brian. Só porque as coisas não eram discutidas não significa que não existissem.

— Tá bom — ele disse. — Mas e a cultura? Não havia tantas revistas e reality shows endeusando os burros e os covardes. Não havia pornografia na internet nem veiculação instantânea e viral, descontextualizada, de conceitos que não têm interesse nenhum. Ninguém vendia a ideia de que você não apenas pode se tornar uma estrela de sei lá o que, mas que também tem esse direito. Não tem importância se você não faz a menor ideia do que seja esse *sei lá o que*, não ligue se você não tiver nenhum talento. E daí? Você *merece* tudo. — Ele olhou para mim, subitamente

perdido. — O senhor tem uma filha? Bom, vou lhe dizer uma coisa, nós não podemos competir com *isso*.
— Isso?
— Isso aí. — Ele apontou para as janelas. — O mundo lá fora.
Acompanhei seu olhar. Pensei em dizer que o mundo lá fora não tinha expulsado a filha da própria casa, enquanto o mundo aqui dentro, sim. Mas resolvi não dizer nada.
— Não podemos. — Ele deixou escapar outro suspiro gigantesco e arqueou as costas contra o encosto do sofá para alcançar a carteira. Depois de vasculhar seu conteúdo, encontrou um cartão de visita e o entregou a mim.

| ANDRE STILES |
| Assistente Social |
| Departamento de |
| Infância & Família |

— Ele é o responsável pelo caso de Sophie. Trabalhou com ela até recentemente, acho, quando ela fez dezessete anos. Não tenho certeza se Sophie ainda o vê, mas acho que vale a pena tentar.
— Onde o senhor acha que ela está?
— Não sei.
— Se não tivesse outro jeito e você fosse obrigado a tentar adivinhar.
Ele pensou um pouco enquanto devolvia a carteira ao bolso de trás.
— Onde ela sempre está. Com aquela amiga dela, a que o senhor está procurando.
— Amanda.
Ele assentiu.
— No início, pensei que ela tivesse uma influência estabilizadora sobre Sophie, mas depois descobri mais coisas sobre o passado dela. A menina teve um passado bem sórdido.

— É, teve sim — concordei.

— Eu não gosto de coisas sórdidas. Não há lugar para elas em uma vida respeitável.

Olhei para a sala de estar toda em tons de branco e para a árvore de Natal também branca.

— O senhor conhece alguém chamado Zippo?

Ele piscou algumas vezes.

— Sophie ainda está saindo com ele?

— Não sei. Só estou juntando informações até alguma coisa fazer sentido.

— Isso faz parte do seu trabalho, não é?

— Isso é o meu trabalho.

— O nome dele é James Lighter. — Ele virou a palma da mão para cima, na minha direção. — *Lighter*, isqueiro. Daí o apelido. Não sei mais nada sobre ele a não ser que, na única vez em que o vi, ele estava cheirando a maconha e parecia um punk. É exatamente o tipo de garoto que eu torcia para nunca entrar na vida da minha filha: todo tatuado, calça caindo e cueca aparecendo, piercing na sobrancelha, um tufo de cabelo entre a boca e o queixo. — Seu rosto estava tão contraído que parecia um punho fechado. — Ele não era um ser humano adequado, não mesmo.

— O senhor conhece algum lugar que sua filha e Amanda, talvez até Zippo, frequentem e que eu talvez não conheça?

Ele pensou por tempo suficiente para nós dois esvaziarmos nossas garrafinhas d'água.

— Não. Na verdade, não — disse por fim.

Abri meu bloco de anotações e encontrei a página em que eu havia feito anotações de manhã.

— Uma das colegas de escola de Amanda e Sophie me disse que Sophie e quatro outras pessoas entraram em um quarto. Duas pessoas morreram, mas...

— Ai, meu Deus.

— ... quatro saíram vivas. Isso faz algum sentido para o senhor?

— O quê? Não, não faz nenhum sentido. — Ele se levantou do sofá, e uma de suas mãos fez tilintar o molho de chaves em seu bolso enquanto ele se balançava para a frente e para trás sobre os calcanhares. — Minha filha morreu?

Sustentei seu olhar desesperado por alguns instantes.

— Não faço a menor ideia.

Ele desviou os olhos, depois tornou a virá-los para mim.

— Bom, é esse o problema quando se trata de filhos, não é? Nós não fazemos a menor ideia. Nenhum de nós.

12

Enquanto fumava seu cigarro, Angie tinha ligado para Informações e pedido o telefone de Elaine Murrow em Exeter, New Hampshire. Em seguida, telefonou para Elaine, que concordou em nos receber.

Percorremos em silêncio a primeira parte do trajeto de meia hora até aquele conhecido como o Estado do Granito. Pela janela, Angie contemplava as árvores marrons sem folhas que margeavam a estrada, e a neve da véspera parecia um glacê de bolo cobrindo o chão em trechos que iam ficando cada vez mais carecas.

— Minha vontade era pular por cima daquela mesinha de centro e arrancar a porra dos olhos dele — ela disse depois de algum tempo.

— Incrível você nunca ter sido convidada para um baile de debutantes — falei.

— Estou falando sério. — Ela tirou os olhos da janela e se virou para mim. — Aquele cara sentado ali falando sobre "valores" enquanto manda a filha ir dormir num banco de rodoviária. Porra, e me chamando de "Angela", como se me conhecesse! Eu detesto, deteso, *detesto* gente que faz isso. E, pelo amor de Deus, você ouviu quando ele ficou reclamando da mãe que morreu e do "ambiente inteiramente inadequado"? Por quê? Só porque ela gostava de comer granola e de ver seriados de lésbica na tevê?

— Acabou?

— O quê? — ela perguntou.

— Estou perguntando se você já acabou — falei. —

Porque eu estava lá para conseguir informações sobre uma menina desaparecida que talvez possa me conduzir a outra menina desaparecida. Fazendo o meu trabalho, sabe?

— Ah, tá, pensei que você estivesse engraxando o sapato dele com a língua.

— E que outra opção eu tinha? Ficar indignado e perder a paciência com ele?

— Eu não perdi a paciência com ele.

— Você agiu de forma antiprofissional. Ele sentiu que você estava julgando.

— Não é isso que dizem sobre você lá na Duhamel? Caramba. Nada mal.

— Mas eu nunca cheguei nem perto do que você fez lá hoje.

— Nem perto, é?

— Nem perto.

— Então eu deveria simplesmente ter me recostado no sofá e deixado um pai emocionalmente abusivo continuar agindo como se fosse o dono da verdade?

— É.

— Eu não consigo.

— Eu reparei.

— Quer dizer que é isso? — ela indagou. — É isso o trabalho? Será que eu me esqueci que este trabalho é falar com pessoas que me dão vontade de esfregar a pele com palha de aço?

— Às vezes é assim. — Desvici os olhos da estrada para ela. — Tá bom... na maioria das vezes é assim.

O tráfego diminuiu conforme nos aproximamos da divisa com New Hampshire. Aumentei a velocidade, transformando as árvores à beira da estrada em um borrão marrom.

— Você está tentando fechar o ano com uma multa por excesso de velocidade? — perguntou Angie.

Se minha filha não estivesse no carro, eu sempre dirigia depressa. E Angie tinha aceitado esse fato havia muito tempo, assim como eu aceitava o fato de ela fumar. Ou pelo menos era o que eu pensava.

— Afinal, que porra aconteceu com você hoje de manhã? — perguntei.

O silêncio que se seguiu ficou pesado o suficiente para me fazer cogitar abrir as janelas, mas então Angie bateu a nuca no apoio de cabeça do banco e as solas do sapato no porta-luvas, soltando um "Aaaargggghhh" comprido. Em seguida disse:

— Desculpa. Tá bom? Desculpa mesmo. Você tem razão. Eu não fui profissional.

— Pode repetir isso para o meu gravador, por gentileza?

— Estou falando sério.

— Eu também.

Ela revirou os olhos.

— Tá bom, tá bom — falei. — Desculpas aceitas. E muito bem-vindas.

— Eu estraguei tudo lá hoje.

— Não. Você *quase* estragou. Mas eu consertei. Está tudo bem.

— Mas não foi legal.

— Você não faz isso há um bom tempo. É normal estar um pouco enferrujada.

— É. — Ela correu as mãos pelos cabelos. — Estou toda corroída de ferrugem.

— Mas você ainda, hã, ainda saca tudo de computador.

Ela sorriu.

— Você acha mesmo?

— Acho. Você pode entrar no BlackBerry e procurar um tal de James Lighter no Google?

— Quem é?

— Zippo. Vamos ver se ele aparece em algum lugar.

— Ah. — Ela pressionou algumas teclas, depois voltou a falar. — Ah, aparece, sim. Aparece mortinho da silva.

— Não brinca!

— Não estou brincando. Zippo foi identificado como um cadáver encontrado em Allston há umas três semanas. — Ela leu a notícia em voz alta para mim. O corpo de James Lighter, dezoito anos, fora encontrado em um terreno baldio atrás de uma loja de bebidas em Allston no fim de semana depois do feriado de Ação de Graças. Com dois tiros no peito. A polícia não tinha suspeitos nem testemunhas.

No meio da matéria surgia a previsível história da vida de merda que o menino tivera: com seis anos, a mãe, que era mãe solteira, entregou-o a uma amiga para que ela cuidasse do menino e nunca mais voltou. Até hoje não se sabia o paradeiro de Heather Lighter. Seu filho, James, fora criado por uma série de famílias adotivas. Sua última mãe, Carol Louise, cujo apelido era "Chiadeira", dava um depoimento dizendo que sempre soubera que ele terminaria assim, desde que tinha roubado o carro dela aos catorze anos.

— Aparentemente, roubar o carro da Chiadeira fez o menino merecer duas balas no peito — comentei.

— Que desperdício — disse Angie. — Uma vida inteira que não significa... — Ela ficou buscando a palavra certa.

— *Zip*. Nada.

— Não vou dizer que Sophie era uma menina perfeita antes de o pai aparecer e estragar tudo. — Elaine Murrow estava sentada em um sofá de metal vermelho sem almofadas no meio do celeiro que tinha transformado em ateliê para as esculturas que fazia. Angie e eu estávamos sentados na sua frente em bancos também vermelhos. Os bancos também eram de metal e não tinham almofadas, e eram mais ou menos tão confortáveis quanto estar sentado no gargalo de uma garrafa de vinho. Fazia calor no celeiro, mas as esculturas impediam que o ambiente fosse acolhedor; eram todas metalizadas ou cromadas, e eu não tive muita certeza de entender o que elas pretendiam representar. Se eu tivesse que dar um palpite, teria dito que a maioria era uma imitação em tamanho gigante daqueles dados de pelúcia que as pessoas penduram no retrovisor do carro. Só que sem a pelúcia. Havia também uma mesa de centro em forma de serra elétrica (pelo menos eu acho que era uma mesa de centro). Ou seja: eu não entendo nada de arte moderna e tenho quase certeza de que a arte moderna também não me entende, então deixamos tudo como está e tentamos não atrapalhar um ao outro.

— Ela era filha única — continuou Elaine —, então era meio malcriada e egoísta. A mãe tinha inclinação para se comportar de forma dramática, então Sophie também se comportava assim. Mas podem acreditar em mim: Brian nunca deu a mínima para a filha até o dia em que a mulher o abandonou. E, mesmo depois disso, o que ele mais queria era que Cheryl voltasse para ele, para não precisar conviver com o que a rejeição dela dizia sobre si próprio.

— Quando foi que ele começou a se interessar seriamente pela obtenção da guarda? — perguntei.

Ela deu uma risadinha.

— Quando descobriu por *quem* Cheryl o tinha largado. Ele passou uns seis meses sem entender nada. Achou que ela estivesse morando com uma amiga, não uma namorada. Sério, olhem bem para mim: eu tenho cara de quem foi hétero algum dia na vida?

Elaine tinha cabelos brancos como a neve espetados com bastante gel. Vestia uma camisa quadriculada sem manga por cima de um jeans escuro e calçava sapatos Doc Martens marrom. No caso de Elaine Murrow, se a política fosse "Não perguntar nada, não revelar nada", ninguém precisaria perguntar coisa nenhuma.

— Para mim, não — respondi.

— Obrigada. Mas o idiota do Brian no início não entendeu.

— E quando a ficha finalmente caiu? — quis saber Angie.

— Ele apareceu aqui irado e gritava para ela: "Cheryl, você não pode ser lésbica. Eu não aceito isso".

— *Ele* não aceitava, então não podia ser verdade — disse Angie.

— Exato. Depois que ele finalmente entendeu que

Cheryl não apenas não voltaria para ele como na verdade estava muito apaixonada por mim e que a nossa história não era só um casinho de crise de identidade... Bom. — Ela soprou o ar pela boca, inflando e desinflando as bochechas. — Toda a raiva de Brian, toda a sua sensação de inadequação e todo o ódio que ele sentia por si mesmo, que provavelmente devem estar devorando o cara por dentro desde, sei lá, desde o dia em que ele nasceu... adivinhem que forma tomaram? A de uma cruzada moral para resgatar a filha que ele não conhecia das garras de um estilo de vida imoral. Desse dia em diante, sempre que vinha buscar Sophie, ele usava camisetas com dizerem simpáticos como "Deus criou Adão & Eva, não Adão & Evaldo", ou então com a palavra "involução" escrita acima do desenho de uma mulher e um homem deitados, seguido pelo de dois homens deitados, seguido pelo de um homem deitado com... querem tentar adivinhar?

— Aposto que é algum tipo de animal de fazenda.

Ela assentiu.

— Uma ovelha. — Ela enxugou o canto de um dos olhos. — Ele usava isso na presença de uma criança, e depois vinha nos fazer sermão sobre o pecado.

Um cachorro grande — meio cole, meio sabe-se lá o que — entrou no celeiro convertido em estúdio por uma portinhola para cães situada nos fundos. Caminhou por entre as esculturas e foi pousar o queixo em cima da coxa de Elaine. Ela coçou a lateral do focinho e a orelha do animal.

— No final, Brian estava usando artilharia pesada contra nós — ela disse. — Cada dia era uma guerra. Nós acordávamos em pânico todas as manhãs. Em pânico. Será que ele apareceria no nosso trabalho com um cartaz cheio de citações da Bíblia e nos acusaria de abuso de crianças? Será que entraria com algum mandado judicial ridículo com base em supostas conversas que tivera com Sophie sobre o fato de nós bebermos, fumarmos maconha ou transarmos na frente dela? Para transformar uma disputa de guarda em, sei lá eu, carnificina, basta haver alguém que não tenha amor pela criança em questão. Brian afirmava qualquer coisa, por mais estapafúrdia que fosse, inventava mentiras sem pé nem cabeça e fazia Sophie repetir. Isso começou quando ela tinha sete anos. Sete anos. Nossas finanças foram arruinadas pelo custo judicial daquele processo ridículo que tinham dito desde o início que ele jamais conseguiria ganhar. Eu...

Ela percebeu que estava coçando a orelha do cachorro com uma força um tanto excessiva. Quando retirou a mão, tremia.

— Pode falar com calma, não tenha pressa — disse Angie. — Não tem problema.

Elaine assentiu, agradecendo, e fechou os olhos por um instante.

— Quando Cheryl começou a reclamar de refluxo, pensamos "Ah, normal", com todo o estresse que vínhamos enfrentando. Quando recebemos o diagnóstico de câncer no estômago, lembro que fiquei em pé no consultório do médico, imaginando o rosto convencido e ignorante de Brian e pensando: "Nossa. Os maus acabam vencendo mesmo". Eles vencem, é fato.

— Nem sempre — falei, embora me perguntando se acreditava mesmo nisso.

— Na noite em que Cheryl morreu, Sophie e eu ficamos ao seu lado até ela dar o último suspiro. Quando saímos do hospital, às três da manhã, estava chovendo e fazia frio. Adivinhem quem estava nos esperando no estacionamento?

— Brian.

Ela assentiu

— Ele estava com uma cara... eu nunca vou esquecer. A boca dele estava curvada para baixo, o cenho franzido, como se *estivesse mesmo* chateado. Mas os olhos? Putz.

— Brilhavam, não é?

— Como se ele tivesse acabado de ganhar um campeonato. Dois dias depois do enterro, ele apareceu aqui com uns policiais e levou Sophie embora.

— E vocês duas mantiveram contato?

— No início, não. Eu tinha perdido a minha mulher e depois a menina que eu passei a considerar minha filha. Brian proibia Sophie de me telefonar. Eu não tinha nenhum direito sobre ela, então, depois da segunda vez em que fui a Boston visitá-la no recreio na escola, ele entrou com um pedido de medida cautelar de afastamento.

— Mudei de ideia — disse Angie. — Eu gostaria de ter sido ainda mais parcial com aquele babaca. Devia ter dado um chute na garganta dele.

O rosto de Elaine se abriu com um sorriso.

— Nada impede que você faça uma segunda visitinha.

Angie estendeu a mão e afagou a de Elaine, e esta apertou os dedos da minha mulher e meneou a cabeça várias vezes enquanto as lágrimas pingavam no seu jeans.

— Quando ela tinha por volta de catorze anos, Sophie voltou a entrar em contato comigo. A essa altura, ela já estava tão baratinada e dominada pela raiva e pela perda que parecia que eu estava falando com outra pessoa. Morava com um pai de mentira que era um babaca, com uma mãe de mentira que parecia uma boneca de cera e com um imbecil de um irmão de mentira que a odiava. Então, pela lógica da natureza humana, eu me tornei um dos seus alvos preferidos... Por que eu a tinha abandonado? Por que não havia me esforçado mais para salvar sua mãe? Por que não tínhamos nos mudado para um estado onde Cheryl e eu pudéssemos ter nos casado, para que ela pudesse ter sido adotada por mim? Aliás, porra, por que é que nós éramos sapatonas? — Ela inspirou com dificuldade e deixou escapar uma expiração igualmente congestionada. — Foi terrível. Todas as minhas feridas se abriram. Depois de algum tempo, parei de atender os telefonemas dela, porque não tive estômago para suportar a raiva e a recriminação por crimes que eu nem sequer havia cometido.

— Não se culpe — falei.

— Falar é fácil — ela disse. — Difícil é viver isso.

— Quer dizer que faz algum tempo que você não tem notícias dela? — perguntou Angie.

Elaine deu um último tapinha na mão de Angie antes de soltá-la.

— Tive notícias umas duas vezes no ano passado. Ela estava sempre doidona.

— Doidona?

Ela olhou para mim.

— É, doidona. Eu passei dez anos me desintoxicando. Sei quando estou falando com alguém que usa drogas.

— Que drogas?

Ela deu de ombros.

— Alguma coisa forte, imagino. Ela falava daquele jeito acelerado e nervoso dos viciados em cocaína. Não estou dizendo que era cocaína, mas era alguma coisa que deixava Sophie ligada.

— Ela mencionou alguém chamado Zippo?

— O namorado dela, sim. Pelo que ela dizia, ele era o máximo. Sophie tinha muito orgulho da relação dele com uns russos.

— Russos da máfia? — perguntou Angie.

— Foi o que imaginei.

— Que ótimo — falei. — E Amanda McCready? Sophie algum dia falou nela?

Elaine soltou um assobio.

— A deusa? O ídolo? Tudo o que Sophie queria ser? Nunca cheguei a conhecer Amanda, mas ela parece... impressionante para uma garota de dezesseis anos.

— É a impressão que temos. Sophie é o tipo de garota que busca um líder?

— A maioria das pessoas busca um líder — respondeu Elaine. — Elas passam a vida inteira esperando alguém lhes dizer o que fazer e como se comportar. É tudo o que querem. Pode ser um político, um cônjuge ou um líder religioso, mas tudo o que elas realmente querem da vida é alguém que mande nelas.

— E Sophie encontrou essa pessoa? — perguntou Angie.

— Sim. — Elaine se levantou da cadeira. — Com certeza encontrou. Ela não me telefona desde... desde julho, acho. Espero ter conseguido ajudar.

Nós lhe garantimos que sim.
— Obrigada por terem vindo.
— Obrigado por falar conosco.
Nós a cumprimentamos com um aperto de mão e seguimos Elaine e o cachorro para fora do celeiro e pelo caminho de terra batida até nosso carro. O crepúsculo caía por entre as copas nuas das árvores e o ar recendia a pinho, umidade e folhas em decomposição.
— O que vocês vão fazer quando encontrarem Sophie?
— Eu fui contratado para encontrar Amanda — falei.
— Então não vão se sentir obrigados a levar Sophie de volta para casa.
Fiz que não com a cabeça.
— Ela já tem dezessete anos. Mesmo que quiséssemos, não poderíamos fazer nada.
— Mas vocês não querem.
Angie e eu respondemos ao mesmo tempo.
— Não.
— Se vocês *por acaso* a encontrarem, podem me fazer um favor?
— Claro.
— Digam que ela tem um lugar para ficar. A qualquer hora do dia. Doidona ou não. Zangada ou não. Não estou mais ligando para os meus sentimentos. Tudo que eu quero é saber que ela está em segurança.
Ela e Angie então se abraçaram daquele jeito espontâneo das mulheres, que permanece um mistério até mesmo para homens acostumados a se abraçar. Às vezes eu provocava Angie por isso. Chamava aquele abraço de Abraço da Vida ou Abraço da Oprah, mas aquele ali não foi movido por nenhum sentimento protocolar, apenas por identificação, acho, ou por reconhecimento.
— Ela merecia você — disse Angie.
Elaine chorou silenciosamente no ombro de Angie, que a segurou pela nuca e a ninou um pouco, do mesmo jeito que sempre fazia com nossa filha.
— Ela merecia você.

13

Encontramos Andre Stiles em frente ao escritório do Departamento de Infância e Família na Farnsworth Street, e saímos os três caminhando a passos rápidos pelo Seaport Boulevard até uma taberna na Sleeper Street.

Uma vez acomodados em nossos lugares e depois de feito o pedido à garçonete, eu disse:

— Obrigado de novo por nos receber com tão pouca antecedência, senhor Stiles.

— Por favor, não me chame assim. Pode me chamar de Dre.

— Dre, então.

Ele tinha uns trinta e sete, trinta e oito anos, cabelos castanhos cortados bem rente, com alguns fios brancos começando a surgir nas têmporas e nas bordas do cavanhaque. Estava bem vestido para um assistente social: suéter preto de gola careca, calça jeans escura de qualidade muito melhor do que as da Gap e um sobretudo de caxemira preta com forro vermelho.

— Sophie, então — ele começou.

— É, Sophie.

— Vocês conheceram o pai dela.

— Conhecemos — respondeu Angie.

— E o que acharam?

A garçonete trouxe as bebidas. Ele tirou a rodela de limão da vodca com tônica, mexeu e então pousou o palito ao lado da rodela. Seus dedos se moviam com a delicadeza segura de um pianista.

— O pai dela — repeti. — Uma figura e tanto, não é?

— Se com figura o senhor estiver querendo dizer um filho da mãe, é, ele é mesmo uma figura.

Angie riu e bebeu mais um pouco de vinho.

— Não meça as palavras, Dre.

— É, por favor — concordou Angie.

Ele tomou um gole da bebida e mastigou um pedaço de gelo.

— No caso de muitas crianças com quem eu lido, o problema não é ela. É que a criança tirou um babaca na loteria dos pais. Ou então dois babacas. Eu poderia ficar aqui falando sobre isso de maneira politicamente correta e tal, mas já faço isso no trabalho o dia inteiro.

— A última coisa que nós queremos é o politicamente correto — falei. — Qualquer coisa que o senhor puder nos dizer será muito útil.

— Há quanto tempo vocês são investigadores particulares?

— Eu acabei de sair de cinco anos sabáticos — respondeu Angie.

— Acabou de sair quando?

— Hoje de manhã — ela disse.

— E sentiu falta do trabalho?

— Pensei que tivesse sentido. Mas agora não estou mais tão certa.

— E o senhor? — ele perguntou para mim. — Há quanto tempo faz isso?

— Tempo demais. — Fiquei perturbado com o quanto essas palavras soaram verdadeiras. — Desde os vinte e três anos.

— E algum dia pensou em fazer outra coisa?

— Penso mais nisso a cada dia que passa. E o senhor?

Ele fez que não com a cabeça.

— Esta aqui já é minha segunda carreira.

— E qual era a primeira?

Ele terminou a bebida e trocou olhares com a garçonete. Eu ainda tinha metade do uísque no copo e Angie, dois terços do vinho, portanto ele apontou para o próprio copo e mostrou a ela um dedo apenas.

— A minha primeira carreira — ele disse. —, acreditem ou não, era de médico.

De repente, a graça delicada de seus dedos fez sentido.

— A gente pensa que ser médico é salvar vidas, mas logo descobrimos que é uma questão de rentabilidade, como qualquer outro negócio. Quantos serviços você consegue prestar ao preço mais alto possível, gastando o menos possível com material e mão de obra? O lance é tratar as pessoas, mandá-las de volta para casa e depois cobrar mais quando a oportunidade se apresentar.

— E imagino que o senhor tampouco fosse politicamente correto nessa época — disse Angie.

Ele deu uma risadinha enquanto a garçonete trazia sua bebida.

— Fui demitido por insubordinação de quatro hospitais em um raio de treze quilômetros. Tenho certeza de que é uma espécie de recorde. De repente ficou impossível arrumar um emprego na cidade. Eu até que poderia ter me mudado para, sei lá, New Bedford ou coisa do tipo. Mas gosto daqui. E um belo dia acordei e percebi que detestava a vida que tinha. Detestava o que estava fazendo com a minha vida. Eu tinha perdido a fé. — Ele deu de ombros. — Alguns dias depois, vi o anúncio de uma vaga de serviço social no departamento, e aqui estou.

— Sente falta de ser médico?

— Às vezes. Mas, na maior parte do tempo, nem tanto. É como qualquer relacionamento que funciona mal: com certeza havia coisas boas, senão eu não teria me metido naquilo. Mas durante a maior parte do tempo estava me matando. Agora eu tenho um horário regular, faço um trabalho do qual me orgulho e à noite durmo como um bebê.

— E o trabalho que fez com Sophie Corliss?

— A maior parte dele é confidencial. Ela veio me pedir ajuda e eu tentei ajudar. É uma menina bem perdida.

— E por que ela abandonou a escola?

Ele me olhou com uma expressão de quem pede desculpas.

— Infelizmente, isso é confidencial.

— Não consigo construir uma imagem muito nítida de Sophie — falei.

— É porque ela não tem uma imagem muito nítida. Sophie é uma dessas pessoas que entram na adolescência sem nenhuma habilidade genuína, sem nenhuma ambição e com autoestima zero. É inteligente o bastante para saber que tem deficiências, mas não o bastante para saber quais são. E, mesmo que soubesse, o que poderia fazer? A pessoa não pode *resolver* se interessar por alguma coisa. Vocação não se fabrica. Sophie é o que chamamos de boia. Ela vive flutuando por aí à espera de alguém que lhe diga para onde ir.

— O senhor já encontrou uma amiga dela chamada Amanda? — perguntou Angie.

— Ah, Amanda — foi a resposta.

— O senhor a conhece?

— Quem conhece Sophie conhece Amanda.

— Assim me disseram — falei.

— Então o senhor encontrou Amanda?

— Muito tempo atrás, quando ela estava com... Epa — ele disse, empurrando a cadeira um pouco para trás. — O senhor foi o cara que a encontrou nos anos noventa, não foi? Meu Deus. Eu sabia que o seu nome era conhecido.

— Isso mesmo.

— E agora está procurando por ela de novo? Que ironia. — Ele balançou a cabeça. — Bom, eu não sei como ela era antes, mas agora Amanda é uma menina muito legal. Legal demais, talvez, sabe? Nunca conheci ninguém da idade dela tão centrado. Quer dizer, aceitar a si mesmo já é raro quando se tem sessenta anos, imagine dezesseis. Amanda sabe exatamente quem ela é.

— E quem ela é?

— Não estou entendendo.

— Nós já ouvimos muita gente dizer que Amanda é legal, e o senhor a descreve como alguém que sabe exatamente quem é. Minha pergunta é: quem é ela?
— Ela é quem precisa ser. É a plasticidade em pessoa.
— E Sophie?
— Sophie é... maleável. É capaz de abraçar qualquer filosofia se aproximá-la do consenso geral. Amanda *se adapta* ao que o grupo *acha* que quer. E deixa isso de lado assim que se afasta.
— O senhor a admira.
— Admirar é uma palavra meio forte, mas reconheço que ela é uma menina notável. Nada a abala. Nada a faz mudar de ideia. E ela só tem dezesseis anos.
— Impressionante mesmo — falei. — Mas eu gostaria que alguém me dissesse alguma coisa sobre ela que fosse tolo, caloroso ou, sei lá, confuso.
— Essa não é Amanda.
— É, parece que não.
— E um garoto chamado Zippo? Já ouviu falar nele?
— É o namorado de Sophie. Acho que o nome verdadeiro dele é David Lighter. Ou Daniel Lighter. Não sei direito.
— Quando foi a última vez que o senhor viu Sophie?
— Há umas duas, três semanas.
— E Amanda?
— Mais ou menos na mesma época.
— E Zippo?
Ele esvaziou o copo.
— Meu Deus.
— O que foi?
— Faz umas três semanas também. Todos eles... — Dre olhou para nós.
— Desapareceram — completou Angie.

Nossa filha começou a escalar o brinquedo no centro do Ryan Playground. Nevava desde o anoitecer. Havia um palmo de areia debaixo do brinquedo, mas mesmo assim eu estava com as mãos a postos.

— Então, investigador — disse Angie.

— Diga, investigadora assistente.

— Ah, quer dizer que eu sou a assistente? Nossa, as mulheres realmente são vítimas de preconceito no mundo profissional.

— Você vai ser assistente por uma semana. Depois vou promovê-la.

— Com base em quê?

— Trabalho de qualidade e certa imaginação noturna depois do expediente.

— Isso é assédio, seu devasso.

— Na semana passada, esse assédio fez você esquecer o próprio nome.

— Mamãe, por que você esqueceu seu nome? Você bateu a cabeça?

— Parabéns — disse Angie para mim. — Não, mamãe não bateu a cabeça. Mas você vai cair se não prestar atenção. Cuidado com aquela barra ali. Está coberta de gelo.

Minha filha revirou os olhos para mim.

— Escute o que a chefe está dizendo — falei.

— Mas o que descobrimos hoje então? — perguntou-me Angie enquanto Gabby voltava à sua escalada.

— Que provavelmente foi Sophie quem falou com a polícia fazendo-se passar por Amanda. Descobrimos que Amanda é uma menina muito legal e centrada. E Sophie, não. Descobrimos que cinco pessoas entraram em algum quarto, duas morreram, mas quatro saíram vivas. Seja lá o que isso quer dizer. Descobrimos que existe um garoto chamado Zippo. Descobrimos que é possível Amanda ter sido sequestrada porque ninguém acha que ela fugiria com tantos bons motivos para ficar na escola. — Olhei para Angie. — Não estou entendendo nada. Não está com frio?

Os dentes dela batiam.

— Eu não queria nem sair de casa. Como foi que tivemos uma filha esquimó?

— Genes irlandeses.

— Papai, me segura — pediu Gabby.

Dois segundos depois de dizer isso, ela se jogou da barra e eu a segurei nos braços. Ela estava usando protetores de orelha e um casaco cor-de-rosa forrado de plumas com capuz, além de umas quatro camadas de roupa por baixo, incluindo uma ceroula térmica — tanta roupa que o corpinho preso lá dentro parecia uma ervilha na vagem.

— Sua bochecha está gelada — falei.

— Está nada.

— Hã, tá bom. — Ergui-a até os ombros e a segurei pelos tornozelos. — Mamãe está com frio.

— Mamãe está sempre com frio.

— É porque mamãe é italiana — disse Angie enquanto íamos saindo do parquinho.

— *Ciao* — entoou Gabby. — *Ciao, ciao, ciao.*

— PR não vai poder ficar com ela amanhã... tem dentista... mas nos dois dias seguintes, sim.

— Legal.

— O que você vai fazer amanhã? — perguntou Angie.

— Cuidado com o gelo.

Dei um passo para não pisar no gelo que cobria o chão antes de chegarmos à calçada.

— Nem queira saber.

14

Vista de fora, a moradia atual de Helene McCready era um grande progresso em relação ao prédio de três andares em Dorchester que ela até recentemente tinha julgado ser um lugar adequado para criar mal a filha. Ela e Kenny Hendricks moravam no número cento e trinta e três da Sherwood Forest Drive, em Nottingham Hill, um condomínio fechado a três quilômetros da Rodovia 1, em Foxboro. Tudo o que eu sabia sobre Foxboro era que o Patriots jogava lá oito vezes por ano e que não ficava muito distante do outlet de Wrentham. Uma vez acessadas essas duas informações, eu não tinha mais nada. Era o fim da minha lista.

Acabei descobrindo que Foxboro também era onde estavam localizados alguns condomínios fechados com nomes bonitinhos. A caminho de Nottingham Hill, passei também por Bedford Falls, Juniper Springs, Wuthering Heights e Fragrant Meadows. Todos, como já disse, condomínios fechados. Só que eu não conseguia entender para que as grades: Foxboro tinha uma taxa de criminalidade muito baixa. Com exceção de uma vaga de estacionamento em dia de jogo, eu não conseguia imaginar o que alguém poderia querer roubar por ali, a menos que estivesse havendo uma súbita carência de utensílios para churrasco ou de cortadores de grama potentes.

Não foi difícil passar pelo portão de Nottingham Hill, uma vez que não havia porteiro. Uma placa na guarita dizia DURANTE O DIA, DIGITE *958 PARA CHAMAR O SEGURANÇA. Alguns carros depois da guarita, a rua principal, a Robin Hood Boulevard, bifurcava. Quatro setas apontando para a esquerda indicavam Loxley Lane, Tuck Terrace, Scarlett Street e Sherwood Forest Drive. A rua era reta e, conforme eu previa, parecia conduzir a uma série de lotes do mesmo tamanho típicos da classe média.

À direita, porém, as setas prometiam me levar a Archer Avenue, Little John Lane, Yorkshire Road e à sala de reunião Maid Marian, mas a rua conduzia apenas a uma série de montes de areia com uma solitária retroescavadeira amarela encarapitada em um deles. Em algum momento do boom de construção do condomínio Nottingham Hill, o boom tinha diminuído.

Virei à esquerda e achei o número cento e trinta e três da Sherwood Forest Drive no final de uma rua sem saída. Ali, os quintais dos fundos exibiam a mesma areia escura dos montinhos onde devia estar a Sala de Reunião Maid Marian, e tanto o número cento e trinta e um quanto o cento e vinte e nove estavam vazios, com os alvarás de construção ainda pendurados em janelas sujas de serragem. Os gramados fronteiriços, porém, estavam verdes, mesmo nas casas vazias, mostrando que alguém da incorporadora ainda acreditava em manutenção adequada. Fiz a volta no final da rua devagar o suficiente para reparar que as cortinas das janelas de Helene e Kenny estavam fechadas ao norte, sul e oeste. As janelas voltadas para o leste davam para os montes de areia escura dos fundos, portanto eu não podia vê-las. Mas estava propenso a apostar que as cortinas ali também estavam fechadas. Enquanto eu voltava pela mesma rua, contei mais duas placas de VENDE-SE, uma delas com uma plaquinha menor pendurada mais abaixo que dizia VENDA ABAIXO DO PREÇO DA HIPOTECA. FAÇA UMA OFERTA. POR FAVOR.

Dobrei na Tuck Terrace e estacionei junto a uma casa que parecia uma sede de fazenda no final de outra rua sem saída. As casas à direita e à esquerda estavam terminadas. No entanto, estavam vazias; apesar de ser dezembro, gramados e arbustos recém-plantados reluziam verdes como trevos, mas as entradas de garagem ainda não haviam sido pavimentadas. Atravessei o esqueleto da casa inacabada no número cento e trinta e três da Tuck Terrace e cruzei a área de quatro mil metros quadrados de areia escura, com estacas de madeira e barbante azul demarcando os futuros quintais dos fundos. Não demorei a chegar, por trás, à casa de Helene e Kenny. Era uma construção de dois andares em estilo italiano, uma falsa mansão tão previsível que, daquele quase quintal, senti o cheiro das bancadas de granito da cozinha e da hidromassagem no banheiro da suíte principal.

Nem de perto eu havia me aproximado da casa como deveria. Eu passara na frente dela tão devagar que um bassê de três pernas com displasia coxofemoral poderia ter me lambido. Tinha estacionado meu carro próximo dali — a um quarteirão de distância, mas mesmo assim perto. Tinha me aproximado por um terreno descampado. Não tinha chegado durante a noite. Nem se eu tivesse parado diante da casa segurando um cartaz escrito MANO, ME DÁ A CHAVE DA PORTA DA FRENTE?, eu não teria sido mais óbvio.

Assim, o mais inteligente teria sido passar direto pela casa, torcer para quem quer que estivesse lá dentro me confundir com um avaliador de terreno ou um marceneiro, dar meia-volta e ir embora. Em vez disso, concluí que a sorte até então estava do meu lado — eram duas da tarde e eu não tinha visto ninguém desde que chegara ao condomínio. É burrice confiar na sorte, mas fazemos isso toda vez que atravessamos uma rua movimentada.

E a minha sorte continuou. Até Gabby poderia ter aberto as portas de vidro de correr dos fundos da casa. Ou até mesmo eu, com minhas habilidades enferrujadas de arrombador. Forcei a fechadura com o abridor de garrafas do meu chaveiro e um cartão de crédito. Entrei na cozinha e fiquei parado junto à porta esperando algum alarme disparar. Quando nenhum alarme tocou, subi depressa a escada acarpetada até o primeiro andar. Percorri todos os quartos apenas por tempo suficiente para me certificar de que não havia ninguém, depois desci outra vez para o térreo.

Contei nove computadores na sala. O mais próximo tinha um post-it cor-de-rosa no qual estava escrito BCBS, HPil. O seguinte tinha um post-it amarelo: boa, CIT. Bati em uma tecla do primeiro computador e o monitor pulsou suavemente. Por alguns instantes surgiu um protetor de tela do oceano Pacífico, depois a tela ficou verde e um quarteto de personagens animados com as cabeças do elenco de *Arnold* pôs-se a dançar por ela. Um balão surgiu ao lado da cabeça de Willis e um cursor começou a piscar. Arnold disse: "Que história é essa, Willis?". Kimberly acendeu um baseado enquanto revirava os olhos e disse: "A senha, seu idiota". Um cronômetro apareceu no balão de pensamento acima da cabeça do sr. Drummond e começou uma contagem regressiva a partir de dez enquanto Kimberly fazia um striptease, Arnold vestia um uniforme de segurança e Willis pulava para cima de um conversível e batia com o carro na hora. Enquanto o carro pegava fogo, o cronômetro acima da cabeça do sr. Drummond explodiu e a tela escureceu.

Liguei para Angie.

— O elenco inteiro de *Arnold*?

— Agora que você perguntou, não: a senhora Garrett não apareceu.

— Deve ter sido na época de *Facts of Life* — ela disse.

— O que você encontrou?

— Computadores protegidos por senhas. Nove ao todo.

— Nove senhas?

— Nove computadores.

— É muito computador para uma sala sem móveis. Já encontrou o quarto de Amanda?

— Não.

— Vá ver se tem um computador lá. Crianças não costumam usar senhas.

— Tá.

— Se conseguir logar, veja se descobre um endereço

de ip e os servidores de entrada e saída. A maioria das pessoas usa só um servidor, mesmo que tenha muitos computadores. Se eu não conseguir hackear as máquinas, sei de alguém que consegue.

— Que gente é essa que você encontra on-line?

Desligamos e subi para os quartos. O de Helene e Kenny correspondia às expectativas: uma penteadeira e uma cômoda baratas cobertas de roupas amarfanhadas, um colchão de molas no chão, nenhuma mesa de cabeceira, várias latas de cerveja vazias em um lado da cama e no outro copos vazios com restos de um líquido pegajoso. Cinzeiros pelo chão e um carpete manchado.

Passei pelo banheiro maior, sorri ao ver a banheira de hidromassagem e entrei no quarto seguinte. Estava arrumado e vazio. A penteadeira, a cômoda, a cama e a mesa de cabeceira, todas imitando nogueira, eram baratas, mas respeitáveis. As gavetas estavam vazias, a cama, feita. O armário tinha uns vinte cabides vazios com um espaço regular entre um e outro.

Era o quarto de Amanda. Ela não tinha deixado nada para trás a não ser cabides e a roupa de cama. Na parede, deixara uma camisa oficial do Red Sox emoldurada e autografada por Josh Beckett e um calendário do pet shop Just Puppies. Era o primeiro indício de sentimento que eu conseguia associar a ela. Tirando isso, tive a mesma sensação de exatidão que eu tinha desde o início vendo seu rastro.

O quarto do outro lado do corredor eram outros quinhentos. Parecia que alguém o havia jogado dentro de um liquidificador, ligado o botão e tirado a tampa. A cama estava escondida sob uma confusão de edredom, cobertor, calça jeans, suéter, moletom, jaqueta jeans e calça cargo. A cômoda tinha um espelho pequeno em cima e suas gavetas estavam abertas. Sophie havia enfiado fotografias do lado esquerdo e direito do espelho, entre o vidro e a moldura. Várias delas eram de um menino no final da adolescência. Zippo, imaginei. Ele quase sempre usava um boné do Sox meio de lado. Uma faixa de pelos se estendia de uma orelha a outra como uma fivela de capacete, e um tufo de pelos da mesma cor brotava do espaço entre o lábio inferior e o queixo. Ele tinha tatuagens na lateral do pescoço e argolas de prata nas sobrancelhas. Na maioria das fotos, abraçava Sophie. Em todas, segurava uma garrafa de cerveja ou um copo vermelho de plástico. A menina ostentava largos sorrisos, mas eles pareciam ensaiados, como se ela estivesse procurando aquele que achava que as pessoas esperavam ver. Parecia ter olhos sensíveis à luz: em todas as fotos, era como se estivesse prestes a cerrá-los. Os dentinhos miúdos despontavam inseguros de seu sorriso. Era difícil imaginar que fosse uma menina feliz. Enfiadas acima e abaixo das fotos, havia antigas filipetas de casas noturnas, a maioria da primavera e do verão anteriores. Todas eram para maiores de vinte e um anos.

Sophie com certeza cultivava um visual de mais de vinte e um anos. Mas era impossível não ver a gordura infantil que pendia abaixo do queixo e que lhe cobria as bochechas, como se ela ainda não houvesse concluído de todo sua metamorfose. Qualquer boate que a deixasse entrar sabia que ela era menor de idade. A maioria das fotos a mostrava na companhia de Zippo; em duas, ela estava com amigas, nenhuma das quais reconheci como Amanda, embora as fotos tivessem sido cortadas à esquerda, amputando o ombro de Sophie no ponto em que provavelmente tocava o de outra pessoa.

Revirei o resto do quarto e encontrei alguns comprimidos que não reconheci, cujos rótulos sugeriam medicina holística. Usei meu celular Droid para fotografá-los e continuei. Encontrei várias pulseiras, o suficiente para sugerir um fetiche por pulseiras ou algum objetivo. Examinei-as mais de perto. A maioria estava em uma pilha na prateleira superior do armário, mas algumas estavam espalhadas na bagunça.

Puxei as cobertas da cama, tirei as roupas do caminho e encontrei o laptop à minha espera, com a luz piscando, uma indicação de que estava ligado. Ergui a tampa e fui acolhido por um protetor de tela que mostrava Sophie e Zippo fazendo o gesto universal das gangues, aquele com dois dedos, o que na mesma hora confirmou que eles eram adolescentes brancos que não pertenciam a gangue nenhuma. Cliquei duas vezes no ícone da Apple no canto superior esquerdo da tela e fui entrando nas configurações sem precisar digitar senha. Ali encontrei a informação sobre o servidor que Angie tinha me pedido. Copiei tudo no meu Droid e mandei para ela.

Voltei à tela principal e cliquei no ícone do correio eletrônico.

Sophie não era o tipo de pessoa que deletava mensagens antigas. Sua caixa de entrada tinha duas mil oitocentas e setenta e uma mensagens que remontavam a um ano. A pasta de itens enviados tinha mil seiscentas e sessenta e três mensagens que também remontavam a um ano. Liguei para Angie e contei o que tinha encontrado.

— Com o IP você consegue hackear as máquinas?

— Mole, mole — ela respondeu. — Quanto tempo faz que você está aí?

— Sei lá. Uns vinte minutos.

— É muito tempo para passar na casa de pessoas que não têm horário fixo de trabalho.

— Sim, mamãe.

Ela desligou.

Recoloquei tudo no lugar em que havia encontrado e desci para o térreo. Na sala de jantar, encontrei uma caixa de papelão cheia de correspondência na mesa de carteado no meio do aposento. Não achei nada de estranho na correspondência — a maior parte eram contas de prestadoras de serviços públicos, além de algumas faturas de cartão de crédito e extratos bancários — até eu ver os nomes e endereços dos destinatários. Nenhum deles morava ali. Havia correspondência para Daryl Bousquet em Westwood, Georgette Bing em Franklin, Mica Griekspoor em Sharon, Virgil Cridlin em Dedham. Percorri a pilha toda e contei mais nove nomes, todos moradores de cidades próximas:

Walpole, Norwood, Mansfield e Plainville. Olhei por baixo do arco para a sala de estar e para a série de computadores. Uma casa que quase não possuía mobília, onde os poucos móveis que havia eram de baixa qualidade e que não dava a sensação de que alguém pretendesse passar os próximos dez anos morando ali. Nove computadores. Correspondência roubada. Se eu tivesse mais uma hora, em algum lugar encontraria certidões de nascimento de bebês mortos décadas antes. Seria capaz de apostar nisso cada centavo que eu tinha.

Voltei a olhar a correspondência. Mas por que tanta burrice, então? Por que proteger os computadores com senhas e esquecer de ligar o alarme da casa? Por que escolher um lugar perfeito para fazer aquele tipo de coisa — uma casa no final de um beco sem saída em um condomínio cuja construção fora interrompida — e deixar pilhas de correspondência roubada dentro de uma caixa?

Dei uma olhada na cozinha, onde não encontrei nada a não ser armários vazios e uma geladeira cheia de recipientes de isopor de entregas a domicílio, além de cerveja e uma embalagem com doze latinhas de coca. Fechei um dos armários e me lembrei do que a colega de turma de Amanda tinha dito sobre o micro-ondas.

Abri o aparelho e olhei lá dentro. Era um micro-ondas normal. Paredes brancas, luz amarela, bandeja circular. Estava prestes a fechá-lo, quando senti um cheiro forte de alguma coisa acre e dei mais uma olhada nas paredes. Eram brancas, mas havia uma camada extra de branco. Quando inclinei a cabeça e olhei direito, vi que a lâmpada amarela tinha o mesmo revestimento. Encontrei uma faca rombuda, raspei muito de leve uma das paredes, e o que saiu foi um pó fino, branco e leve como talco.

Fechei a porta do micro-ondas, recoloquei a faca na gaveta e voltei para a sala. Foi então que ouvi a maçaneta da porta girar.

Fazia onze anos que eu não ficava cara a cara com ela. Para mim era melhor assim. Mas lá estava ela, quatro passos sala adentro de sua própria casa, com os olhos pregados nos meus. Tinha engordado, sobretudo nos quadris, no rosto e nas laterais do pescoço. Sua pele estava mais manchada. Os olhos azul-claros, sempre seu melhor traço, continuavam bonitos. Eles se arregalaram debaixo dos cabelos ruivos repicados cujas raízes brancas apareciam no cocuruto, e sua boca se abriu para formar um oval contraído e enrugado, depois um P hesitante.

Eu não podia alegar que estava ali para consertar o triturador de lixo. Lancei-lhe o que sem dúvida foi um sorriso sem graça, abri os braços e dei de ombros.

— Patrick? — ela disse.
— Como vai, Helene?

15

Kenny entrou atrás dela. Pareceu confuso durante meio segundo antes de levar a mão às costas. Eu fiz o mesmo.
— Ei — ele disse.
— Oi — falei.
Uma garota entrou logo atrás dele. Ela escancarou a boca, mas não saiu nenhum som. Então cerrou os punhos ao lado do corpo como se tivesse acabado de levar um choque. Olhei com atenção enquanto a garota dava um passo decidido para a esquerda, saindo da linha de tiro. Sophie Corliss. Ela tinha perdido o peso que seu pai queria. Mais do que isso. Estava emaciada, suada, e abandonou a postura eletrizada por tempo suficiente para levar a mão até atrás da cabeça e puxar os cabelos.

Estendi uma das mãos.
— Isso não precisa ser desse jeito.
— Que jeito? — indagou Kenny.
— Nós dois sacando as armas.
— Então me diga como pode ser, amigão.
— Bom — falei —, eu poderia tirar a mão da minha arma.
— Mas eu poderia dar um tiro em você mesmo assim.
— Verdade — falei.
— E se eu tirar a mão da minha arma? — Ele franziu o cenho. — Mesmo resultado, outra vítima.
— E se nós dois tirássemos a mão da arma ao mesmo tempo? — sugeri.
— Você trapacearia — ele disse.

Quando assenti, ele sacou a arma e apontou para mim.
— Dissimulado — falei.
— Mostre a mão.
Tirei a mão de trás das costas e ergui meu celular.
— Legal — disse Kenny —, mas acho que o meu tem mais balas.
— É verdade, mas a sua arma ligou para alguém?
Ele deu um passo à frente, depois outro. Na tela do meu celular estava escrito: "Casa. Duração da chamada: 39 segundos".
— Ah — ele disse.
— Pois é.
— Puta que pariu — disse Helene bem baixinho.
— Ou você baixa a arma, ou minha mulher vai ligar para a polícia e dar o seu endereço.
— Vamos...
— O tempo está passando — falei. — Está claro que vocês estão roubando identidades e cometendo alguns milhares de crimes de estelionato aqui nesta casa. Além do mais, estão fabricando metanfetamina em algum lugar aqui perto, e depois pondo os filtros de café usados no micro-ondas para raspar o restinho. Se quiser a polícia a caminho daqui a, hã, uns trinta segundos, pode continuar apontando essa arma para mim, Kenny.

A voz de Angie saiu do celular.
— Oi, Kenny. Oi, Helene.
— É Angie? — perguntou Helene.
— Sou eu, sim — disse Angie. — Tudo bem?
— Ah, tudo indo — respondeu Helene.

Kenny franziu o cenho, e subitamente pareceu muito cansado. Acionou a trava de segurança e me estendeu a arma.
— Você é mesmo um filho da puta frustrante.
Pus a arma no bolso do casaco, uma Sigma nove milímetros da S&W.
— Obrigado. — Virei a boca na direção do telefone. — Falamos depois, amor.

— Compre água mineral quando vier para casa, sim? Ah, e leite para amanhã de manhã.
— Claro. Mais alguma coisa?
Kenny revirou os olhos.
— Tem, sim, mas não estou lembrando.
— Bom, ligue quando lembrar.
— Tá. Te amo.
— Eu também te amo.
Desliguei o celular.
— Sophie? — falei.
Ela me olhou surpresa por eu saber seu nome.
— Você está com algum cano?
— Hã?
— Armada, Sophie. Você está armada?
— Não. Detesto armas.
— Eu também — falei.
— Mas está com uma no seu bolso.
— Isso se chama ironia. Você está muito doida agora?
— Mais ou menos — respondeu Sophie.
— Parece bastante.
— Quem é você?
— O nome dele é Patrick Kenzie. — Helene acendeu um cigarro. — Ele encontrou Amanda daquela vez, lembra?
Sophie abraçou o próprio corpo e novas gotas de suor brotaram em sua testa.
— Helene? — falei.
— O quê?
— Eu ficaria bem mais tranquilo se você pusesse essa sacola que está carregando ali naquele sofá e se afastasse dela.
Ela pôs a sacola em cima do sofá e voltou para o lado de Kenny.
— Vamos todos lá para a sala de jantar.
Nós nos sentamos em volta da mesa de carteado e Kenny acendeu um cigarro enquanto eu examinava Sophie com mais atenção. Ela não parava de passar a língua por baixo do lábio superior, de um lado para o outro, de

um lado para o outro. Seus olhos se reviravam para lá e para cá, para cá e para lá, para lá e para cá, como se estivessem conectados a um rolamento. Fazia cinco graus lá fora, e ela estava suando.

— Pensei que você fosse esquecer essa história — disse Kenny.

— Pois pensou errado.

— Ela não vai pagar você.

— Ela quem?

— Bea.

— Nem Amanda — disse Helene. — Ela só vai ganhar o dinheiro daqui tipo um ano.

— Bom, então está resolvido — falei. — Eu desisto. Mas, falando nisso, onde está Amanda?

— Foi visitar o pai na Califórnia — disse Helene.

— Ela tem um pai na Califórnia? — perguntei.

— Ela não nasceu de uma caixa de cereais — respondeu Helene. — Teve pai e mãe.

— Qual é o nome do pai dela?

— Como se você não soubesse.

— Um caso em que trabalhei doze anos atrás, Helene? Não, eu não me lembro.

— Bruce Combs.

— Ele é parente do Diddy?

— Hã?

— Deixa pra lá. Onde esse Bruce mora?

— Em Salinas.

— E Amanda foi para lá?

— É.

— Qual é o aeroporto?

— Aeroporto de Salinas.

— Salinas não tem aeroporto comercial. Você está querendo dizer que ela voou para Santa Cruz ou Monterey.

— Isso.

— Qual dos dois?

— Santa Cruz.

— Tá, lá também não tem aeroporto comercial. Agora chega dessa bobeira de Salinas, Helene.

175

Kenny exalou uma nuvem de fumaça de cigarro e olhou para o relógio.
— Você tem algum compromisso?
Ele fez que não com a cabeça.
Atrás dele, Sophie se remexia na cadeira e não parava de olhar por cima da minha cabeça. Virei-me e vi o relógio na parede. Vi Helene olhando para lá também.
— Vocês não têm nenhum compromisso? — perguntei a Kenny.
— Não.
— Era para estarem aqui mesmo? — continuei.
— Agora você está começando a entender.
— Estão esperando alguém.
Um meneio seco de cabeça foi seguido por uma batida na porta de vidro lateral atrás de nós.
Virei-me na cadeira enquanto Kenny dizia:
— Uma coisa eu sou obrigado a admitir: esses filhos da puta são pontuais.
Os dois sujeitos do outro lado da porta de vidro não eram especialmente altos, mas eram bem fortes. Ambos vestiam casacos de couro compridos. O da esquerda tinha amarrado o seu na cintura, o outro deixara o seu aberto. Ambos usavam suéteres de gola rulê. O do homem da esquerda era branco, o do comparsa era azul-bebê. O da esquerda tinha uma barba preta, o da direita tinha uma barba loura. Ambos tinham vastas cabeleiras, sobrancelhas fartas e bigodes grossos o suficiente para se perder objetos lá dentro. O da esquerda tornou a bater na porta, deu um leve aceno e abriu um sorriso largo e cheio de dentes. Então tentou a maçaneta. Quando não conseguiu abri-la, inclinou a cabeça e tornou a olhar para nós através do vidro, com o sorriso começando a desaparecer.
Helene se levantou de um salto e destrancou a porta. O sujeito de cabelos escuros a abriu. Entrou depressa, segurou o rosto dela com as mãos, perguntou: "Senhorita Helene, como vai?" e deu-lhe um beijo na testa. Soltou seu rosto como se quisesse jogá-lo longe e Helene cambaleou

para trás. Ele bateu as palmas das duas mãos imensas uma na outra enquanto entrava na sala e nos lançava outro grande sorriso. Seu comparsa fechou a porta atrás deles e entrou acendendo um cigarro. Ambos tinham cabelos compridos repartidos ao meio à Stallone por volta de 1981 e, mesmo antes de o de cabelos escuros falar, eu já os havia identificado como sendo do leste europeu — se eram tchecos, russos, georgianos, ucranianos ou, droga, eslovenos, isso eu não sabia dizer, mas o sotaque deles era tão carregado quanto suas barbas eram espessas.

— Tudo bem, meu amigo? — perguntou para mim o de cabelos escuros.

— Nada mal.

— Nada mal! — Ele pareceu adorar a resposta. — Então isso é bom, não é?

— E com você? — perguntei.

Ele reagiu à minha pergunta com um alegre arquear da sobrancelha.

— Tudo ótimo, meu chefe. Tudo supermegabem.

Ele se sentou na cadeira que Helene tinha liberado e me deu um tapinha no ombro.

— Você faz negócios com esse cara? — Ele indicou Kenny com o polegar.

— De vez em quando — respondi.

— Deveria ficar longe dele. É encrenca das grandes. Cara mau.

— Não — disse Kenny.

O homem de cabelos escuros meneou a cabeça para mim com vigor.

— Pode confiar. Viu o que ele fez com essa garota aí, coitada? — Ele apontou para Sophie, que estava em pé encostada na geladeira, tremendo e suando ainda mais. — Uma menininha, e ele a deixou uma viciada. Ele é mesmo um merda.

— Eu acredito em você — falei.

Isso fez com que ele arregalasse os olhos.

— E devia acreditar mesmo. Esse cara é maluco. Não escuta os outros. Rompe acordos.

— Pode dizer para Kirill que nós estamos procurando — falou Kenny. — Estamos *procurando*. Não fazemos outra coisa a não ser procurar.

O sujeito bateu de leve no meu peito com as costas da mão, achando aquilo muito divertido.

— "Pode dizer para Kirill." Já ouvi coisa mais idiota na vida? Hein? *Dizer* para Kirill. Como se alguém pudesse dizer alguma coisa para Kirill. As pessoas pedem para Kirill. Imploram para Kirill. Se ajoelham para Kirill. Mas dizer para Kirill? — Ele virou as costas para mim e encarou Kenny. — Dizer o que, seu merda? Que você está *procurando*? Por acaso está? Você por acaso está por aí revirando tudo para achar o que é dele? — Ele estendeu a mão e pegou um cigarro do maço que Kenny havia deixado na mesa. Acendeu-o com o isqueiro de Kenny, depois jogou o isqueiro no colo dele. — Kirill falou comigo hoje de manhã, ele disse: "Yefim, resolva essa história. Chega de esperar. Chega desse papo de drogado".

— Nós estamos *muito* perto — disse Kenny. — Praticamente sabemos onde ela está.

Yefim derrubou a mesa. Mal cheguei a ver seu braço se mover, mas de repente a mesa não estava mais na nossa frente, ou melhor, não estava mais entre Yefim e Kenny.

— Estou dizendo para você não fazer merda, porra. Você faz a gente ganhar dinheiro, blá-blá-blá. Sempre cumpre a sua parte, blá-blá-blá. Bom, cara, dessa vez você não cumpriu a sua parte com Kirill, porra. E, pior, não cumpriu a sua parte com a mulher de Kirill, e ela está decidida. Ela está... — Ele estalou os dedos algumas vezes, depois olhou para mim por cima do ombro. — Como é que se diz, amigo, quando uma pessoa não consegue mais encontrar felicidade na vida e ninguém consegue mudar isso?

— Eu diria que essa pessoa está inconsolável.

O sorriso que surgiu em seu rosto foi digno de uma estrela de cinema no tapete vermelho: elétrico, cativante.

— Inconsolável! — Ele ergueu o polegar para mim. — Tem razão, amigo, obrigado. — Ele tornou a se virar para

Kenny, depois mudou de ideia e olhou de novo para mim. Falou bem baixinho. — Sério mesmo. Obrigado.

— De nada.

— Você é um cara bom. — Ele deu um tapinha no meu joelho, depois tornou a se virar. — Sabe a Violeta, Kenny? Ela está inconsolável, cara. É assim que ela está. Está inconsolável, e Kirill, cara, ele é louco por ela, e ele *também* está inconsolável. E você, você deveria estar resolvendo isso. Mas não está.

— Estou tentando.

Yefim inclinou-se para a frente e falou com uma voz baixa, quase suave.

— Mas não está resolvendo.

— Olhe, pode perguntar para quem você quiser.

— Perguntar para quem?

— Para qualquer um. Eu estou procurando. Não faço mais nada a não ser procurar.

— Mas não está resolvendo — repetiu Yefim, dessa vez ainda mais baixo.

— Me dê só mais uns dois dias — pediu Kenny.

Yefim sacudiu sua cabeça hirsuta.

— Mais uns dois dias. Está ouvindo isso, Pavel?

O sujeito louro que estava atrás de Kenny respondeu:

— Estou.

Yefim puxou a cadeira para mais perto de Kenny.

— Foi você quem ensinou a Amanda o que ela sabe. Então como foi que ela conseguiu enganar você?

— Eu ensinei o que ela sabe — concordou Kenny. — Mas não *tudo* o que ela sabe.

— Acho que ela é mais esperta do que você.

— Ah, ela é esperta, sim — disse Helene da soleira da porta. — Só tira dez na escola. No ano passado, ela ganhou até...

— Cala a boca, Helene — disse Kenny.

— Por que você está falando com ela assim? — perguntou Yefim. — Ela é sua mulher. Você deveria ter mais respeito. — Ele se virou para Helene. — Pode dizer... o que Amanda ganhou? Algum prêmio?

— É... — respondeu Helene, alongando a vogal. — Ela ganhou medalhas em trigonometria, inglês e computação.

Yefim deu um tapinha no joelho de Kenny com as costas da mão.

— Medalhas, cara. E você ganhou o quê?

Yefim se levantou, jogou o cigarro no carpete e o esmagou com a ponta da bota. Então ergueu a mesa do chão e a endireitou. Ele e Pavel passaram um minuto inteiro se entreolhando, sem piscar, apenas respirando pelo nariz.

— Você tem dois dias — disse Yefim a Kenny. — Depois disso, sua mãe vai achar que você foi um sonho, cara. Entendeu?

— Sim, sim — disse Kenny. — Claro. Entendi.

Yefim assentiu. Virou-se, estendeu a mão para mim e eu a apertei. Ele me encarou. Seus olhos tinham um azul de safira, cristalino, e me fizeram pensar na chama de uma vela escorregando para baixo da cera derretida.

— Qual é o seu nome, meu amigo?

— Patrick.

— Patrick. — Ele pôs a mão no peito. — O meu é Yefim Molkevski. Este aqui é Pavel Reshnev. Você sabe quem é Kirill?

Quem me dera eu não soubesse.

— Imagino que você esteja se referindo a Kirill Borzakov.

Ele assentiu.

— Muito bem, meu amigo. E quem é Kirill Borzakov?

— Um negociante checheno.

Outro meneio de cabeça.

— Negociante, sim. Muito bem. Só que ele não é checheno. Neste país, se você é um negociante eslavo, todo mundo acha que você é checheno ou... — ele cuspiu no carpete — ... georgiano. Mas Kirill é moldavo, assim como eu e Pavel. Nós vamos levar a garota.

— O quê? — falei.

Pavel atravessou a sala de jantar e agarrou Sophie junto

à parede. Ela não gritou, mas chorou bastante, sacudindo as mãos erguidas junto às orelhas como se estivesse tentando espantar vespas. A mão livre de Pavel permaneceu no bolso de seu casaco de couro.

Yefim estalou os dedos e estendeu a palma da mão para mim.

— Me dê.

— Como?

Toda a luz desapareceu de seus olhos.

— Patrick. Cara. Você foi tão esperto até agora. Continue sendo esperto, cara. — Ele agitou os dedos. — Vamos. Me dê a arma que está no seu bolso esquerdo.

— Me solte — disse Sophie, mas as palavras saíram sem energia, acompanhadas apenas por resignação e mais lágrimas.

Pavel estava virado para mim, com a mão no bolso, aguardando instruções. Bastava Yefim espirrar para Pavel dar um tiro na minha cabeça antes mesmo de alguém conseguir dizer "saúde".

Yefim tornou a agitar os dedos.

Segurando o cabo com dois dedos, tirei a arma do bolso do casaco e a entreguei a Yefim. Ele a guardou no bolso e fez uma leve mesura para mim.

— Obrigado, cara. — Então virou-se para Kenny. — Nós vamos levar a garota. Talvez ela faça outro pra gente. Talvez possamos testar nela a arma nova de Pavel, hein? Atirar nela várias vezes.

Sophie gritou em meio às lágrimas, e os gritos saíram engasgados e úmidos. Pavel a apertou com mais força, mas fora isso pareceu indiferente.

— De toda forma — disse Yefim para Kenny e Helene —, ela agora é nossa. Nunca mais vai ser sua. Encontrem a outra garota. Encontrem o que é de Kirill. E devolvam até sexta-feira. Não ponha tudo a perder, seu merda.

Ele estalou os dedos e Pavel passou por mim e por Helene arrastando Sophie até as portas de correr de vidro.

Yefim deu um soquinho em meu ombro.

— Cuide-se, meu bom amigo. — Antes de sair da sala, ele segurou o rosto de Helene com as duas mãos e lhe deu outro beijo forçado na testa e outro empurrão. Dessa vez ela caiu de bunda no chão.

De costas para nós, ele ergueu um dedo.

— Não me sacaneie, Kenny. Senão eu vou sacanear você.

E eles saíram da casa. Dali a poucos segundos, um motor de picape ganhou vida e eu cheguei à janela da cozinha a tempo de ver uma Dodge Ram sair sacolejando pelos montes de areia atrás da casa.

— Você tem outra arma? — perguntei.

— O quê?

Olhei para Kenny.

— Outra arma.

— Não, cara. Por quê?

É claro que ele estava mentindo, mas eu não tinha tempo para discutir.

— Kenny, você é mesmo um filho da puta sem um neurônio na cabeça.

Ele deu de ombros, acendeu um cigarro e então, quando peguei a chave de seu carro em cima da bancada de granito da cozinha e saí correndo pela porta da frente, gritou:

— Ei!

Um Hummer amarelo estava parado na entrada para carros circular em frente à casa. Aquele carro era a prova de como Detroit tinha se equivocado. Um monstrengo inútil com um rendimento por litro tão ruim que até o sultão de Brunei teria vergonha de dirigi-lo. E depois ficamos chocados quando a GM pede concordata.

Enquanto eu subia no Hummer, continuei vendo a Dodge Ram por meio minuto. A picape sacolejava pelo terreno, entrando e saindo de buracos, e dava para distinguir muito bem os cabelos louros de Pavel ao volante. Quando o carro saiu do terreno, eles tomaram a direção leste rumo ao portão do condomínio e eu os perdi de vista, mas calculei que houvesse pelo menos cinquenta por cento de chance de estarem indo para a Rodovia 1. Ao passar a toda pela Sherwood Forest Drive e tornar a subir o Robin Hood Boulevard, vi marcas de pneu que viravam à direita depois do portão, em direção à Rodovia 1. Pisei fundo no acelerador, mas não queria exagerar na dose e chegar perto demais.

Mesmo assim, quase cheguei. A estradinha pela qual passei depressa foi dar em uma pequena elevação, e eu os vi lá embaixo, parados no sinal vermelho em frente a um misto de mercearia e correio. Tentei diminuir a velocidade da maneira mais casual possível, ao mesmo tempo que mantinha a cabeça baixa como se estivesse consultando um mapa no banco do carona, mas tentar passar despercebido em um Hummer amarelo é como tentar passar despercebido entrando pelado em uma igreja. Quando ergui os olhos de novo, o sinal tinha ficado verde, e eles aceleraram e saíram a uma velocidade razoável, embora não tenham chegado a cantar pneus.

A pouco menos de dois quilômetros, chegaram à Rodovia 1 e pegaram a direção norte. Esperei trinta segundos e fui atrás. Não havia muito tráfego, mas a rodovia tampouco estava vazia, e foi fácil deixar passar vários carros e me posicionar a duas pistas de distância. Quando se está tentando seguir alguém em um Hummer amarelo, qualquer coisinha ajuda.

Só um suicida enfrenta mafiosos russos. E eu prezava minha vida. Muito. De modo que não pretendia fazer nada a não ser segui-los discretamente e ver para onde levavam Sophie. Assim que descobrisse um endereço, ligaria para a emergência da polícia e acabaria com aquilo.

E foi isso que eu disse à minha mulher.

— Sai do rabo desses caras — ela disse. — Agora.

— Eu não estou no rabo deles. Estou cinco carros atrás, a duas pistas de distância. E você sabe como eu sou bom em perseguições.

— Sei, sim. Mas talvez eles sejam melhores. E você

183

está dirigindo um Hummer amarelo, porra. Anote a placa, avise a polícia e saia daí.

— Você acha que eles estão dirigindo um carro registrado no departamento de trânsito? Por favor.

— Por favor digo eu — ela retrucou. — Esses caras não são de brincadeira. Nem Bubba se mete com a máfia russa.

— Eu sei — falei. — Só vou observar e denunciar. Ange, eles sequestraram uma adolescente.

Nessa hora, em algum lugar ao fundo, minha filha falou:

— Oi, papai.

— Quer falar com ela? — perguntou Angie.

— Que golpe baixo — falei.

— Eu nunca disse que jogava limpo.

Passei pelo estádio Gillette à direita. Como não tinha jogo nesse dia, o lugar parecia grande e desolado. Ao lado havia um centro comercial com alguns carros parados no estacionamento. Mais adiante, Pavel acendeu o pisca-pisca direito e passou para a última pista da direita.

— Chego em casa daqui a pouco. Te amo — falei antes de desligar.

Mudei de pista, depois mudei outra vez. Havia apenas um PT Cruiser vermelho entre o Hummer e a Ram, então mantive uma distância de cem metros.

No cruzamento seguinte, a picape dobrou à direita na North Street, depois novamente à direita para o interior de um estacionamento cheio de caminhões parados com a traseira encostada em um terminal de distribuição comprido e branco. Da rua, vi a picape percorrer uma estradinha de terra ao lado de uma fileira de caminhões, depois pegar à esquerda em direção aos fundos do terminal.

Entrei no estacionamento atrás deles. À minha direita, havia um muro de contenção ao lado do acesso à Rodovia 1. Debaixo do acesso, linhas de trem de carga e trilhos de transporte público seguiam para o norte em direção a Boston ou para o sul em direção a Providence. À minha esquerda, eu podia ver os caminhões parados com a traseira colada às plataformas de carga. Em uma delas, alguns fortões passavam entre tiras de plástico grosso para carregar caixas em um caminhão com placa de Connecticut.

No final dessa estradinha, os trilhos de trem se estendiam para a minha direita, enquanto a estrada de terra batida dobrava para a esquerda. Dei a volta no terminal de carga pela esquerda. A picape estava parada no meio da estrada uns quinze metros adiante. Os faróis indicavam que o câmbio estava em posição de estacionamento. O motor continuava ligado. A porta do carona estava escancarada.

Yefim saltou do banco do carona enroscando um silenciador no cano de uma semiautomática. No tempo que levei para registrar essa informação, ele deu cinco passos e esticou o braço. O primeiro tiro furou meu para-brisa. Os quatro tiros seguintes estouraram meus pneus dianteiros. Os pneus assobiavam quando o sexto tiro abriu mais um buraco no para-brisa. Esse segundo furo rachou o vidro. As rachaduras foram aumentando, e o para-brisa estourou como pipoca de micro-ondas. Em seguida desabou. Dois outros disparos atingiram o capô do carro, embora eu não pudesse ter certeza quanto à quantidade ou localização porque estava encolhido no banco do motorista, coberto de cacos de vidro.

— Ei, cara — disse Yefim. — Ei, cara.

Sacudi a cabeça para tirar o vidro dos cabelos e das bochechas.

Yefim pôs a cara dentro do Hummer, com os cotovelos apoiados na janela e a arma e o silenciador pendurados na mão direita.

— Habilitação e registro do veículo.

— Boa piada. — Olhei de relance para a arma.

— Não tem nada de piada — ele respondeu. — Estou falando sério. Me mostre a habilitação e o registro do veículo. — Ele bateu com o silenciador na lateral da janela. — Agora, porra.

Sentei-me ereto e comecei a procurar os documentos do carro. Acabei encontrando, enfiados no para-sol. Entreguei-lhe os documentos junto com a minha carteira de motorista. Ele os examinou demoradamente, depois me devolveu os documentos.

— O carro está em nome daquele escroto do Kenny. O escroto do Kenny tem uma porra de um Hummer de boiola. Eu sabia que este carro não era seu. Você é classudo demais, cara.

Limpei alguns cacos do para-brisa do casaco.

— Obrigado.

Ele acenou com a minha carteira de motorista, depois guardou-a no bolso.

— Vou ficar com isto aqui. Vou ficar com isto aqui, Patrick Kenzie, morador da Taft Street, para você se lembrar. Para saber que eu sei quem você é e onde mora com a sua família. Você tem família, não tem?

Concordei.

— Então volte para a sua família — ele disse. — Mande um abraço meu para eles.

Ele deu uma última batidinha na porta com a arma e voltou para a picape. Entrou, fechou a porta e foi embora.

16

Uma coisa boa eu aprendi sobre o Hummer, sem dúvida: o carro até que anda bem com os pneus da frente estourados. Enquanto alguns caminhoneiros e transportadores de carga corajosos saíam com seus caminhões das plataformas mais próximas, dei ré com o Hummer por uns vinte metros, segurei o volante com firmeza, pus o câmbio automático na posição de dirigir e tomei a direção dos trilhos de trem. Os pneus da frente já estavam arriados e os homens gritaram para mim, mas ninguém veio atrás do carro; um utilitário com oito buracos de bala tende a dissuadir as pessoas de abordar o dono.

Ou, nesse caso, o motorista. O dono era Kenny, e Kenny ia se foder quando a polícia encontrasse o carro e visse em nome de quem ele estava registrado. Mas isso não era problema meu. Desci os trilhos do trem de carga por algumas centenas de metros até um terreno baldio que dava para o estacionamento do estádio Gillette. Os únicos carros por perto estavam parados junto ao prédio comercial One Patriot Place. As áreas de estacionamento reservadas aos espectadores dos jogos estavam vazias por algumas centenas de metros até o centro comercial que ficava ao lado. Foi para lá que conduzi o Hummer amarelo. Enquanto dirigia, fui limpando as superfícies. Usei um lenço para limpar o banco, o volante e o painel. Tenho quase certeza de que não limpei todas as digitais que havia deixado, mas nem precisava. Ninguém ia conduzir uma investigação minuciosa no interior do carro quando descobrissem que ele pertencia a um ex-presidiário que morava a três quilômetros do estádio.

Parei em uma das vagas mais afastadas do estacionamento do centro comercial e peguei a escada rolante até o cinema. Era da rede De Lux, portanto eu poderia ter aproveitado o serviço de restaurante do balcão e pagado vinte dólares para assistir a um filme que sairia em DVD por um dólar dali a três meses, mas eu estava com a cabeça em outro lugar. Encontrei um banheiro com um compartimento reservado para deficientes e uma pia privativa. Fechei a porta, tirei o casaco e o sacudi para sair todo o vidro. Fiz o mesmo com a camisa, depois usei um bolo de toalhas de papel para juntar todo o vidro em um dos cantos do banheiro. Tornei a vestir a camisa, esforçando-me ao máximo para ignorar o tremor nas mãos, mas era difícil fazer isso quando meus dedos tremiam tanto que eu nem sequer conseguia enfiar os botões dentro das casas. Segurei a pia com força, curvei o corpo e respirei fundo e devagar uma dúzia de vezes. Toda vez que eu fechava os olhos, via Yefim vindo na minha direção, estendendo o braço como quem não quer nada, atirando no meu para-brisa como quem não quer nada e pronto para pôr fim à minha vida também como quem não quer nada, caso a situação assim o exigisse. Abri os olhos. Encarei meu próprio reflexo no espelho e passei uma água no rosto até o reflexo me parecer um pouco mais controlado. Passei mais um pouco de água na nuca e tentei abotoar a camisa outra vez. Minhas mãos ainda tremiam, mas não tanto quanto antes, e acabei conseguindo. Cinco minutos depois, saí do banheiro com um aspecto um pouco melhor do que quando entrei.

Desci a escada rolante. Um táxi verde-escuro estava parado em frente ao cinema. Entrei e dei ao motorista o endereço duas casas mais adiante de onde eu tinha deixado meu carro. Uma viatura da ronda de segurança estava parada atrás do Hummer, com as luzes do teto girando e piscando. Quando saímos do estacionamento, cruzamos com um carro da polícia de Foxboro. O tempo de Kenny estava quase se esgotando.

O táxi me deixou em frente à casa de Tuck Terrace. Dei uma boa gorjeta ao taxista, mas não tão boa a ponto de ele ser capaz de me identificar para a polícia. Enquanto ele saía de ré, andei até a casa. Fingi enfiar uma chave na porta da frente enquanto ele fazia a volta com o táxi e avançava pela rua. Então andei até a casa em que eu havia deixado meu jipe. Tornei a passar pela casa inacabada, pelo terreno de areia, e cheguei novamente à porta de correr de vidro da casa de Kenny e Helene. A porta estava destrancada, e eu entrei e fiquei olhando Kenny guardar os laptops dentro de uma mala de viagem no chão, enquanto Helene embalava os modems.

Kenny me viu chegar.

— Trouxe a chave do meu carro?

Apalpei o bolso e fiquei surpreso ao encontrar a chave.

— Toma. — Atirei a chave para ele.

Ele fechou o zíper da mala e a ergueu do chão.

— Onde estacionou o carro?

— Bom — falei devagar. — Sobre isso...

— Não acredito que você acabou com o meu carro — disse Kenny quando passávamos pela guarita de segurança vazia de Nottingham Hill no meu jipe.

— Não fui eu que acabei com o carro. Foi Yefim.

— Não acredito que você deixou o carro lá, porra.

— Kenny, o seu Hummer parece o ônibus do final de *Rota suicida*. O único jeito de trazer ele até a sua casa seria içado com a ajuda das Nações Unidas.

Chegamos ao mesmo semáforo onde eu quase havia trombado com a picape de Yefim e Pavel. Um pequeno batalhão de viaturas de polícia de Foxboro passou a toda a velocidade na direção contrária. Kenny e Helene se abaixaram enquanto as viaturas furavam o sinal vermelho com as sirenes aos berros. Quinze segundos depois, as quatro haviam desaparecido no aclive atrás de nós como se não tivessem existido. Olhei para Kenny, encolhido debaixo do meu porta-luvas.

— Quanta sutileza — comentei.
— Não gostamos de chamar atenção — disse Helene do banco de trás.
— Claro, por isso andam num Hummer amarelo — falei enquanto o sinal ficava verde.
Na Rodovia 1, passamos de novo pelo estádio. O Hummer estava cercado pela polícia local e estadual, por uma caminhonete preta da perícia e duas vans da imprensa. Kenny avaliou o estado do carro: pneus estourados, para-brisa estilhaçado, buracos de bala no capô. Uma terceira van da imprensa chegou ao estacionamento. Um helicóptero surgiu no céu.
— Porra, Kenny, você virou uma pessoa importante — falei.
— Por favor, dá pra respeitar o meu luto? — ele retrucou.

Paramos em Dedham, atrás do Holiday Inn, no cruzamento da Rodovia 1 com a Rodovia 1A.
— Então — comecei. — Caso ainda não tenham entendido, vocês dois estão ferrados. Eu vi vocês pegando os computadores, mas tenho certeza de que deixaram alguma coisa na casa que vai ligá-los a todas as incríveis fraudes e falsificações de identidade que andavam fazendo. Sem falar no pó de metanfetamina no micro-ondas. Eu não sou tão esperto quanto a polícia para esse tipo de coisa, então vamos supor que eles indiciem vocês ao meio-dia, e na hora do jantar já terão saído por aí com mandados de busca que vão permitir que entrem sem nem bater na porta.
— Você não sabe blefar — disse Helene, acendendo um cigarro.
— Você acha? — Estendi a mão por cima do encosto do banco, tirei o cigarro de sua boca e o joguei pela janela em frente ao rosto de Kenny. — Eu tenho uma filha de quatro anos, sua imbecil. Ela anda neste carro.

— E daí?

— E daí que eu não quero que ela chegue à pracinha com cheiro de cigarro.

— Nossa, como ele é sensível.

Estendi a mão para ela.

— O que foi?

— O maço.

— Por favor o quê?

— Me dê o maço — repeti.

A voz de Kenny soou cansada.

— Dê o maço para ele, Helene.

Ela me entregou o maço. Guardei-o no bolso.

— Mas e aí, você tem alguma solução para o nosso caso? — perguntou Kenny.

— Sei lá. Me digam uma coisa: o que Kirill Borzakov está querendo com Amanda?

— Quem disse que ele está atrás de Amanda?

— Yefim.

— Ah, tá.

— O que Amanda tem que eles possam querer?

— Ela roubou uma coisa e levou embora.

Imitei o som do relógio de um jogo da NBA quando o tempo está se esgotando.

— Não me trate como se eu fosse um idiota.

— Não, ele está falando sério — disse Helene com os olhos arregalados.

— Desçam do carro.

— Não, escute.

Estendi o braço na frente de Kenny e abri a porta do passageiro.

— Até mais.

— Não, sério.

— É sério. Temos menos de dois dias para trocar o que Amanda pegou por Sophie. Eu sei que vocês não ligam a mínima para a vida de uma adolescente, mas eu sou meio antiquado, e ligo.

— Então chame a polícia.

Meneei a cabeça como se isso fizesse todo o sentido.
— Isso, e depois vamos todos juntos depor em um tribunal aberto contra a máfia russa. — Cocei o queixo. — E quando a minha filha puder sair do programa de proteção a testemunhas vai ter uns cinquenta e cinco anos. — Olhei para Kenny. — Ninguém vai chamar a polícia.
— Você pode devolver meu cigarro? — pediu Helene. — Por favor.
— Você vai fumar no meu carro?
— Eu abro a porta.
Joguei o maço para ela por cima do banco.
— Então como é que a gente fica? — perguntou Kenny.
— É como eu falei: temos que fazer uma troca. Quanto mais vocês ficam enrolando para me dizer o que exatamente eles querem de Amanda, menos chance Sophie terá de estar inteira quando a sexta-feira chegar.
— Nós já dissemos, Amanda roubou... — começou Kenny.
— É uma joia, porra — disse Helene. Ela escancarou a porta de trás do carro e pisou no chão com um dos pés enquanto acendia o cigarro. Soprou a fumaça pela porta e me lançou um olhar de quem diz "Satisfeito?".
— Uma joia.
Ela assentiu enquanto Kenny fechava os olhos e descansava a cabeça no encosto do banco.
— É. Não sabemos exatamente como é essa joia nem como ela a conseguiu, mas ela roubou esse tal, hã, esse tal crucifixo.
— Bom, não é um crucifixo — disse Kenny. — Pelo menos eu acho que não seja. Eles ficam chamando de "cruz". — Ele deu de ombros. — É só isso que a gente sabe.
— E não sabem como ela arrumou essa tal cruz?
Mais negativas.
— Não.
— Quer dizer que vocês não fazem ideia de como Amanda conseguiu pôr as mãos nessa cruz nem por que ela estava metida com a máfia russa. É isso que estão me dizendo?

— A gente não sufoca ninguém — disse Helene.
— Como é?
— Amanda — disse Helene. — Nós a deixamos tomar as próprias decisões. Não ficamos enchendo o saco dela. A gente respeita Amanda como pessoa.

Fiquei algum tempo olhando pela janela do carro. Quando o silêncio começou a ficar longo demais, Helene perguntou:

— Em que você está pensando?

Olhei para ela por cima do banco.

— Estou pensando que nunca na minha vida tive vontade de bater numa mulher, mas que você está despertando em mim uma inclinação para Ike Turner.

Ela jogou o cigarro no estacionamento.

— Até parece que eu nunca ouvi isso antes.
— Onde. Ela. Está?
— Nós. Não. Sabemos. — Helene arregalou os olhos para mim como uma menina de doze anos fazendo pirraça; em matéria de maturidade emocional, isso não estava muito longe da realidade.

— Mentira, porra.

— Cara — disse Kenny —, eu ensinei essa garota a criar identidades falsas tão bem que ela poderia entrar para a CIA. É claro que ela criou algumas sem eu saber, e está foragida sob uma delas. Posso garantir que ela tem um registro na previdência social e uma certidão de nascimento impecáveis. Com esses documentos, qualquer um pode criar um histórico de crédito de dez anos em cerca de quatro horas. E depois? Porra. O país está cheio de caixas eletrônicos.

— Você disse a Yefim que estavam quase encontrando Amanda.

— Eu teria dito àquele filho da puta de sangue gelado qualquer coisa que ele quisesse ouvir, contanto que ele saísse da minha cozinha.

— Então vocês não estão quase encontrando Amanda.

Ele fez que não com a cabeça.

Olhei para Helene pelo retrovisor. Ela também fez que não com a cabeça.

Passamos mais algum tempo sentados sem dizer nada.

— Então de que vocês me servem? — falei por fim, dando a partida no jipe. — Saiam do meu carro.

Eu tinha combinado de tomar uma cerveja com Mike Colette, um amigo que era dono de armazéns de distribuição. Ele tinha me contratado para descobrir qual de seus funcionários estava desviando dinheiro, e eu tinha descoberto uma coisa que ia agradá-lo. Pensei em cancelar o encontro porque ainda estava um pouco abalado pelas oito balas disparadas na minha direção, mas, como tínhamos marcado de nos encontrar em West Roxbury e eu já estava nessa parte da cidade, liguei para ele do celular e disse que estava a caminho.

Encontrei-o sentado em um dos balcões junto à janela do West on Centre, e, mesmo sendo o único cliente do bar, acenou para mim quando entrei pela porta. Ele sempre foi assim desde que nos conhecemos, na Universidade de Massachusetts: um cara solícito e confiável, muito decente. Nunca conheci ninguém que não gostasse dele. A lógica dominante entre nossos amigos era: se você não gostava de Mike, isso não revelava nada sobre ele, mas tudo sobre você.

Mike era um homem baixinho, de cabelos encaracolados cortados curtos, e tinha aquele aperto de mão que se podia sentir em todos os ossos do corpo. Cumprimentou-me com esse aperto de mão quando cheguei à mesa, e eu estava tão distraído que esqueci de me preparar. Quase acabei de joelhos no chão, e tive a nítida impressão de que meu braço inteiro ficou dormente.

Ele apontou para a cerveja em frente ao meu lugar.

— Acabei de pedir para você.

— Poxa, cara, valeu.

— Quer alguma outra coisa? Um petisco ou algo assim?

— Ah, não, obrigado.
— Tem certeza? Você está com uma cara esquisita. Tomei um gole de cerveja.
— Andei esbarrando com uns russos.
Ele também tomou um gole de sua caneca gelada, com os olhos arregalados.
— Cara, eles são mesmo uma praga nesse negócio de transportes. Quer dizer, não todos os russos, mas o pessoal do Kirill Borzakov? Putz. Fique longe desses caras.
— Agora já era.
— Não brinca? — Ele pousou a caneca de cerveja na bolacha. — Você esbarrou com o pessoal do Borzakov?
— É.
— Esse Kirill não é só um brutamontes, cara, ele é um brutamontes louco de pedra. Você soube que ele foi preso de novo por dirigir embriagado?
— Soube. Na semana passada.
— Na *noite* passada. — Mike empurrou um *Herald* dobrado pela mesa na minha direção. — E dessa vez ele se superou.

Encontrei a notícia na página seis: "Carniceiro Borzakov surta em lava-jato". Ele tinha levado seu Targa a um lava-jato de Danvers. No meio da lavagem, aparentemente perdeu a paciência. Foi uma péssima notícia para o carro que estava na sua frente. Kirill o empurrou com o seu. O carro foi ejetado do lava-jato, mas o motor do Targa de Borzakov morreu. A polícia o encontrou no estacionamento, coberto de espuma de sabão, tentando agredir um dos funcionários panamenhos do posto de gasolina anexo com um limpador de para-brisa arrancado de seu carro. Foi neutralizado com uma arma de choque e levado à delegacia por quatro agentes da polícia estadual. Quase fez explodir o bafômetro, e a polícia também encontrou meio grama de cocaína no console do banco do carro. Ele só conseguiu pagar a fiança na hora do jantar. Numa coluna ao lado, o jornal mencionava o nome dos quatro homens que ele era suspeito de ter mandado matar no último ano.

Dobrei o jornal.

— Então o que deveria me preocupar não é o fato de ele ser um assassino, e sim ele ser um assassino em meio a algum tipo de surto nervoso?

— Só pra começo de conversa. — Mike levou o indicador ao nariz. — Ouvi dizer que ele está cheirando a própria mercadoria.

Dei de ombros. Cara, eu estava de saco cheio daquelas histórias.

— Patrick, não me leve a mal, mas você já pensou em mudar de ramo?

— Você é a segunda pessoa que me pergunta isso hoje.

— Bom, talvez depois deste nosso almoço eu precise de um gerente novo, e você trabalhou em transportes durante a época da faculdade, se bem me lembro.

Fiz um gesto de recusa.

— Eu estou bem. Obrigado, Mike.

— Nunca diga dessa água não beberei — ele disse. — É esse o meu lema.

— Obrigado pelo convite. Vamos falar sobre o seu caso.

Ele juntou as mãos e se inclinou para mais perto da mesa.

— Quem você acha que está desviando o seu dinheiro?

— O meu gerente da noite, Skip Feeney.

— Não é ele.

Mike arqueou as sobrancelhas.

— Também achei que fosse ele. E não estou dizendo que ele é cem por cento confiável. Meu palpite é que ele de vez em quando rouba uma caixa de um caminhão. Se eu fosse à casa dele, provavelmente encontraria equipamentos de som que batem com cargas desaparecidas, esse tipo de coisa. Mas ele só consegue falsificar os manifestos de carga. Não tem como chegar às notas fiscais. E as notas fiscais são a chave da questão, Mike. Em alguns casos, você está sendo cobrado duas, três vezes por carregamentos que não têm origem na sua empresa nem chegam ao destinatário porque não existem.

— Certo — ele disse devagar.
— Um pedido de cinco paletes de amortecedores Flowmaster. Parece correto, na sua opinião?
— Sim, é mais ou menos isso. Vamos vender todos até julho, mas, se esperássemos até abril para fazer o pedido, o preço seria seis, sete por cento maior. É um risco inteligente, mesmo que ocupe certo espaço.
— Mas no armazém só há quatro paletes. E na nota fiscal está escrito "quatro". Só que o pagamento foi por cinco. E eu verifiquei: foram despachados cinco. — Tirei um bloquinho da mala do meu laptop e o abri. — O que você pode me dizer sobre Michelle McCabe?

Ele tornou a se recostar na cadeira, pálido.
— É a minha gerente de contas a receber. Mulher de um amigo meu. Um bom amigo.
— Sinto muito, cara. Muito mesmo.
— Tem certeza?

Mexi de novo na mala do meu laptop e puxei a pasta do caso. Deslizei-a por cima da mesa na direção dele.
— Dê uma olhada nas vinte primeiras notas. São falsas. Eu anexei as que as empresas receberam, para você poder comparar.
— Vinte?
— Talvez tenha mais — falei —, mas essas são as que qualquer tribunal aceitaria como prova se ela um dia processar você. Ou se fizer uma queixa trabalhista, ou acusar você de algum problema na recisão. Se quiser que ela seja presa...
— Ah, não.
— Eu sei, eu sei. Mas, se você quisesse, todas as provas de que precisa estão aí. No mínimo você deveria pensar em fazê-la devolver o dinheiro, Mike.
— Quanto é?
— Só no último ano fiscal? Ela levou vinte mil, por baixo.
— Meu Deus do céu.
— E isso foi só o que eu consegui encontrar. Um ver-

dadeiro auditor, que soubesse onde procurar... não há como saber o que ele poderia achar.

— Com a atual conjuntura econômica, você está me dizendo que eu devo mandar embora minha gerente de contas a receber *e* meu gerente operacional?

— Por motivos diferentes, mas sim.

— Meu Deus do céu.

Pedimos mais duas cervejas. O bar começou a encher; lá fora, o tráfego da Center Street aumentou. Do outro lado da rua, as pessoas paravam seus carros em frente ao pet shop Continental Shoppe para buscar seus cães depois de um dia de embelezamento. Enquanto estávamos ali sentados, contei dois poodles, um beagle, um cole e três vira-latas. Pensei em Amanda e em como ela gostava de cachorros, a única característica dela de que eu tinha ouvido falar que me parecia suave, humanizadora.

— Vinte mil. — Mike parecia ter levado uma tacada de beisebol na barriga e depois um tapa na cara enquanto ainda estava encolhido no chão. — Eu jantei na casa deles há uma semana. Fomos assistir a algumas partidas do Sox juntos no verão passado. Meu Deus, dois anos? Ela estava começando a trabalhar para mim e eu lhe dei mil dólares a mais de gratificação de Natal porque sabia que o carro deles ia ser confiscado. Eu só... — Ele ergueu as mãos acima da cabeça e tornou a baixá-las com um gesto de impotência. — Tenho quarenta e quatro e ainda não entendo nada de pessoas. Simplesmente não entendo. — Voltou a pôr as mãos na mesa. — Não entendo — sussurrou.

Eu odiava o meu trabalho.

17

Já fazia algumas horas desde o meu encontro com Yefim, e eu ainda estava abalado. Antigamente, eu teria me recuperado com uma ou seis doses de bebida, ou talvez tivesse ligado para Oscar e Devin para nos encontrarmos em algum bar e trocar relatos, um pior do que o outro, sobre encontros violentos.

Oscar e Devin, porém, tinham se aposentado do Departamento de Polícia de Boston muitos anos antes e comprado juntos um bar quase falido em Greenwood, no Mississippi, onde Oscar tinha parentes. O bar ficava na mesma rua onde supostamente estava localizado o túmulo de Robert Johnson, então eles o haviam transformado em uma casa de blues. Pelas últimas notícias que eu tinha deles, o lugar continuava quase falido, mas Oscar e Devin viviam embriagados demais para se importar, e os churrascos de sexta-feira à tarde que promoviam no estacionamento já tinham virado uma lenda na cidade. Eles nunca mais voltariam.

Então eu não tinha mais essa válvula de escape. Não que fosse uma válvula muito grande. O que eu queria mesmo era apenas voltar para casa. Abraçar minha filha, abraçar minha mulher. Tomar uma chuveirada para tirar o cheiro do meu medo. Estava planejando fazer justamente isso, e pegando a Arborway para voltar na direção de Franklin Park e poder passar para o meu lado da cidade, quando meu celular tocou e vi o nome de Jeremy Dent estampado no identificador de chamadas.

— Puta que pariu — falei em voz alta. Eu estava ouvindo *Sticky Fingers* no CD do carro, bem alto, que é como *Sticky Fingers* sempre deveria ser ouvido, e estava bem naquela parte de "Dead flowers" que eu sempre cantava com Mick Jagger, quando ele começava a brincar com as palavras "Kentucky Derby Day".

Abaixei a música e atendi.

— Feliz quase Natal — disse Jeremy Dent.

— Feliz quase Festivus — retruquei.

— Está com tempo para dar uma passadinha no escritório?

— Agora?

— Agora. Tenho um presente de fim de ano para você.

— Sério?

— Sério — ele disse. — O nome do presente é emprego fixo. Quer conversar?

Seguro-saúde, pensei. Creche, pensei. Jardim de infância. Dinheiro para a faculdade. Um amortecedor novo.

— Estou indo.

— Até já. — Ele desligou.

Eu já tinha atravessado metade de Franklin Park. Se tivesse sorte com os semáforos da Columbia Road, chegaria em casa em dez minutos. Em vez disso, entrei à esquerda na Blue Hill Avenue e rumei de novo para o centro da cidade.

— Rita Bernardo aceitou um emprego em Jacarta, veja você. — Jeremy Dent se recostou na cadeira. — Hoje em dia o ramo da segurança está em franca expansão por lá, com todos aqueles jihadistas incríveis... é ruim para o mundo, mas ótimo para os negócios. — Ele deu de ombros. — Enfim, ela está lá tentando impedir bombas de explodir em boates indonésias, e isso abre uma vaga que gostaríamos de oferecer a você.

— Qual é a pegadinha?

Ele se serviu uma segunda dose de uísque e inclinou

a garrafa em direção ao meu copo, que ainda não estava vazio. Recusei com um aceno.

— Não tem pegadinha nenhuma. Nós avaliamos melhor e concluímos que os seus talentos investigativos, sem falar na sua experiência no ramo, são valiosos demais para deixarmos passar. Você pode começar agora mesmo.

Ele empurrou uma pasta pela mesa; a pasta ultrapassou a borda e aterrissou no meu colo. Presa à parte interna da capa, havia a fotografia de um jovem de uns trinta anos. Parecia vagamente conhecido. Um sujeito magro com cabelos pretos muito encaracolados, um nariz que só não era aquilino por cerca de um centímetro e pele cor de café com leite. Usava uma camisa branca e uma gravata vermelha fina, e estava segurando um microfone.

— Ashraf Bitar — disse Jeremy. — Algumas pessoas o chamam de Barack Bebê.

— Líder comunitário em Mattapan — falei, reconhecendo-o. — Lutou contra aquele projeto do estádio.

— Ele lutou contra várias coisas.

— Tem um caso de amor com as câmeras — falei.

— Ele é político — disse Jeremy. — Por definição, isso faz dele um narcisista de nível olímpico. E não se deixe enganar pelas origens dele e pelo endereço em Mattapan. Ele faz compras na Louis.

— Com que salário? Sessenta mil por ano?

Jeremy deu de ombros.

— Do que você precisa?

— Preciso que você examine toda a vida dele no microscópio.

— Quem é o cliente?

Ele tomou um gole de uísque.

— Isso é secundário para o seu trabalho.

— Tá bom. Quando precisa que eu comece?

— Agora. Ontem. Mas eu disse ao cliente amanhã.

Tomei um gole do meu uísque.

— Não dá.

— Eu acabei de oferecer a você um emprego fixo nesta empresa, e você já está criando dificuldades?

— Eu não tinha a menor ideia de que isso iria aparecer. Precisei aceitar um caso para pôr comida na mesa. Não posso largar tudo no meio.

Ele piscou devagar, como quem diz: "E eu com isso?".

— De quanto tempo você precisa?

— Mais um ou dois dias.

— Aí já vai ser Natal.

— É, vai.

— Então digamos que você vá estar livre no Natal. Posso dizer a nosso cliente que você vai fechar esse caso... — ele apontou para a pasta — ... no Ano-Novo?

— *Se* eu tiver terminado meu caso de agora no Natal, claro.

Ele suspirou.

— Quanto esse seu cliente de agora está lhe pagando?

Menti.

— O justo.

Cheguei em casa com flores que eu não tinha dinheiro para comprar e com comida chinesa que eu também não tinha dinheiro para comprar. Tomei a chuveirada com a qual sonhara a tarde inteira e vesti um jeans e uma camiseta do único show ao vivo da banda Pela, em seguida fui jantar com a minha família.

Depois de comer, brincamos com Gabby. Li para ela e a coloquei na cama. Então voltei para a sala e contei meu dia à minha mulher.

Quando eu terminei, Angie foi direto para a varanda fumar um cigarro.

— Quer dizer que a máfia russa está com a sua carteira de motorista.

— Isso.

— O que significa que eles sabem o endereço aqui de casa.

— Essa informação geralmente aparece na carteira de motorista, sim.

— E se nós avisarmos à polícia que eles sequestraram uma garota...

— Eles ficariam chateados comigo — concordei. — Já falei da parte em que Duhamel me ofereceu um emprego fixo?

— Umas mil vezes — ela respondeu. — Então você vai desistir. Quer dizer, vai desistir imediatamente.

— Não.

— Ah, vai, sim.

— Não. Eles sequestraram uma menina de dezessete...

— ... anos. Eu sei. Eu escutei. Também escutei a parte em que eles deram vários tiros no carro que você estava dirigindo e pegaram sua carteira de motorista para poderem vir aqui, se quiserem, sequestrar a sua filha. Então eu sinto muito pela garota de dezessete anos, mas tenho uma de quatro nesta casa que vou tentar proteger.

— Mesmo que isso custe outra vida.

— Com certeza.

— Pare de falar besteira.

— Eu não estou falando besteira.

— Está, sim. Foi *você* quem me pediu para aceitar esse caso.

— Fale baixo. Tudo bem, sim, eu pedi para...

— Mesmo sabendo como eu fiquei da última vez em que tentei encontrar Amanda. Mesmo sabendo como nós dois ficamos. Mas você só pensava no bem maior. E agora que o bem maior está nos desafiando de novo e que outra criança corre perigo, você quer que eu desista de tudo.

— Nós estamos falando da segurança da nossa filha.

— Mas não é só disso que estamos falando. Agora estamos metidos nessa história. Se você quiser levar a Gabby para visitar sua mãe, acho uma ótima ideia. Elas estão mortas de saudade uma da outra. Mas eu vou encontrar Amanda, e também vou achar Sophie e trazê-la de volta.

— Você escolheria esse caso em vez de...

— Não. Não me venha com esse papo. Nem pense nisso.

— Fale baixo, por favor.

— Você me conhece. Você sabia que, no minuto em que me convenceu a fazer o que Beatrice estava pedindo, eu não ia parar até encontrar Amanda de novo. E agora vem me dizer que está tudo acabado? Bom, não está, não. Só vai acabar quando eu a encontrar.

— Encontrar quem? Amanda? Ou Sophie? Você nem sabe mais o que está fazendo.

Ambos estávamos à beira de explodir e sabíamos disso. Sabíamos também como a situação ficaria difícil se explodíssemos. Quando um pavio curto irlandês se casa com um pavio curto italiano, pratos quebrados são moeda corrente. Nós tínhamos feito um pouco de terapia de casal logo antes de a nossa filha nascer, para nos ajudar a não deixar a tampa da panela estourar quando a pressão ficava forte demais, e na maioria das vezes isso ajudava.

Respirei fundo. Minha mulher respirou fundo, depois deu um trago no cigarro. O ar da varanda estava frio, gelado até, mas estávamos vestidos adequadamente e a sensação que ele provocou em meus pulmões foi agradável. Soltei uma longa expiração. Uma expiração de vinte anos.

Angie chegou mais perto do meu peito. Passei os braços em volta dela e ela pôs a cabeça debaixo do meu queixo e beijou a concavidade sob a minha garganta.

— Detesto brigar com você — ela disse.

— Detesto brigar com você.

— Mesmo assim a gente dá um jeito de discordar com alguma frequência.

— É porque adoramos fazer as pazes.

— Eu *adoro* fazer as pazes — ela disse.

— Somos dois.

— Você acha que nós a acordamos?

Fui até a porta que separava nossos quartos e a abri; vi minha filha dormindo. Ela não dormia propriamente de bruços, mas apoiada na parte de cima do peito, com a cabeça virada para a direita e o bumbum empinado. Se eu fosse vê-la dali a duas horas, ela estaria de lado, mas antes da meia-noite dormia como uma condenada.

Fechei a porta e voltei para a cama.

— Está apagada.
— Vou despachá-la.
— O quê? Para onde?
— Para a minha mãe. Se Bubba puder levá-la.
— Ligue para ele. Você sabe exatamente o que vai responder.

Ela assentiu. Na verdade, podia ser dado como certo. Angie poderia dizer a Bubba que precisava dele ontem em Katmandu que responderia que já estava lá.

— Como é que ele vai entrar armado em um avião?
— Minha mãe mora em Savannah. Tenho certeza de que ele tem algum contato lá.
— Gabby vai adorar ver a avó, não há dúvida. Ela não para de falar nisso desde o verão. Bom, nisso e em árvores. — Ela olhou para mim. — Por você tudo bem?

Olhei para ela.

— Essa gente que eu vou enfrentar é barra-pesada. E, como você disse, eles sabem onde fica a nossa casa. Se eu pudesse, poria Gabby no avião hoje mesmo. Mas e você? Vai calçar de novo as esporas para correr comigo atrás da diligência?

— Vou. Talvez isso apresse as coisas.
— Com certeza. Mas qual foi o máximo de tempo que você ficou longe da Gabby desde que ela nasceu?
— Três dias.
— Pois é. Quando fomos ao Maine e você ficou choramingando o tempo inteiro com saudades dela.
— Eu não fiquei choramingando. Só mencionei o óbvio algumas vezes.
— E depois mencionou de novo. Isso se chama choramingar.

Ela bateu com um travesseiro na minha cabeça.

— Pode ser. De qualquer forma, isso foi no ano passado. Eu amadureci. E ela vai adorar essa aventura de ir visitar a avó com o tio Bubba. Se tivéssemos contado hoje, ela não teria dormido. — Angie rolou para cima de mim. — Qual é o seu plano imediato, então?

— Encontrar Amanda.

— De novo.

— De novo. Trocar a cruz que ela roubou por Sophie. E todo mundo vai embora para casa.

— Quem disse que Amanda vai entregar a cruz?

— Sophie é amiga dela.

— Pelo que andei escutando, Sophie é o Robert Redford dela.

— Não sei se é tão ruim assim. — Cocei a cabeça. — Mas também é verdade que não sei muita coisa. Por isso preciso encontrá-la.

— Mas como?

— Essa é a pergunta do mês.

Ela estendeu a mão por cima do meu corpo e alcançou a mala do meu laptop no chão. Abriu-a, pegou a pasta em que estava escrito A. McCready e apoiou-a em cima do travesseiro à direita da minha cabeça.

— Estas são as fotos que você tirou do quarto dela?

— São. Não, essas não... essas são do quarto de Sophie. Continue. Essas três aí.

— Parece um quarto de hotel.

— É, é bem impessoal.

— Com exceção da camisa do Sox.

Assenti.

— Sabe o que é mais estranho? Ela não é torcedora do time. Nunca falava dele nem ia a Fenway, nem ficava matutando onde Theo estava com a cabeça quando negociou o passe de Julio Lugo ou trocou Kason Gabbard por Going Going Gagne.

— Talvez ela só goste de Beckett.

— Hã?

— Talvez ela só gosta do Josh Beckett.

— Por que está dizendo isso?

— Bom, essa é a camisa dele, não é? Número dezenove. Por que você ficou pálido de repente?
— Ange.
— O que foi?
— A obsessão dela não é o Red Sox.
— Não?
— E ela não gosta do Josh Beckett.
— Tudo bem, ele também não faz o meu tipo. Mas então por que a camisa?
— Há doze anos, onde foi que nós a encontramos?
— Na casa de Jack Doyle.
— E onde ficava essa casa?
— Em uma cidadezinha perdida na região dos montes Berkshire. Ficava o que, a uns vinte e cinco quilômetros da divisa de Nova York? Trinta? Lá não tinha nem um café.
— E qual era o nome?
— Da cidade?
Assenti.
Ela deu de ombros.
— Me diga você.
— Becket.

— Dê um abraço no papai.
— Não.
— Por favor, meu anjo.
— Já falei que não.
Era hora da má-criação. Estávamos em pé no terminal C do aeroporto de Logan, Bubba e Gabby com as passagens na mão, prestes a passar por uma revista supreendentemente superficial, e Gabby estava furiosa comigo como só uma criança de quatro anos é capaz de ficar. Braços cruzados, pés batendo no chão, o pacote completo.
Ajoelhei-me a seu lado, e ela me virou a cara.
— Meu anjo, nós já conversamos sobre isso. Fazer má-criação em casa é o quê?
— Problema da gente — ela disse depois de algum tempo.

— E fazer má-criação fora de casa, o que é?
Ela sacudiu a cabeça.
— Gabriella — falei.
— Vergonha para a gente — ela disse.
— Isso mesmo. Então dê um abraço aqui no seu pai. Você pode estar chateada comigo, mas mesmo assim tem que me abraçar. É a nossa regra. Certo?
Ela largou o sr. Lubble e pulou em cima de mim. Apertou-me com tanta força que os nós de seus polegares se enterraram na minha coluna, e seu queixo na lateral do meu pescoço.
— Vamos nos ver logo — falei.
— Hoje à noite?
Olhei para Angie. Meu Deus.
— Não, hoje à noite, não. Mas logo.
— Você sempre vai embora.
— Não, senhora.
— Sim, senhor. Vai embora à noite, e está sempre fora de manhã na hora que eu acordo. E agora está levando mamãe embora também.
— Papai trabalha.
— Papai trabalha *demais*. — Sua voz estava engasgada de um jeito que anunciava outro chororô iminente.
Eu a coloquei em pé na minha frente. Ela me encarou, uma versão em miniatura da mãe.
— Esta é a última vez, meu amor. Tá? É a última vez que eu vou embora. A última vez que mando você embora.
Ela me encarou de volta com os olhos e lábios trêmulos.
— Jura?
Ergui a mão direita.
— Eu juro.
Angie se ajoelhou ao nosso lado e beijou nossa filha. Dei um passo para trás para deixá-las à vontade, e a despedida das duas foi ainda mais emocionada do que a nossa.
Bubba se aproximou.

— Ela vai chorar no avião, armar uma cena, essas coisas?
— Duvido — falei. — Mas, se ela fizer isso e alguém olhar atravessado para você, pode morder que eu deixo. Ou pelo menos rosnar. E se você vir algum russo olhando esquisito para ela...
— Cara — ele disse —, se alguém olhar esquisito para essa menina, seus olhos vão acabar no chão olhando para a própria cabeça enquanto eu corto ela fora.

Do outro lado da área de revista, os dois olharam para nós. Bubba segurava Gabby enquanto eles retiravam as malas da esteira do raio X. Os dois acenaram.
Acenamos de volta, e eles se foram.

PARTE 3

A CRUZ DE BELARUS

18

Nuvens baixas pairavam sob um céu pálido quando saímos do pedágio de Massachusetts e seguimos a linha traçada no mapa em direção a Becket. A cidade ficava quarenta quilômetros ao sul da divisa do estado de Nova York, no coração dos montes Berkshire. Nessa época do ano, os morros estavam salpicados de neve e as estradas úmidas, pretas e escorregadias. Becket tinha uma estrada principal, mas não uma rua. Não conseguimos encontrar nenhum centro na cidade, nenhum quarteirão com loja de ferragens, cabeleireiro, lavanderia automática e agência imobiliária. Tampouco havia um café, como Angie já havia observado. Para frequentar qualquer um desses estabelecimentos, era preciso ir a Stockbridge ou Lenox. Becket tinha casas, morros, árvores e mais árvores. Um lago de água dourada em forma de ameba. E ainda mais árvores, algumas com as copas meio escondidas pelas nuvens baixas.

Passamos a manhã inteira andando de carro por Becket e West Becket: subindo, descendo, seguindo nas quatro direções e voltando outra vez. A maioria das estradas nos morros era sem saída, portanto fomos alvo de vários olhares curiosos ou hostis quando invadíamos a propriedade de alguém, e depois tivemos que dar ré e voltar pelo mesmo caminho, fazendo estalar com as rodas o cascalho do chão. Mas nenhum desses rostos curiosos ou hostis era o de Amanda.

Depois de três horas fazendo isso, paramos para almoçar. Encontramos um restaurante pequeno a alguns quilômetros da cidade, em Chester. Pedi um *club sandwich* de peru sem maionese. Angie pediu um cheesebúrguer e uma coca. Fiquei tomando minha água mineral e fingindo que não cobiçava o sanduíche dela. Angie raramente presta atenção no que come, e tem as mesmas taxas de colesterol de um recém-nascido. Eu como peixe e frango noventa por cento do tempo, e o meu mau colesterol é tão alto quanto o de um lutador de sumô aposentado. A vida é mesmo injusta. Havia oito outros clientes no restaurante. Éramos os únicos que não estavam de bota. Ou de roupa xadrez. Todos os homens estavam de boné e calça jeans. Algumas mulheres usavam esses suéteres que tias velhas costumam dar de presente no Natal. As parcas eram muito populares.

— De que outro jeito podemos explorar a região? — perguntei a Angie.

— Pelo jornal da cidade.

Olhei em volta à procura de um jornal, mas não vi nenhum, então fiz o possível para atrair a atenção da garota atrás do balcão.

Ela devia ter uns dezenove anos. Seu rosto bonitinho tinha sido estragado por cicatrizes de acne, e os vinte quilos a mais que ela carregava pareciam uma ameaça. Ela exibia um olhar apagado de raiva disfarçada de apatia. Se continuasse nesse caminho, viraria o tipo de mulher que dá Doritos para os filhos de café da manhã e compra adesivos de carro com mensagens agressivas cheias de pontos de exclamação. Agora, porém, era apenas mais uma entre muitas garotas de cidade pequena revoltadas e sem perspectiva. Quando finalmente consegui chamar sua atenção para perguntar se havia algum jornal atrás do balcão, ela respondeu:

— Algum o quê?

— Jornal.

Olhar inexpressivo.

— Um jornal — repeti. — Tipo uma home page sem barra de rolagem, sabe?

Rosto inexpressivo.

— Em geral a primeira página tem fotos e embaixo dessas fotos tem palavras. E às vezes tem uns gráficos em forma de pizza no canto inferior esquerdo.

— Isto aqui é um restaurante — ela disse, como se a frase explicasse tudo. Então se afastou, apoiou-se no balcão junto à máquina de café e começou a digitar um torpedo no celular.

Olhei para o sujeito que estava mais perto de mim, mas ele estava entretido com seu bolinho de carne. Olhei para Angie. Ela deu de ombros. Girei o banco e vi um suporte de metal junto à porta onde havia algum tipo de papel impresso. Fui até lá e descobri que a parte de cima oferecia uma publicação mensal sobre imóveis, enquanto a de baixo, folhetos sobre a região. À primeira vista, nada muito refinado: apenas anúncios locais. Quando abri o folheto, porém, fomos presenteados com um mapa colorido. Estavam indicados postos de gasolina, teatros que só funcionavam no verão, lojas de antiguidades, um outlet da Lee e ateliês de vidro de Lenox, bem como lojas que vendiam cadeiras Adirondack e outras que ofereciam colchas de retalhos e novelos para trabalhos manuais.

Foi fácil encontrar Becket e West Becket no mapa. Descobri que uma escola pela qual havíamos passado de manhã se chamava Escola de Dança Jacob's Pillow, e que o lago pelo qual havíamos passado dezenas de vezes aparentemente não tinha nome. Fora isso, as únicas atrações de Becket assinaladas eram a floresta estadual de Middlefield e o parque McMillan, que abrigava, nas cercanias, um lugar chamado Parque de Bichos de Estimação Paw Prints.

— Um parque de cachorros — disse Angie na mesma hora em que eu notava o nome. — Acho que vale um tiro no escuro.

A garçonete largou o cheesebúrguer de Angie no balcão, depois depositou o sanduíche de peru na minha frente com um gesto cansado e desapareceu nos fundos do restaurante antes de eu poder reclamar que tinha pedido sem maionese. A maioria dos clientes saíra enquanto olhávamos o mapa. Agora estávamos sozinhos, com exceção de um casal de meia-idade sentado junto à janela e que ficava olhando para a rua em vez de um para o outro. Pulei dois bancos para pegar um garfo e uma faca embrulhados em um guardanapo de papel e usei a faca para retirar o grosso da maionese do meu pão. Angie me observou, fascinada, antes de voltar a comer seu sanduíche. Quando mordi o meu, o cozinheiro desapareceu por trás do recorte na parede que dava para a cozinha. Uma porta se abriu em algum lugar nos fundos, e pouco depois senti um cheiro de fumaça de cigarro e o ouvi conversando em voz baixa com a garçonete.

Meu sanduíche estava péssimo. O peru, de tão duro, parecia feito de giz. O bacon estava borrachudo. A alface escurecia diante dos meus olhos. Larguei o sanduíche no prato.

— Como está o seu?
— Horrível — respondeu Angie.
— Então por que continua comendo?
— Por tédio.

Olhei para a conta deixada em cima do balcão pela Miss Simpatia do Ensino Médio: dezesseis pratas por dois almoços intragáveis servidos por uma pessoa ainda mais intragável. Deixei uma nota de vinte debaixo do prato.

— Você não vai deixar gorjeta para ela, vai? — perguntou Angie.
— É claro que vou.
— Mas ela não merece.
— É, não merece mesmo.
— Mas então...?
— Eu passei muitos anos servindo comida antes de virar investigador particular — falei. — Deixaria gorjeta até para o Stálin.
— Ou para a neta dele, no caso.

Deixamos o dinheiro, pegamos o mapa e saímos do restaurante.

* * *

O parque McMillan tinha um campo de beisebol, três quadras de tênis, um parquinho grande para crianças maiores e outro, menor e pintado com cores mais vivas, para crianças pequenas. Logo depois ficavam as duas áreas reservadas aos cachorros: a dos pequenos era um oval isolado dentro da área maior destinada aos grandes. Alguém tinha pensado com cuidado na montagem do parque: havia bolinhas de tênis espalhadas pelo chão e quatro bebedouros equipados com grandes vasilhas metálicas para a comida dos cachorros. Vários pedaços de corda, do tipo usado para amarrar barcos, coalhavam o chão. Era bom ser cachorro em Becket.

Era o meio da tarde, portanto o parque não estava muito cheio. Dois homens, uma mulher de meia-idade e um casal de idosos passeavam com dois weimaraners, um labradoodle e um corgi meio nervosinho que não parava de latir para os outros cães.

Ninguém reconheceu Amanda na foto que mostramos. Ou talvez ninguém quisesse reconhecê-la para nós. Hoje, investigadores particulares não despertam muita confiança. As pessoas muitas vezes nos consideram apenas mais um símbolo da Era do Fim da Privacidade. E é difícil argumentar contra isso.

Os dois donos dos weimaraners comentaram que Amanda era um pouco parecida com a atriz dos filmes da série *Crepúsculo*: apesar de os cabelos e as bochechas serem diferentes, o nariz, a testa e os olhos bem próximos um do outro eram parecidos; no entanto, quando eles começaram a debater se o nome da atriz em questão era Kristen ou Kirsten, eu me afastei em direção à mulher de meia-idade antes de a conversa virar um bate-boca sobre Edward ou Jacob.

A mulher estava bem vestida, mas as bolsas sob seus olhos eram tão grandes que daria para guardar uns trocados lá dentro. A ponta do indicador e do dedo médio estava amarelada de nicotina, e ela era a única pessoa no parque com seu cachorro, o labradoodle, preso na coleira. Trincava os dentes sempre que o animal puxava a guia, e os outros três não paravam de provocá-lo.

— Mesmo que eu a conhecesse, por que falaria com o senhor? — ela disse. — Eu não te conheço.

— Mas, se me conhecesse, ia me achar superlegal — falei.

Ela me olhou fixamente com uma expressão ainda mais hostil pelo fato de não ser abertamente hostil.

— O que essa garota fez?

— Nada — respondeu Angie. — Ela está sumida de casa. E tem só dezesseis anos.

— Eu fugi de casa com dezesseis anos — disse a mulher. — Voltei um mês depois. Até hoje não sei por que fiz isso. Poderia ter ficado na rua.

Quando ela disse "na rua", meneou o queixo para além da área em que um grupo de mães e crianças pequenas estava reunido no parquinho menor, para além do estacionamento e dos morros que se erguiam e se fundiam à grande massa azul dos montes Berkshire. O gesto parecia dizer que, do outro lado daquela cordilheira, uma vida melhor teria sido possível.

— Essa garota pode muito bem se arrepender de ter fugido de casa — disse Angie. — Ela poderia teria sido aceita em Harvard. Ou em Yale. Ou em qualquer universidade que ela quisesse.

A mulher deu um puxão na guia do cachorro.

— Para depois fazer o quê? Ir se enfiar numa baia qualquer com um salário um pouco melhor? Pendurar a porra do diploma de Harvard na divisória? Passar os quarenta anos seguintes aprendendo a especular e a roubar o emprego e a casa dos outros, seus planos de aposentadoria? Mas tudo bem, porque *ela estudou em Harvard*. Pode dormir descansada porque não é culpa dela, é do sistema. Aí, um belo dia, ela descobre um caroço no seio. E a partir desse dia as coisas já não correm tão bem, mas ninguém dá a mínima, minha querida, porque você cavou a própria cova. Então faça um favor a todos nós e morra logo.

Quando ela terminou de falar, seus olhos estavam vermelhos e sua mão livre tremia quando ela mexeu na bolsa para pegar um cigarro. O ar do parque agora fazia nossa pele arder. Angie parecia ter sofrido um leve choque. Havia recuado um passo para longe da mulher, e tanto o casal gay quanto o casal de idosos nos encaravam. A mulher não tinha levantado a voz, mas a raiva que exalara na atmosfera era tão amargurada e digna de pena que abalou todos nós. E aquilo não era um fato raro. Muito pelo contrário. Ultimamente, bastava você fazer uma pergunta simples ou um comentário inofensivo para receber de volta um lamento frustrado e furioso. Não sabíamos mais como tínhamos chegado a esse ponto. Não fazíamos ideia do que tinha nos acontecido. Um belo dia acordávamos e víamos que todas as placas de rua tinham sido roubadas, todos os sistemas de navegação estavam com defeito. No carro já não havia gasolina, na sala não havia móveis, e a marca deixada por outra pessoa na cama ao nosso lado já havia se apagado.

— Eu sinto muito — foi tudo o que consegui dizer.

Ela levou o cigarro trêmulo aos lábios e o acendeu com um isqueiro Bic também trêmulo.

— Não sei por que o senhor sente muito.

— Eu sinto muito, só isso — repeti.

Ela concordou e lançou para mim, e depois para Angie, um olhar brando de impotência.

— É tudo uma merda. Sabem como é? Todo esse esquema que eles nos vendem.

Ela mordeu o lábio inferior e baixou os olhos. Então afastou-se com seu labradoodle na direção do portão nos fundos do parque.

Angie acendeu um cigarro enquanto eu me aproximava do casal de idosos com a fotografia de Amanda. O homem olhou a foto de relance, mas a mulher nem sequer me encarou.

Perguntei ao marido se ele reconhecia Amanda.

Ele deu mais uma olhada na fotografia e então balançou a cabeça.

— O nome dela é Amanda — falei.

— Não somos muito chegados a nomes aqui — ele disse. — Isto aqui é um parque para cachorros. Sabe essa mulher que acabou de sair? É a dona do Lucky. Não sabemos como ela se chama, mas sabemos que um dia teve um marido e uma família, e hoje não tem mais. Eu não saberia lhe dizer por que exatamente. Só sei que é triste. Eu e minha mulher somos os donos da Dahlia. E aqueles dois senhores são os donos do Linus e do Schroeder. E vocês dois? Vocês são apenas os Dois Babacas que Fizeram a Dona do Lucky Ficar Mais Triste. Tenham um bom dia.

Todos foram embora. Saíram pela entrada lateral do parque e foram se reunir na calçada. Abriram as portas dos carros, e os cachorros pularam para dentro. Ficamos parados no parque de cachorros agora deserto, sentindo-nos uns imbecis. Não havia nada a dizer, então simplesmente ficamos ali enquanto Angie fumava o seu cigarro.

— Acho melhor a gente ir embora — falei.

Angie assentiu.

— Mas vamos sair por aquele outro portão ali.

Ela apontou para o portão do outro lado e nos viramos para aquela direção porque não queríamos sair e passar pelo grupo de pessoas que de repente tinha começado a nos desprezar. Esse outro portão conduzia à área reservada às crianças, e depois disso à calçada onde havíamos estacionado o carro.

Um grupo diferente estava reunido ali: mães com seus filhos, carrinhos de bebê, copinhos de plástico, mamadeiras e bolsas de fraldas. Havia meia dúzia de mulheres e um homem. Este vestia roupa de corrida e estava em pé ao lado de um carrinho de bebê daqueles projetados para pais corredores, e não parava de tomar água de uma garrafa tão comprida como a minha perna. Parecia estar posando para as mulheres, e elas pareciam estar gostando.

Todas menos uma. Ela se mantinha afastada por alguns metros, mais perto da cerca baixa que separava a área das crianças da área dos cachorros. Tinha prendido a filha ao peito em uma bolsa canguru, com as costas da bebê viradas para si, de modo que ela pudesse observar o mundo. A bebê, porém, não estava interessada no mundo, apenas em gritar. Acalmou-se por um segundo quando a mãe lhe deu um dos polegares para chupar, mas, quando percebeu que aquilo não era um mamilo nem a chupeta ou a mamadeira que ela estava esperando, tornou a abrir o berreiro, e seu corpo tremia como se ela estivesse sendo eletrocutada. Lembrei-me de quando Gabby fazia exatamente a mesma coisa e de como eu me sentia impotente, inútil.

A mulher não parava de olhar por cima do próprio ombro. Imaginei que tivesse mandado alguém buscar a mamadeira ou a chupeta, e estivesse se perguntando o porquê da demora. Ela saltitava de leve e a bebê saltitava junto, mas não o suficiente para que parasse de chorar.

A mãe cruzou olhares comigo, e eu estava prestes a lhe dizer que as coisas iam melhorar, melhorar muito, quando seus olhos miúdos se estreitaram e os meus também, e nós dois escancaramos a boca. Os cabelos no alto da minha cabeça ficaram suados.

Fazia doze anos que não nos víamos, mas ali estava ela.
Amanda.
Amanda e sua bebê.

19

Ela não podia sair correndo. Não com a criança presa ao peito. Não tendo que carregar um carrinho e uma bolsa de fraldas. Mesmo que conseguisse correr à velocidade da luz e que os ligamentos dos meus joelhos e dos de Angie estivessem rompidos, ainda assim ela teria que chegar ao carro, ligar o motor e prender a bebê, tudo ao mesmo tempo.

— Oi, Amanda.

Ela ficou olhando eu me aproximar. Não tinha aquela expressão acuada de muitas pessoas que não querem ser encontradas. Seu olhar era firme e franco. A bebê agora sugava seu polegar, depois de concluir, suponho, que aquilo era melhor do que nada, e Amanda usava a outra mão para afagar seu cocuruto, onde mechas finas de cabelo castanho-claro formavam cachinhos.

— Oi, Patrick. Oi, Angie.

Doze anos.

— Tudo bem? — Chegamos à cerca que nos separava.

— Tudo indo.

Meneei a cabeça para a bebê.

— Linda menina.

Amanda olhou para a bebê com uma expressão terna.

— Não é?

A própria Amanda era uma menina bonita, embora não no mesmo estilo das modelos ou das participantes de concursos de beleza: seu rosto era excessivamente marcante, seus olhos experientes em demasia. Seu nariz um pouco torto tinha uma simetria perfeita com sua boca também um pouco torta. Ela usava os cabelos castanhos compridos soltos e alisados com escova, que emolduravam seu rosto pequeno, fazendo-a parecer ainda menor do que era.

A bebê se remexeu um pouco e grunhiu, mas depois voltou a sugar o polegar de Amanda.

— Qual é a idade dela? — perguntou Angie.

— Quase quatro semanas. É a primeira vez que ela sai por um tempo mais longo. Estava gostando bastante, até começar a berrar.

— É, eles berram muito nessa idade.

— Vocês têm filhos? — Ela não tirava os olhos da bebê, e enfiou um pouco mais o polegar em sua boca.

— Uma filha. Quatro anos.

— Qual é o nome dela?

— Gabriella. E o da sua?

A bebê fechou os olhos: do caos ao nirvana em menos de dois minutos.

— Claire.

— Legal — eu disse.

— Você acha? — Ela me deu um sorriso ao mesmo tempo largo e tímido, o que o tornava duas vezes mais encantador. — Gostou do nome?

— Gostei. Não é um desses nomes da moda.

— Isso é péssimo, não é? Crianças chamadas Perceval ou Colleton.

— Vocês se lembram da fase irlandesa? — perguntou Angie.

Amanda assentiu com a cabeça e deu uma risada.

— Um monte de crianças chamadas Deveraux e Fiona.

— Eu conheço um casal que morava perto da Dorchester Avenue e que pôs o nome de Bono no filho — falei.

Ela soltou uma gargalhada forte o suficiente para sacudir a menina.

— Mentira...

— Mentira — admiti. — Foi uma piada.

Passamos algum tempo em silêncio, e os sorrisos foram aos poucos sumindo de nosso rosto. As mães e o corredor não reparavam em nós, mas percebi um homem em pé, a meio caminho entre o parquinho e a rua. Estava de cabeça baixa e andava em círculos lentos, aparentemente se esforçando muito para não olhar na nossa direção.

— Aquele ali é o pai? — perguntei.

Ela olhou por cima do ombro, depois tornou a olhar para mim.

— É.

Angie apertou os olhos.

— Ele parece meio velho para você.

— Eu nunca gostei de garotos.

— Ah — falei. — E o que você diz para as pessoas? Que ele é seu pai?

— Às vezes. Ou às vezes meu tio. Outras vezes meu irmão mais velho. — Ela deu de ombros. — Na maioria das vezes, as pessoas imaginam o que mais lhes convém e eu não preciso dizer nada.

— E ninguém está sentindo a falta dele lá na cidade? — perguntou Angie.

— Ele tinha umas férias para tirar. — Ela acenou para o homem, e ele enfiou as mãos nos bolsos do casaco e começou a percorrer o gramado em nossa direção.

— O que vocês vão fazer quando as férias dele terminarem?

Ela voltou a dar de ombros.

— Vamos pensar nisso na hora que acontecer.

— E é isso que você quer... fazer sua vida aqui nos montes Berkshire?

Ela olhou em volta.

— É tão bom quanto qualquer outro lugar, e melhor do que muitos.

— Quer dizer que você tem lembranças daqui, da época em que foi encontrada? — perguntei.

Os olhos claros dela pulsaram.

— Eu me lembro de tudo.

Isso devia incluir os gritos, o choro, a prisão de duas

pessoas que a amavam profundamente, o assistente social obrigado a arrancar Amanda dos braços delas. E eu, o causador de tudo, ali parado olhando.

Tudo.

O namorado chegou e entregou a chupeta a Amanda.

— Obrigada — ela agradeceu.

— De nada. — Ele se virou para mim. — Patrick. Angie.

— Tudo bem, Dre?

Os dois moravam a menos de dois quilômetros do parque, na estrada principal, em uma casa pela qual havíamos passado pelo menos uma dúzia de vezes naquela manhã. Era uma construção em estilo Foursquare, cujo revestimento de estuque pintado com um tom de bege-escuro fazia um belo contraste com os detalhes de marfim e as colunas da varanda de pedra cor de cobre. Ficava alguns metros recuada da estrada; nesse trecho, as casas eram margeadas por uma calçada larga, o que dava mais um aspecto de cidade pequena que de zona rural. Do outro lado da rua, havia uma faixa de grama, seguida por uma pequena estrada de acesso e por uma igreja de campanário branco atrás da qual corria um regato.

— Aqui é tão tranquilo que às vezes o barulho do regato não deixa a gente dormir — disse Amanda enquanto descíamos dos carros e nos reuníamos na calçada.

— Que saco — falei.

— Imagino que a natureza não seja muito a sua praia — comentou Dre.

— Eu gosto de natureza — falei. — Só não gosto de tocar nela.

Amanda tirou Claire da cadeirinha do carro e, entregando-me a menina, pediu:

— Segura ela para mim um instante? — Tirou a bolsa de fraldas do carro, Dre tirou o carrinho da traseira do Subaru, e começamos a subir o caminho que ia dar na casa.

— Pode me dar — disse Amanda.

225

— Posso ficar com ela um pouquinho? Se você não se importar.

— Claro, pode ficar.

Eu tinha me esquecido de como um recém-nascido é pequeno. A bebê pesava no máximo quatro quilos. Quando o sol brilhou por entre as nuvens e bateu em nós, ela franziu o rostinho até ficar parecida com um pé de alface e cobriu os olhos com os punhos fechados. Então retirou as mãos, desfranziu o rosto e abriu os olhos. Estes tinham a mesma cor de um bom uísque, e me fitaram com uma expressão de assombro e espanto. Aqueles olhos não perguntavam apenas "Quem é você?"; perguntavam "*O que* é você? O que é isso tudo? Onde eu estou?".

Lembrei-me de ver a mesma expressão nos olhos de Gabby. Tudo era desconhecido, nada tinha nome. Não havia "normalidade", nenhum ponto de referência. Não havia linguagem nem consciência. Até mesmo o conceito de conceito era desconhecido.

Quando cruzamos a soleira da porta, a luz tornou a mudar; o rosto da bebê escureceu, e o assombro e o espanto se transformaram em confusão. Seu rosto era lindo. Em forma de coração, bochechas gordinhas, aqueles olhos castanhos cor de caramelo, a boca um botão de rosa. Ela prometia ser uma gata quando crescesse. Capaz de virar cabeças e destruir corações.

No entanto, quando começou a se agitar e Amanda a pegou do meu colo, ocorreu-me também que, qualquer que fosse sua aparência, ela não se parecia em nada nem com Amanda nem com Dre.

— E aí, Dre? — falei quando já estávamos todos sentados na sala junto a uma lareira de pedra cinza lisa.

— E aí, Patrick? — Ele estava usando uma calça marrom-escura, uma camiseta de malha quase branca com botão por baixo de um suéter azul-marinho com a gola levantada, e na cabeça um chapéu Fedora cinza-escuro. Combinava tanto com os montes Berkshire quanto um incêndio na mata. Ele tirou um frasco de estanho do bolso interno do casaco e deu um golinho. Amanda o observou recolocar o frasco no bolso com uma expressão que lembrava desagrado. Então foi se sentar na outra ponta do sofá e pôs-se a ninar a bebê de leve nos braços.

— Só estou tentando imaginar como você vai conseguir voltar ao Departamento de, hã, de Infância e Família, quando esta sua unidade familiar aqui é um pouco... como se diz? Ilegal pra caralho — falei.

— Por favor, não fale palavrão na frente da bebê — disse Amanda.

— Ela tem só três semanas — disse Dre.

— Mesmo assim não quero ninguém falando palavrão na frente dela. Você falava palavrão na frente da sua filha, Patrick?

— Quando ela era bebê, eu falava. Agora não falo mais.
— E o que Angie pensava disso?
Olhei para minha mulher e trocamos um leve sorriso.
— Ela ficava chateada. Um pouco.
— Eu ficava muito chateada — corrigiu Angie.
Amanda nos olhou com uma expressão que dizia: "Então".

— Certo — falei. — Desculpe. Não vai acontecer de novo.

— Obrigada.
— Mas então, Dre.
— Tá bom, tá bom — ele disse. — Você está perguntando como eu penso em voltar ao meu emprego, quando estou enrolado com uma adolescente.

— É, algo do tipo.
Ele se inclinou para a frente e uniu as mãos.
— E quem disse que alguém precisa saber?
Ao ouvir isso, abri um largo sorriso.

— Deixe eu te dar uma ideia do que está passando pela minha cabeça bem agora, Dre. Eu tenho uma filha de quatro anos. Fico imaginando minha filha daqui a doze anos enrolada, como você diz, com um assistente social safado com o dobro da idade dela, com a mesma retidão moral de um produtor de um reality show na tevê e que bebe antes do meio-dia.

— Já passou do meio-dia — ele disse.

— Mas o seu critério não é esse, não é mesmo, Dre?

Antes de ele responder, Amanda falou:

— A mamadeira já deve estar quente. Está na bacia dentro da pia.

Dre se levantou do sofá e foi até a cozinha.

— A indignação moral não vai funcionar muito aqui, Patrick — disse Amanda. — Acho que já passamos desse ponto.

— Já passamos do ponto de ligar para a moralidade, Amanda? É isso mesmo? Com dezesseis anos?

— Eu não disse que não ligava para a moralidade. Disse que não é mais hora de vir com essas manifestações de indignação moral meio em causa própria, considerando a história das pessoas aqui desta sala. Resumindo, se você acha que vai ter alguma espécie de segunda chance para salvar a minha honra doze anos depois de me devolver para uma mãe que você sabia ser incompetente, não vai, não. Se quiser se redimir, procure um padre. Um padre com a consciência limpa, se é que isso ainda existe.

Angie me lançou um olhar que dizia: "Você pediu".

Dre voltou com a mamadeira, e Amanda lhe lançou um sorriso doce e cansado enquanto a pegava e punha na boca de Claire. A bebê começou a sugar na mesma hora e Amanda lhe fez um leve carinho na bochecha. Perguntei-me quem eram os adultos e quem eram as crianças naquela sala.

— Quando você descobriu que estava grávida? — perguntou Angie.

— Em maio — respondeu Amanda enquanto Dre se sentava no sofá, agora mais perto dela e da bebê.

— Com três meses de gravidez — disse Angie.

— Ahã.

— Você deve ter ficado chocado — falei para Dre.
— Só um pouco — ele respondeu.
Olhei para Amanda.
— Ainda bem que você tem uma mãe negligente, não é?
— Não entendi.
— Deve ter sido mais fácil esconder a gravidez — falei.
— As pessoas fazem isso o tempo todo.
— Ah, eu sei — falei. — Conheci *duas* garotas que conseguiram fazer isso na escola. Uma delas já era gorda antes de engravidar, então foi fácil, mas a outra simplesmente comprava roupas um tamanho maior e vivia comendo junk food na frente de todo mundo, de modo que ninguém notou. Ela deu à luz em um dos cubículos do banheiro durante a quinta aula, no segundo ano do ensino médio. A moça da limpeza entrou no banheiro, saiu correndo aos gritos e desmaiou no corredor. É uma história verídica. — Inclinei o corpo para a frente. — Então eu sei que todo mundo faz isso o tempo todo.
— Pois é.
— Mas, Amanda, você não está nem meio quilo mais gorda.
— Eu malho. — Ela olhou para Angie. — Quantos quilos você engordou?
— O suficiente — respondeu Angie.
— Ela adora pilates — disse Dre.
Assenti, como se isso fizesse todo o sentido.
— Você não quer que eu fale palavrão na frente da bebê, mas está dando a ela leite artificial?
— Claro. Qual é o problema com leite artificial?
— Para muitas mulheres, nenhum. Mas para você? Você é uma lutadora. Posso ver isso nos seus olhos... se alguém olhar atravessado para essa menina, você cortaria a garganta da pessoa.
Ela assentiu sem hesitar.
— Você não é o tipo de mulher que dá leite artificial para um bebê sabendo que o leite materno é mais saudável.

Ela revirou os olhos.

— Pode ser...

— E essa menina... Sem querer ofender, não se parece em nada com você. Nem com ele.

Dre se levantou do sofá.

— Está na hora de você ir embora, cara.

— Não. — Fiz que não com a cabeça. — Não está, não. Fique sentado aí. — Olhei para ele. — Cara.

— Claire é minha filha — disse Amanda.

— Não temos dúvida disso — falou Angie. — Mas ela não nasceu sua filha, nasceu?

— Sente-se, Dre. — Amanda mudou a bebê de posição contra o peito e ajeitou a mamadeira. Olhou para Angie, depois para mim. — O que vocês acham que está acontecendo aqui?

Dre se sentou. Tomou mais um gole do frasco e recebeu mais uma olhada cheia de desprezo de Amanda.

— Bom, deve haver algum motivo para uns russos malucos estarem atrás de você — disse Angie.

— Ah, vocês os conheceram? — indagou Amanda.

Angie fez que não com a cabeça e apontou para mim.

— Eu conheci dois deles — falei.

— Deixe eu adivinhar... Yefim e Pavel.

Assenti, e reparei que os músculos do rosto de Dre se contraíram. Amanda, por sua vez, parecia mais calma do que nunca.

— E você sabe para quem eles trabalham.

— Para Kirill Borzakov.

— O Carniceiro do Borscht — disse Amanda, acariciando novamente o rosto de Claire. — Esse é um dos apelidos dele.

— Tem certeza de que você tem só dezesseis anos? — perguntei.

— E já ouviu falar na mulher de Kirill?

— Violeta? Já ouvi umas histórias.

— O pai dela é o chefão de um cartel de drogas mexicano. Ela acredita em uma religião misteriosa que pratica sacrifícios de animais e, caso os boatos sejam verdade, coisas ainda piores. Recebeu um diagnóstico de problemas mentais graves... lá no México. Os pais dela lidaram com a questão mandando matar o médico. E ela é casada com Kirill não apenas porque esse casamento proporciona a ele um sólido abastecimento de drogas, mas porque ele é a única pessoa mais louca do que Violeta, e os dois se amam por causa disso.

— E você roubou a filha deles — disse Angie, e no mesmo instante em que as palavras saíram de sua boca nós entendemos que essa era a verdade.

A mamadeira escorregou da boca de Claire.

— Eu... eu o quê?

— A máfia russa está na sua cola, e não é porque você tem muito talento para forjar identidades falsas que eles não podem se dar ao luxo de perdê-la. Yefim pegou Sophie.

— Ele fez o quê?

— Levou Sophie embora — repeti. — E quando a levou ele disse: "Talvez ela faça outro pra gente". — Inclinei a cabeça para dar uma boa olhada em Claire. Agora eu sabia onde tinha visto aquela boca e aqueles cabelos. — Essa filha é de Sophie, não sua.

— Ela é minha — disse Amanda. — Sophie não a quis. Ia dar a bebê para adoção.

Virei-me para Dre.

— E quem teria ajudado a facilitar esse processo?

— É melhor do que um aborto.

— Ah, sim, tenho certeza de que essas crianças têm uma vida incrível. Claire com certeza está tendo um começo de vida maravilhoso: vocês dois foragidos, com um bando de mafiosos tenebrosos bufando no cangote de vocês, um probleminha de roubo de identidade e a produção de metanfetamina como principal fonte de renda até agora. Ah, e tráfico de bebês, imagino. Não é isso, Dre? É essa a parte confidencial do seu trabalho... aposto que você é especializado em mães solteiras. Estou chegando perto?

231

Ele me deu um sorrisinho encabulado.
— Está quase lá.
— Parece que vocês encontraram a fórmula perfeita.
— Qual é a diferença entre o que eu faço e qualquer agência de adoção oficial faz? — perguntou Dre. — Eu encontro pais para mulheres que não querem seus bebês.
— Com supervisão zero — disse Angie. — Está nos dizendo que consegue investigar as pessoas para as quais a máfia russa vende esses bebês? É sério isso?
— Bom, não o tempo todo, é claro, mas...
— Amanda — disse Angie —, de todos os bebês que você poderia ter roubado, por que foi roubar justamente aquele que ia parar nas mãos de dois dos maiores sociopatas da cidade?
— A sua pergunta já está respondida. — Claire agora dormia recostada no peito dela. Amanda pôs a mamadeira na mesinha de centro e se levantou. — No caso da maioria dos bebês que Dre passa adiante, eu não tenho como saber ao certo onde eles vão parar. E não... — Ela tornou a olhar para Dre com ar de reprovação. — ... em geral não acho que eles acabem indo parar em um lugar incrível. — Ela deitou Claire em um moisés de ratã escuro perto da lareira. — Mas nesse caso eu *sabia* que ela ia para um lugar ruim. Sophie é viciada em cristal. Ela não usava enquanto estava grávida, em grande parte porque eu fiz com que se mudasse para a minha casa e fiquei enchendo o saco dela. Mas assim que Claire nasceu ela recomeçou.
— Bom, motivo não faltou — comentou Dre.
— Cale a boca, Dre. — Amanda se virou de novo para mim. — Sophie não ia mesmo criar Claire... quem ia fazer isso eram Kirill e sua mulher comprovadamente louca. — Ela se aproximou de mim e sentou-se na borda da mesinha de centro; nossos joelhos quase se tocaram. — Eles querem essa menina. E, sim, o mais fácil seria devolver Claire. Eu nem quero imaginar o que vai acontecer quando Yefim e Pavel conseguirem me colocar sozinha em algum quarto. Yefim anda com um maçarico de acetileno na tra-

seira da picape. Você sabe, desse tipo usado em obras, com capacete e tal. — Ela meneou a cabeça. — Yefim é assim. E é o menos louco de todos. Se estou com medo? Estou apavorada. E ter tirado Claire deles foi quase um suicídio? Provavelmente sim. Mas vocês têm uma filha. Iam querer que ela fosse criada por Kirill e Violeta Borzakov?

— É claro que não — respondeu Angie.

— Então.

— Ser criada pelos Borzakov ou raptada por você não são as únicas soluções. Claire tinha outras opções.

— Não — ela disse. — Não tinha, não.

— Por quê?

— Você precisava estar lá.

— Lá onde?

Ela sacudiu a cabeça, tornou a se aproximar do moisés e ficou parada olhando para Claire de braços cruzados.

— Angie, pode vir ver uma coisa para mim?

— Claro. — Angie foi se postar a seu lado junto ao moisés, e ambas ficaram olhando para Claire.

— Está vendo essas marcas vermelhas na perna dela? São picadas de inseto?

Angie se curvou na cintura e examinou mais de perto.

— Acho que não. Acho que é só uma reação alérgica. Por que não pergunta a Dre? Ele foi médico.

— Mas não foi um médico muito bom — disse Amanda, e Dre fechou os olhos e abaixou a cabeça. — Reação alérgica?

— É — disse Angie. — Bebês vivem tendo isso. O tempo todo.

— E o que eu devo fazer?

— Não parece muito sério, mas eu entendo a sua preocupação. Quando é a próxima consulta com o pediatra?

Por alguns instantes, ela pareceu quase vulnerável.

— O controle de um mês é amanhã; você acha que dá para esperar até lá?

Angie abriu um sorriso gentil e tocou o ombro de Amanda.

— Com certeza.

Ouvimos um barulho alto atrás de nós e todos se sobressaltaram, mas era só a correspondência sendo jogada pela fenda de latão da porta. As cartas caíram no chão: duas circulares, alguns envelopes.

Amanda e eu avançamos em direção aos papéis na mesma hora, mas eu estava mais perto. Recolhi os três envelopes, todos endereçados a Maureen Stanley. Um deles era uma conta de luz, o outro vinha da American Express e o terceiro era da previdência social norte-americana.

— Senhorita Stanley, suponho. — Estendi a correspondência para Amanda, e ela arrancou os envelopes da minha mão.

Voltamos para junto da bebê enquanto Dre tornava a guardar o frasco de bebida no bolso do casaco.

Angie continuava em pé junto ao moisés olhando para Claire, e seus traços se suavizaram até fazê-la parecer dez anos mais nova. Quando desviou os olhos do moisés, seu olhar se fez mais duro. Ela olhou para Dre e Amanda.

— No alto da lista de coisas que não fazem sentido de todas essas bobagens e meias verdades que vocês estão tentando nos fazer engolir desde que entramos por essa porta, está o seguinte: o que vocês dois ainda estão fazendo aqui?

— Aqui onde? No planeta Terra? — rebateu Amanda.

— Não, na Nova Inglaterra.

— Aqui é a minha casa. É onde eu fui criada.

— Sim, mas você é mestre em forjar identidades — falei.

— Mestre, não. Eu me viro.

— Os russos estão perseguindo você com maçaricos, e você resolve se esconder a cento e cinquenta quilômetros de distância? A esta altura, já poderia estar em Belize. Ou no Quênia. Mas ficou aqui. Nisso eu concordo com a minha mulher... por quê?

Claire se remexeu e de repente soltou um grito.

— Olha o que você fez — disse Amanda. — Acordou a bebê.

20

Ela pegou Claire e a levou para o quarto, e por alguns instantes pudemos ouvir as duas lá dentro — a bebê chorando, Amanda tentando acalmá-la. Depois Amanda fechou a porta.

— Quando é que eles param de chorar? — Dre nos perguntou.

Eu e Angie rimos.

— Você é médico.

— Eu só faço o parto. Depois que eles saem do útero, eu não os vejo mais.

— Você não estudou desenvolvimento infantil na faculdade?

— Claro que estudei, mas já faz alguns anos. E na época era um contexto acadêmico. Agora a situação é um pouco mais urgente.

Dei de ombros.

— Cada criança é diferente. Algumas começam a dormir regularmente na quinta ou na sexta semana.

— E a sua filha?

— Ela demorou quatro meses e meio para ter um sono firme.

— Quatro meses e meio? Cacete.

— Pois é — disse Angie. — Aí pouco depois disso os dentes dela começaram a nascer. Você pensa que sabe o que é um grito agora. Mas não faz a menor ideia. E nem vamos começar a falar das dores de ouvido.

— Você se lembra de quando ela ficou com dor nos *dois* ouvidos e tinha um dente nascendo? — perguntei.

— Vocês estão de sacanagem comigo — disse Dre.
Angie e eu olhamos para ele e balançamos a cabeça devagar.
— Como é que eles nunca são assim nos seriados de tevê e nos filmes? — ele indagou.
— Não é mesmo? Os bebês sempre desaparecem como num passe de mágica quando os personagens principais não precisam mais deles.
— Outro dia eu estava assistindo a um seriado. O pai é agente do FBI, a mãe é cirurgiã, e eles têm um filho de, sei lá, uns seis anos. Quando um dos episódios começa, eles estão de férias só os dois, sem o menino. Imaginei: tudo bem, ele está com a babá, mas a cena seguinte mostra a babá fazendo um bico no hospital da mãe. E o menino? Saiu de carro para fazer compras, imagino. Ou então foi brincar de amarelinha na estrada.
— É a lógica de Hollywood — disse Angie. — A mesma que faz com que nos filmes sempre tenha uma vaga bem na frente dos hospitais e dos prédios da prefeitura.
— Mas por que você está preocupado com isso? — perguntei. — Ela não é sua filha.
— Não, mas...
— Mas o quê? Deixe eu perguntar uma coisa, agora que já superamos essa bobajada de a-filha-é-minha... Você está transando com Amanda?
Ele se recostou para trás e apoiou o tornozelo direito em cima do joelho esquerdo.
— E se eu estivesse?
— Nós já falamos sobre isso. Estou perguntando se não está.
— Por que você iria...
— Você não parece o tipo dela, cara.
— Ela tem dezessete an...
— Dezesseis.
— Vai fazer dezessete na semana que vem.
— Então na semana que vem eu direi que ela tem dezessete.

236

— O meu argumento é: qual poderia ser o tipo dela nessa idade?
— E o meu argumento é: não o seu. — Abri os braços. — Desculpe, cara, mas eu não entendo, não mesmo. Vejo o jeito como você olha para ela e, sim, vejo um cara esperando pelo aniversário de dezessete anos para poder ficar em paz com a sua consciência. Mas não vejo nada disso quando ela olha para você.
— As pessoas mudam.
— Claro — disse Angie —, mas a atração física, não.
— Ah, cara — ele disse, parecendo subitamente perdido e isolado. — Sei lá, cara, sei lá.
— O que é que você não sabe? — perguntou Angie.
Quando ele a olhou, seus cabelos estavam mais úmidos, e seus olhos pareciam cobertos por um filme leitoso.
— Não sei por que vivo estragando a minha própria vida. De tantos em tantos anos, eu faço uma coisa desse tipo, só para garantir sem sombra de dúvida que jamais terei uma vida normal. E o meu analista diria: claro, eu tenho comportamento compulsivo e estou tentando reproduzir padrões que remontam ao divórcio dos meus pais para, não se sabe como, obter um resultado diferente. Eu entendo isso, entendo mesmo, mas queria só que alguém me dissesse qual é a porra do jeito de parar de agir feito a porra de um idiota. Sabem por que eu acabei perdendo meu registro de médico e devendo dinheiro aos russos?
Ambos fizemos que não com a cabeça.
— Drogas? — sugeri.
— Bom, mais ou menos. Eu não era viciado nem nada. Não era isso. Conheci uma garota. Uma russa. Bom, georgiana. O nome dela era Svetlana. Ela era, nossa... ela era tudo. Uma louca na cama, uma louca fora da cama também. Tão linda que só de olhar para ela dava vontade de comer a própria mão. Ela... — Dre tornou a pousar o pé direito no chão e ficou sentado ali olhando para ele.
— Um dia, ela me pediu uma receita do analgésico Dilaudid. Eu disse que não. Mencionei o juramento hipocrático,

a legislação de Massachusetts que proíbe os médicos de passarem receita a não ser para problemas médicos diagnosticados, blá-blá-blá. Para resumir a história, em menos de uma semana ela conseguiu me convencer. Por quê? Não sei. Porque eu não tenho força de vontade. Ou sei lá. Mas ela me convenceu. Três semanas depois disso, eu já estava receitando OxyContin, um analgésico ainda mais potente, além do narcótico fentanil... pelo amor de Deus... e quase tudo o mais que ela quisesse. Quando ela começou a deixar rastros demais por causa das receitas, passei a roubar os remédios da farmácia do hospital. Cheguei até a aceitar um bico no hospital de Faulkner para poder fazer a mesma coisa lá. Eu não sabia, mas naquela altura já estava sendo investigado. Svetlana, que Deus a tenha, tinha percebido o quanto eu gostava de jogar vinte e um em Foxwoods nas poucas vezes em que fomos lá, então me deixou viciado em uma mesa de jogo de Allston. As partidas aconteciam nos fundos de uma padaria ucraniana. Na primeira vez que joguei, ganhei a mesa. Foi ótimo: uns caras divertidos, mulheres lindíssimas passando para lá e para cá, todas provavelmente viajando com os meus remédios. Na segunda vez, ganhei de novo. Bem menos, mas ganhei. Quando comecei a perder, eles foram muito legais: disseram que aceitariam mais OxyContin em vez de dinheiro, o que era uma coisa boa, porque Svetlana já tinha gasto quase todo o meu dinheiro. Eles me deram uma lista de compras: outro analgésico narcótico chamado Vicodin HP, os opioides Palladone, Fentora e Actiq, o bom e velho analgésico Percodan, e por aí vai. Quando o conselho estadual de medicina me prendeu e me indiciou, eu já devia vinte e seis mil para os capangas de Kirill. Mas vinte e seis mil é gorjeta se comparado com o que eu tinha pela frente. Porque, se eu não quisesse pegar de três a seis anos em Cedar Junction, precisava arrumar dinheiro para contratar bons advogados. Então foram mais duzentos e cinquenta mil para pagar uns escrotos de uns advogados, mas pelo menos eu consegui me safar só com a perda da minha licença profissional, sem ter que cumprir pena, sem ficha criminal. Algumas semanas mais tarde, Kirill se sentou ao meu lado em um dos seus restaurantes e me disse que a ficha limpa era obra dele. E que aquilo custava mais duzentos e cinquenta mil. Eu não posso provar que ele *não* influenciou o juiz e, mesmo que pudesse, se Kirill Borzakov diz que você lhe deve quinhentos e vinte e seis mil dólares, adivinhe quanto dinheiro você deve a Kirill Borzakov?

— Quinhentos e vinte e seis mil dólares — falei.
— Exatamente.

Meu celular vibrou, tirei-o do bolso, olhei para a tela e vi um número que não reconheci. Tornei a guardá-lo.

— Pouco depois, um dos capangas de Kirill... Pavel, acho que vocês dois se conheceram... chegou para mim e disse que eu deveria me candidatar a uma vaga no Departamento de Infância e Família. Um dos funcionários de recursos humanos de lá também tinha uma dívida para pagar. Então eu me candidatei, o tal cara "esqueceu" de verificar meus antecedentes e eu consegui esse emprego para o qual era obviamente superqualificado. Algumas semanas mais tarde, depois de uma menina grávida de catorze anos particularmente bonita sair da minha sala, meu telefone tocou e eles me disseram para eu lhe fazer uma oferta.

— Quanto você ganha por bebê? — A voz de Angie soou cansada de tanto desprezo.

— Mil dólares a menos na minha dívida.

— Quer dizer que você precisa dar a eles quinhentos e vinte e seis bebês para quitar a dívida?

Ele assentiu com a cabeça, resignado.

— E quantos você já entregou?
— Não cheguei nem perto.

Meu telefone tornou a vibrar. Olhei para o aparelho. Era o mesmo número. Tornei a guardá-lo no bolso.

— Você sabe que, mesmo conseguindo quinhentos e vinte e seis bebês no mercado negro para eles... — disse minha mulher.

Foi ele quem terminou a frase.
— Eles nunca vão me deixar em paz.
— É.
Meu celular vibrou pela terceira vez. Eu tinha recebido um torpedo. Abri o aparelho.

Oi cara. Atende a porra do celular. Atenciosamente Yefim.

Dre tomou mais um gole do frasco.
— Você parece uma garota de quinze anos com esse celular.
— É, bom, você conhece bem garotas de quinze anos.
Meu telefone tocou de novo. Levantei do sofá e fui para a varanda da frente. Amanda tinha razão: dali dava para ouvir o barulho do regato.
— Alô.
— Meu bom amigo, alô. O que você fez com o Hummer?
— Levei para o estádio e larguei lá.
— Ah, que ótimo. Quem sabe um dia eu vejo o Belichik dirigindo o carro com o capuz dele.
Contra minha própria vontade, sorri.
— O que você manda, Yefim?
— Onde você está, meu amigo?
— Por aí. Por quê?
— Pensei que talvez pudéssemos conversar. Talvez ajudar um ao outro.
— Como você conseguiu meu telefone?
Ele riu, uma risada profunda, demorada, vinda direto da barriga.
— Sabe que dia é hoje?
— Quinta-feira.
— Isso, meu amigo, quinta-feira. E sexta é um grande dia.
— Porque vocês queriam que Kenny e Helene encontrassem uma coisa para vocês até sexta.

Ouvi um muxoxo curto pelo fone.

— Kenny e Helene não têm competência nem para encontrar frango desfiado em canja de galinha, cara. Mas você? Eu olhei bem nos seus olhos depois de atirar naquele carro de boiola e vi que você estava com medo... se não estivesse, seria um homem de gelo. Mas vi também que você está curioso. Estava sentado ali pensando: se esse moldavo maluco não puxar o gatilho, antes de mais nada preciso saber por que ele está apontando a arma para mim. Eu vi isso nos seus olhos, cara. Eu vi. Você é um tipo e tanto.

— Ah, é? Um tipo de que tipo?

— O tipo que não desiste. Qual é mesmo aquele ditado sobre cachorros?

— O que importa na briga não é o tamanho do cachorro grande...

— ... é o tamanho da vontade de brigar do cachorro pequeno. É.

— Mais ou menos isso.

— Então devo imaginar que você já sabe onde essa maluca da Amanda está.

— Por que você acha que ela é maluca?

— Ela roubou a gente. Isso faz dela uma doida varrida, cara. E, se você ainda não sabe onde ela está, aposto um saco de camundongos que está chegando perto.

— Um saco de camundongos?

— É uma velha expressão moldava.

— Ah, sei.

— Então, meu amigo, onde ela está?

— Primeiro deixe eu perguntar uma coisa.

— Pode falar.

— O que ela tem que vocês querem tanto?

— Você está de gozação comigo, cara?

— Não.

— Você está gozando da cara de Yefim?

— Claro que não.

— Então por que está me fazendo uma pergunta imbecil como essa? Você sabe o que nós queremos.

— Sinceramente, não sei, não. Eu sei que vocês querem Amanda e sei que...

— Nós não queremos Amanda, cara. Queremos o que ela levou. Kirill está ficando mal na foto, cara. Está parecendo que ele não consegue achar a menininha que levou uma coisa dele. E sabe os chechenos que andam por aí? Eles estão começando a rir, cara. Nós provavelmente vamos ter que matar um pessoal só para calar a boca deles e não ter que ficar olhando para as porras dos dentes podres deles.

— Então o que...

— A porra da criança! E a porra da cruz! Eu preciso das duas coisas. Se aquele imbecil daquele viciado em jogo, se aquele médico de merda voltar para o trabalho e conseguir me arrumar outro bebê, eu posso dar esse outro para Kirill, ele nunca vai saber a diferença. Mas se eu não conseguir a cruz e *algum* bebê antes do fim de semana? O sangue vai correr, cara.

— E em troca você me dá Sophie?

— Não, porra, eu não vou dar Sophie para você. Não estamos negociando. Yefim está dizendo que quer a bebê e a cruz, então você vai me trazer a bebê e a cruz. Se não trouxer, tem uma sopa que eles vendem nas cidadezinhas às margens do Mar Negro. Só existe nessas cidadezinhas. A sopa vem dentro de uma lata vermelha. Então, partes de você vão estar nessas latas. E partes da sua família também, cara.

Nenhum de nós disse nada por alguns instantes. A base da minha mão estava vermelho-escura de tanto apertar o telefone e meu mindinho tinha ficado dormente.

— Ainda está aí, meu chefe?

— Vá se foder, Yefim.

Ele soltou uma risada baixa e suave.

— Não. Eu vou foder você, cara. Vou foder você, sua mulher e a sua filhinha em Savannah.

Olhei para a estrada lá fora. O asfalto era muito negro. Combinava com os troncos das árvores junto à igreja. As nuvens tinham descido dos morros e flutuavam logo acima dos fios de telefone que se estendiam ao longo da estrada. O ar estava úmido.

— Acha que não vigiamos você? — perguntou Yefim.
— Acha que não temos amigos em Savannah? Nós temos amigos por toda parte, cara. E, certo, você tem aquele polaco grande e doido protegendo a sua filha, então vamos perder um ou dois caras para apagar os dois. Mas tudo bem... podemos arrumar outros caras.

Continuei parado na varanda olhando para a estrada. Quando falei, as palavras saíram muito marcadas, mais duras do que eu pretendia.

— Me fale sobre essa cruz.
— É a Cruz de Belarus — disse Yefim. — Tem mil anos de idade, cara. Algumas pessoas chamam de Cruz dos Varegues, outros de Cruz de Yaroslav, mas eu sempre gostei mais de Cruz de Belarus. Essa cruz não tem preço, cara. O príncipe Yaroslav pagou os varegues com essa cruz para matar seu irmão Boris na guerra de unificação, em 1010 ou 1011. Mas depois, quando ele passou a dominar toda a Rus de Kiev, sentiu tanta falta da cruz que mandou uns outros varegues atrás dos primeiros, e eles os mataram e levaram a cruz de volta para ele. Em 1917, ela estava no bolso do tsar quando eles o puseram de frente para aquela parede no subsolo e *pá*, estouraram seus miolos. Trótski estava com a cruz lá no México quando cravaram o furador de gelo na cabeça dele. Essa cruz viajou muito, cara. Agora está com Kirill e ele quer mostrá-la em uma festa no sábado. Todos os figurões vão estar nessa festa, cara. Gângsteres de verdade. E ele precisa da cruz.

Finalmente consegui falar.

— E você acha...
— Acho, não. Eu sei. Aquela menina pegou a cruz. Ela ou aquela porra daquele médico viciado em jogo. Ah, diga a ele para voltar ao trabalho. Diga que precisamos tanto dele que não vamos cortar fora nenhum dedo da mão. Só do pé. Ele não precisa tanto do dedo do pé quan-

to do dedo da mão. Vai ficar mancando, é. Tem gente que manca. Cara, encontra a cruz, encontra a bebê. Eu vou...
— Não vai dar.
— Eu acabei de...
— Eu sei o que você acabou de me dizer, seu ordinário. Está ameaçando a minha mulher? Está ameaçando a minha filha? Se acontecer alguma coisa com uma delas, ou se o meu amigo ligar dizendo que viu um dos seus filhos da puta com cara de Stallone em *Os falcões da noite* passeando pelo shopping, eu vou destruir a porra da sua organização inteira. Eu vou...

Ele estava rindo tanto que tive de afastar o fone do ouvido.

— Tá bom — ele disse por fim, ainda soltando algumas risadinhas residuais. — Tá bom, senhor Kenzie. Você é um cara gozado, meu chefe. Muito, muito gozado. Sabe onde está a minha cruz?

— Talvez. Você sabe onde está Sophie?

— Não sei, mas posso encontrar bem depressa. — Ele deu mais uma risadinha. — Onde você foi desencavar esse "ordinário", cara? Nunca ouvi essa palavra antes.

— Sei lá — respondi. — Em algum filme antigo, acho.

— Gostei. Posso usar?

— Fique à vontade.

— Posso chegar para um cara e falar: "Me dê o dinheiro ou então... seu ordinário". Rá.

— Eu encontro Sophie. Você encontra a cruz. Ligo mais tarde.

Riu uma última vez e desligou.

Eu ainda estava tremendo quando voltei para dentro da casa, e a adrenalina rodopiava com tanta força pela base do meu crânio que fiquei com dor de cabeça.

— Me fale sobre a Cruz de Belarus.

Dre parecia ter dado alguns goles no frasco de bebida enquanto eu estava na varanda. Angie estava sentada na poltrona mais próxima da lareira. Por algum motivo, parecia muito pequena, muito perdida. Lançou-me um olhar que não consegui decifrar, mas era um olhar triste, vago. Amanda estava sentada na ponta mais afastada do sofá, e sobre a mesa de canto a seu lado havia uma babá eletrônica com vídeo. Ela estava lendo um livro chamado *Last night at the lobster*, que pousou sobre a mesinha de centro aberto e voltado para baixo antes de me olhar.

— Com quem você estava falando?
— A Cruz de Belarus — disse.
— Você estava falando com uma cruz?
— Amanda.

Ela deu de ombros.

— Não faço ideia do que você está falando. Que cruz?

Eu não tinha tempo para aquilo. O que me deixava com duas opções: ameaçar ou prometer.

— Eles vão deixar você ficar com a bebê.

Ela se sentou mais ereta.

— Como é?
— Você ouviu o que eu disse. Se esse gênio aí — falei, meneando a cabeça para Dre — arrumar outro bebê logo, eles deixam você ficar com Claire.

Ela se virou no sofá.

— Você consegue isso?
— Talvez.
— Porra, Dre — ela disse. — Consegue ou não consegue?
— Não sei. Tem uma menina que está perto. Quer dizer, ela *talvez* esteja em trabalho de parto, ou talvez seja apenas alarme falso. Com o equipamento que tenho à disposição, é uma ciência inexata.

O maxilar de Amanda se contraiu e relaxou. Ela usou as duas mãos para pôr o cabelo atrás das orelhas. Girou-o devagar até formar um rabo de cavalo, depois pegou um elástico em cima da mesa de canto e o prendeu.

— Quer dizer que você falou com Yefim.

Assenti.

— E ele foi claro.
— Não poderia ter sido mais claro: se você devolver a cruz e *um* bebê, eles vão esquecer que você existe.

Ela se encolheu, aproximando os joelhos do peito e agarrando a almofada do sofá com os dedos dos pés descalços. Afastar o cabelo do rosto deveria ter tornado seus traços mais marcados e menos vulneráveis, mas acabou tendo o efeito contrário. Ela parecia novamente uma criança. Uma criança apavorada.

— E você acreditou nele?
— Eu acho que ele acreditava no que estava dizendo — respondi. — Se vai conseguir passar por Kirill e pela mulher dele, aí já é outra história.
— Tudo isso começou porque Kirill viu uma foto de Sophie. Esse é um dos... — Ela olhou para o outro lado do sofá. — ... um dos serviços que Dre oferece: as fotos. Kirill e Violeta viram Sophie, e acho que ela era parecida com a irmã mais nova de Violeta ou algo assim, e a partir daí eles quiseram o filho de Sophie e o de mais ninguém.
— Então o negócio talvez seja mais complicado do que Yefim está dando a entender.
— O negócio sempre é mais complicado — ela disse.
— Quantos anos você tem?

Isso me fez dar um sorrisinho.

Amanda olhou para Dre do outro lado do sofá; ele estava sentado feito um cachorrinho esperando ela dizer "passeio" ou "comida".

— Mesmo que ele conseguisse arrumar outro bebê, não estaríamos fazendo a mesma coisa: entregando uma criança para dois psicopatas?

Concordei.

— E você consegue viver com isso na consciência?
— Eu vim aqui encontrar você e tirar Sophie das mãos deles — falei. — Só pensei no assunto até aí.
— Que bom para você.
— Amanda, quer saber de uma coisa? Pessoas que moram em uma casa com telhado de vidro na companhia de bebês raptados não deveriam atirar pedras.

246

— Eu sei, mas é que isso está me soando muito parecido com a lógica que me fez voltar para Helene há doze anos.

— Não vou entrar no mérito disso agora. Se quiser despejar essa merda toda em cima de mim em algum outro momento, sou todo seu. Mas agora precisamos devolver essa Cruz de Belarus para eles e, se possível, convencê-los de que vamos arrumar outro bebê.

— E se não conseguirmos?

— Arrumar outro bebê?

Ela assentiu.

— Não tenho ideia, mas sei que a cruz vai nos fazer ganhar tempo. Kirill precisa exibi-la em casa no sábado. Se não conseguir, não tenho dúvida de que eles vão matar todos nós, e a minha família. Se entregarmos a cruz, porém, vamos ganhar mais um ou dois dias para resolver a questão do bebê.

Os olhos de Angie estavam arregalados e ela me olhava com fúria.

— Parece um bom plano — disse Dre.

— Tenho certeza de que parece um bom plano — disse Amanda. Ela se virou de novo para mim. — E se eles recusarem? Tudo o que Yefim precisa fazer é descobrir onde estou, e não existem muitos lugares onde eu possa me esconder. Vocês nos encontraram em uma única manhã. O que vai impedi-los de pegar a cruz e depois vir direto atrás da bebê?

— Tudo o que eu tenho é a palavra dele de que não faria isso.

— E você acredita... você acredita na palavra de um assassino que já fez parte da Solntsevskaya Bratva de Moscou?

— Eu nem sei o que é isso — falei.

— Uma gangue — ela respondeu. — Uma irmandade. Parecida com as gangues daqui tipo Crips ou Bloods, mas com disciplina militar e conexões que vão até os mais altos escalões dos conglomerados petrolíferos russos.

— Sei.

— Pois é. Foi lá que Yefim começou. E você acredita na palavra dele?

— Não — respondi. — Não acredito. Mas que escolha nós temos?

Depois de um ou dois ganidos de teste, a bebê começou a chorar a plenos pulmões. Pudemos ouvi-la pela babá eletrônica e também através da porta. Amanda saiu do sofá e calçou as sapatilhas. Levando a babá eletrônica, encaminhou-se para o quarto.

Dre tomou mais um gole do frasco.

— Porra de russos.

— Por que você não maneira um pouco na birita?

— Você tinha razão. — Ele tomou outro gole. — No que disse antes.

— Sobre o quê?

Ele enterrou a cabeça no encosto do sofá e seus olhos se reviraram em direção à porta do quarto.

— A ela. Não acho que goste muito de mim.

— Então o que ela está fazendo com você? — perguntou Angie.

Ele soltou um suspiro para o alto, em direção aos próprios olhos.

— Até Amanda, por mais esperta que seja, precisa de ajuda com uma recém-nascida. Nas duas primeiras semanas, você tem que ir ao supermercado de cinco em cinco minutos: fraldas, leite em pó, mais fraldas, mais leite em pó. Um bebê acorda a cada hora e meia, aos berros. Não há muito sono nem liberdade.

— Você está dizendo que ela precisava de um faz-tudo.

Ele assentiu.

— Mas agora ela pegou o jeito. — Ele soltou uma risadinha suave e amargurada. — Quando nos conhecemos, eu pensei: essa é a minha chance. Uma menina inocente, virgem, sem corrupção nenhuma, *brilhante*. Sério: ela cita Shaw, Stephen Hawking, e é tão legal que é capaz de citar *O jovem Frankenstein*, debater física quântica e a letra de

"Monkey man" na mesma noite. Gosta de Rimbaud e Axl Rose, de Lucinda Williams e...

— Isso vai durar muito tempo? — perguntou Angie.

— Hã?

— Está parecendo que você pensava poder transformar Amanda em um modelo Nexus seis personalizado de todas as garotas que já o esnobaram no ensino médio — falei.

— Não, não era assim.

— Era exatamente assim. Essa versão não ia dar um pé na sua bunda; ia adorar você. E você poderia passar a noite inteira sentado com ela discorrendo sobre Sigur Rós ou sobre o significado metafórico do coelho em *Donnie Darko*. Ela simplesmente piscaria e perguntaria por que você não apareceu antes na vida dela.

Ele baixou os olhos para o próprio colo.

— Vá se foder — sussurrou.

— É uma resposta justa.

Tive um vislumbre da menina que eu havia encontrado depois de sete meses brincando em uma varanda não muito longe dali com uma mulher amorosa que a adorava e com um buldogue chamado Larry. Se eu a tivesse deixado lá, quem ela seria agora? Talvez uma doida, que se lembrava o suficiente da vida antes de ser sequestrada da casa de uma mãe ausente para saber que a sua vida ali com Jack e Patricia Doyle era uma mentira. Ou talvez se lembrasse muito pouco do tempo em que vivera com uma alcoólatra de última categoria em um apartamento fuleiro em Dorchester cheirando a carpete fedido e cigarro, tão pouco que levaria uma vida equilibrada em alguma cidade pequena dos Estados Unidos, e tudo o que saberia sobre roubo de identidade, fraudes de cartão de crédito e assassinos russos da Solntsevskaya Bratva seria o que visse assistindo a *60 Minutes* na televisão. Com Helene como mãe, mesmo que Amanda nunca tivesse sido sequestrada, suas chances de se tornar uma criança saudável e equilibrada eram próximas de uma em um milhão. Portanto, de alguma forma insana, o sequestro havia lhe mostrado que existia outra forma de viver. Uma forma diferente da vida de fast-food e cinzeiros cheios que sua mãe levava. Sem avisos de cobrança e namorados ex-presidiários. Depois de ver o mundo a partir daquela cidadezinha de montanha, ela tinha decidido voltar para lá a qualquer custo. E talvez, daí em diante, isso tivesse se tornado o principal traço de seu caráter.

— Pouco importa o que Yefim disse. Eles não vão deixar isso passar — falou Dre.

— Por que não?

— Para começo de conversa, alguém precisa pagar por Timur — ele disse.

— Quem é Timur? — perguntou Angie, aproximando-se do sofá.

— Timur era um russo.

— Ah, é? E o que houve com ele?

— Nós meio que o matamos.

21

— Quer dizer que vocês meio que mataram um russo chamado Timur para pegar a Cruz de Belarus.
— Não — ele respondeu.
— Não mataram?
— Bom, sim, matamos, mas não foi para pegar a Cruz de Belarus. Não sabíamos porra nenhuma sobre a cruz até abrirmos a mala.
— Que mala? — Angie se sentou na borda do sofá.
— A que estava algemada ao pulso de Timur.
Apertei os olhos, intrigado.
— Que papo é esse?
Dre fez menção de beber, mas devolveu o frasco ao bolso. Em vez disso, pôs-se a brincar com um chaveiro, balançando as chaves distraidamente em volta de uma pequena moldura de plástico duro que continha uma fotografia de Claire.
— Vocês já ouviram falar em Zippo?
— O namorado de Sophie — disse Angie.
— É. Repararam que ninguém sabe dele há algum tempo?
— Ficamos sabendo.
Ele se recostou no sofá como se estivesse no analista. Balançou o chaveiro acima da cabeça, fazendo a foto de Claire se mover para a frente e para trás acima de seu rosto e a sombra passar sobre seu nariz.
— Em Brighton existe um armazém de objetos cinematográficos antigos, bem na altura do pedágio de Massa-

chusetts. Lá tem um andar inteiro de cartazes, metade deles daqueles europeus em tamanho gigante. No segundo andar ficam objetos de cena e roupas; se você quiser o diploma de filosofia que o Patrick Swayze tinha pendurado na parede em *Matador de aluguel*, é lá que ele vai estar, não em Los Angeles. Os russos têm todo tipo de troço esquisito nesse armazém... a calça de couro da Sharon Stone em *Rápida e mortal*, um dos macacões de pelúcia do Harry em *Um hóspede do barulho*. Têm também um terceiro andar aonde ninguém vai, porque é lá que ficam as salas de parto e pós-parto. — Ele agitou os dedos. — Eu sou médico, não esqueça, e esses bebês não podem ser documentados em nenhum hospital. Na hora que eles entram no sistema, passam a ser rastreáveis. Então nós fazemos os partos num armazém de objetos cinematográficos antigos de Brighton, e em geral dois ou três dias depois os bebês já estão dentro de um avião. Em alguns casos especiais, saem pela porta assim que o cordão umbilical é cortado.

— Foi assim com Claire — disse Angie, inclinando-se para a frente e apoiando o queixo na mão.

Ele ergueu um dedo no ar.

— *Deveria* ter sido assim com Claire. Mas na sala de parto não estávamos só eu e Sophie. Amanda também estava lá, assim como Zippo. Eu tinha desaconselhado isso enfaticamente. Já seria difícil o suficiente dar a bebê sem vê-la nascer. Mas Amanda me dobrou, como sempre faz. Então estávamos todos lá quando Sophie deu à luz. — Ele suspirou. — Foi um parto incrível. Tão fácil. Às vezes é assim com as mães jovens. Em geral não, mas às vezes... — Ele deu de ombros. — Foi uma dessas vezes. Então estávamos todos ali, passando a bebê de mão em mão, rindo, chorando, nos abraçando... cheguei até a abraçar Zippo, embora na vida real eu não suportasse o garoto... quando a porta se abriu e Timur apareceu. Timur era um gigante, um filho de Chernobyl careca e orelhudo que só a própria mãe seria capaz de amar. Uma aberração mutante. Além do mais, era alcoólatra e viciado em cristal. Só pontos positivos. Ele entrou pela porta para pegar a bebê. Chegou cedo, estava muito doido e tinha uma mala algemada ao pulso.

Agora eu começava a entender: cinco pessoas entraram em uma sala, duas morreram, mas quatro saíram vivas.

— E ele não aceitou um não como resposta.

— Não aceitou um "não"? — Dre sentou-se mais ereto e guardou o chaveiro no bolso da calça. — Timur entrou na sala feito um furacão, disse "Vou levar bebê" e partiu para cortar o cordão umbilical. Juro por Deus... nunca vi nada igual. Ele agarrou a tesoura cirúrgica e começou a vir na minha direção, e eu com a bebê no colo; segundos antes, estávamos todos rindo, nos abraçando e chorando, e de repente aquele mutante de Chernobyl estava partindo para cima de mim com uma tesoura cirúrgica. Ele tinha aberto a tesoura e estava indo direto para o cordão umbilical com um dos olhos fechados porque estava vendo duplo de tão doido, e foi então que Zippo pulou nas costas dele e cortou-lhe a garganta com o bisturi. Cortou mesmo, de orelha a orelha. — Ele cobriu o rosto com as duas mãos por alguns instantes. — Foi a pior coisa que eu vi na vida, e olhem que eu fiz residência no pronto-socorro de Gary, em Indiana.

Já fazia algum tempo que eu não ouvia nenhum som no quarto. Levantei-me do sofá.

Dre nem reparou.

— E agora vem a melhor parte. Mesmo com a garganta cortada, Timur, o mutante de Chernobyl, derrubou Zippo de suas costas e, assim que o garoto caiu no chão, deu-lhe três tiros no peito.

Fiquei em pé junto à porta do quarto, escutando.

— Então nós ficamos com aquela aberração da natureza de garganta cortada apontando uma arma para nós e pensamos que fôssemos morrer. Mas nessa hora os olhos dele reviraram, ficaram brancos e ele começou a cair e morreu antes de chegar ao chão.

Bati de leve na porta do quarto.

— No início ficamos sem saber o que fazer, mas depois entendemos que, acontecesse o que acontecesse, era provável que eles nos matassem. Kirill adorava Timur. Ele o tratava como seu cão preferido. Coisa que, pensando bem, ele era mesmo.

Tornei a bater de leve. Girei a maçaneta. A porta estava aberta. Empurrei-a para dentro e deparei com um quarto vazio. Nem sinal da bebê. Nem sinal de Amanda.

Olhei para trás na direção de Dre. Ele não pareceu espantado.

— Ela sumiu?
— É, ela sumiu — falei.
— Ela vive fazendo isso — ele disse para Angie.

Estávamos em pé atrás da casa, olhando para um quintalzinho e para uma faixa de cascalho que margeava os fundos do quintal, formando um declive, e que ia dar em um beco estreito de terra batida. Do outro lado do beco, havia um quintal, muito maior, e uma casa em estilo vitoriano branca com detalhes verdes.

— Quer dizer que vocês tinham outro carro aqui atrás? — perguntei.

— Os investigadores particulares são vocês. Não deveriam verificar esse tipo de coisa? — Ele soltou um muxoxo no ar limpo da montanha. — O câmbio do carro é manual.

— O quê?

— O câmbio do carro de Amanda. É um Honda pequeno. Tudo o que ela fez foi soltar o freio de mão e deixar o carro descer até o beco, depois virar à direita. — Ele apontou. — Meu palpite é que tenha demorado dez segundos para ir daqui até a estrada, depois ligado o motor e passado uma primeira. — Ele assobiou por entre os dentes da frente. — E lá se foi ela.

— Que ótimo — falei.
— Como eu disse, ela vive fazendo isso. Parece uma

lebre. Se alguma coisa a incomoda, ela vai embora e pronto. Mas vai voltar.

— E se ela não voltar? — perguntei.

Ele voltou a se sentar no sofá.

— Para onde ela pode ir?

— Ela é a versão adolescente do Tony Curtis em *O grande impostor*. Pode ir para onde quiser.

Ele ergueu o indicador no ar.

— Certo. Mas nunca vai. Durante todo esse tempo que passamos fugindo, eu fiz como vocês: sugeri países estrangeiros, ilhas. Só que Amanda não quer. Foi aqui que ela foi feliz um dia, e é aqui que ela quer ficar.

— É um sentimento bonito — disse Angie —, mas ninguém é sentimental a esse ponto quando sua vida está correndo perigo, e Amanda me parece bem menos sentimental do que a média.

— Mesmo assim, aqui estamos nós — ele disse, erguendo as mãos para o céu. Então abraçou o próprio corpo. — Estou com frio. Vou entrar.

Ele voltou para dentro de casa. Comecei a ir atrás dele, mas Angie disse:

— Espere um instante.

Ela acendeu um cigarro e suas mãos tremiam.

— Yefim ameaçou nossa filha?

— É isso que eles fazem para assustar as pessoas.

— Mas foi isso que ele fez, certo?

Depois de alguns instantes, assenti.

— Bom, funcionou. Eu estou assustada. — Ela deu algumas tragadas rápidas no cigarro e passou algum tempo sem me encarar. — Você deu sua palavra a Beatrice de que iria encontrar Amanda e levá-la para casa. E você... você preferiria morrer a faltar com a palavra, e isso é provavelmente aquilo de que mais gosto em você. Você sabe disso, não sabe?

— Sei.

— Sabe o *quanto* eu te amo?

Assenti com a cabeça.

— É claro que eu sei. Isso me ajuda mais do que você imagina, pode acreditar.

— O mesmo acontece comigo. — Ela me lançou um sorriso hesitante e deu mais uma tragada trêmula no cigarro também trêmulo. — Então você precisa cumprir sua palavra. Não vou aceitar nada diferente disso.

Vi para onde a conversa estava se encaminhando.

— Mas você não precisa aceitar.

— Justamente. "Tudo depende de para quem você dá sua palavra." — Ela sorriu, e seus olhos ficaram marejados.

— Você tem ideia de como é excitante você saber citar *Meu ódio será sua herança*?

Ela me fez um arremedo de mesura, mas então sua expressão ficou séria e atormentada de novo.

— Eu não dou a mínima para essa gente — ela disse. — Sério, você ouviu a história que ele nos contou? Esse cara não é só um merda; é um merda *monstruoso*. Ele vende bebês. Em um mundo justo, estaria sendo currado na prisão, e não sentado em uma sala quentinha de uma cidade bonita. E agora a *minha filha* está correndo perigo? Por causa deles? — Ela apontou para a casa. — Essa para mim não é uma equação aceitável de risco e recompensa.

— Eu sei.

— E agora que eu sei que eles *sabem* que Gabriella está em Savannah... Ela não vai dormir esta noite sem mim.

Eu disse que já tinha avisado Bubba, e que ele tinha me falado sobre os reforços que levara consigo para o sul, mas isso não pareceu adiantar grande coisa para aliviar os temores de Angie.

— Que bom — ela disse. — Que bom, mesmo. Ele é Bubba e vai morrer protegendo Gabby. Não duvido disso. Mas eu sou a *mãe* de Gabby. E preciso ir para junto dela. Hoje. Custe o que custar.

— E é isso o que eu mais amo em você. — Segurei sua mão livre. — Você é a mãe dela. E ela precisa da mãe.

Angie riu, mas foi uma risada angustiada e chorosa, e ela passou as costas da mão sob cada um dos olhos.

— É a mãe quem precisa dela.

Ela me abraçou e trocamos um beijo naquele dia frio, o que tornou o calor macio de sua língua ainda mais quente, ainda mais macio.

Quando o beijo acabou, ela disse:

— Tem uma rodoviária em Lenox.

Fiz que não com a cabeça.

— Não seja ridícula. Pegue o jipe e vá dirigindo como uma... bom, como eu. Deixe o carro no estacionamento de longa permanência do aeroporto. Se eu precisar, vou buscá-lo lá.

— E você, como vai voltar para casa?

Apoiei a mão na bochecha dela por um alguns segundos, pensando na sorte incrível que eu tinha de ter encontrado Angie, casado com ela e tido uma filha.

— Alguma vez na vida eu já tive dificuldades de chegar aonde preciso chegar?

— Você é um prodígio da autossuficiência. — Ela balançou a cabeça, e as lágrimas agora rolavam soltas. — Mas nós estamos mudando isso, sua filha e eu, você sabe.

— É, eu reparei.

— Reparou?

— Reparei, sim.

Seu abraço foi apertado, e suas mãos agarraram minha cabeça e meu pescoço por trás como se eu fosse uma boia impedindo-a de se afogar no oceano Atlântico.

Demos a volta pela frente da casa até o jipe. Entreguei-lhe a chave. Ela entrou, e nós demos demonstrações públicas de afeto totalmente inadequadas por mais um minuto antes de eu me afastar da janela do motorista.

Angie pôs a marcha em posição de dirigir e olhou para mim pela janela.

— Como é que eles conseguem encontrar nossa filha na Georgia, mas não uma menina de dezesseis anos em Massachusetts?

— Boa pergunta.

— Uma menina de dezesseis anos andando para lá e

para cá com um bebê em uma cidade de no máximo mil habitantes?
— Às vezes o melhor disfarce é não se esconder.
— E às vezes, quando alguma coisa cheira mal, é porque está podre.
Assenti.
Ela me jogou um beijo.
— Assim que vir Gabby, tire uma foto dela e mande para mim — pedi.
— Vai ser um prazer. — Ela olhou de novo para a casa. — Não sei como passei quinze anos fazendo isso. Não sei como você ainda consegue.
— Eu ajo sem pensar.
Ela sorriu.
— Age nada.

Tornei a entrar na casa e encontrei Dre afundado no sofá assistindo a *The View*; Barbara Stewart e as outras apresentadoras conversavam com Al Gore sobre aquecimento global. A loura burra com clavículas dignas de um campo de concentração pediu que ele explicasse um estudo que ela tinha lido relacionando o aquecimento global à flatulência das vacas. Al sorriu, com cara de quem preferia estar passando por uma colonoscopia durante um tratamento de canal. Meu celular vibrou — era o mesmo número confidencial de novo.
— É Yefim — falei.
Dre endireitou-se no sofá.
— Está comigo.
— O quê?
— A cruz. — Ele sorriu como um menininho. Pôs a mão embaixo da gola do suéter e da camisa de malha. Puxou lá de dentro um cordão de couro que trazia pendurado no pescoço e do qual pendia uma cruz grossa e preta. — Está comigo. Pode dizer a Yefim que...
Ergui um dedo para ele e atendi o telefone.

— Oi, Patrick, seu ordinário.

Sorri.

— Oi, Yefim.

— Gostou? Eu chamei você de "ordinário".

— Gostei.

— Achou a minha cruz, cara?

A cruz estava pendurada no peito de Dre. Era preta, do tamanho da minha mão.

— Achei.

Dre ergueu os dois polegares para mim e me deu outro sorriso estúpido.

— Então vamos nos encontrar. Vá até Great Woods.

— O quê?

— Great Woods, cara. Tweeter Center. O anfiteatro. Ah, espere um pouco. — Ouvi-o tapar o fone com a mão e falar com alguém. — Estão me dizendo que o anfiteatro não se chama mais Great Woods nem Tweeter Center. Agora se chama... quê? Espere aí, Patrick.

— Comcast Center — falei.

— Agora se chama Comcast Center — disse Yefim. — Você sabe onde fica, não sabe?

— Sei, sim. Está fechado agora. A temporada ainda não começou.

— Por isso não vai ter ninguém lá para nos atrapalhar, cara. Vá para a entrada leste. Entre por lá. Vou estar perto do palco principal.

— A que horas?

— Daqui a quatro horas. Leve a cruz.

— E você leva Sophie.

— Vai levar a bebê também?

— Por enquanto só tenho a cruz.

— Essa combinação não vale nada, cara.

— Mas é a única que tenho para oferecer se você quiser a cruz na casa de Kirill no sábado.

— Então leve o médico.

Olhei de relance para Dre, que me encarou com olhos arregalados e uma agitação infantil que supus ter sido induzida por remédios.

259

— E quem disse que eu sei onde ele está?
Yefim deu um suspiro.
— Você é inteligente demais para não saber que nós sabemos mais do que dizemos saber.
Levei um segundo para entender a frase.
— Nós?
— Eu — ele disse. — Pavel. Nós. Você agora faz parte de uma coisa, meu amigo, de uma coisa que ainda não pode entender.
— É mesmo?
— É. Eu jogo o jogo dela e você joga o meu. Traga o médico.
— Por quê?
— Porque eu quero dar um recado a ele pessoalmente.
— Hum — falei. — Não sei se gosto disso.
— Não se preocupe, cara, eu não vou machucar o médico. Preciso dele. Só quero dizer pessoalmente como gostaria que ele voltasse ao trabalho. Leve o cara com você.
— Vou pedir para ele ir.
— Tá bom — disse Yefim. — Até daqui a pouco. — Ele desligou.
Dre tornou a esconder a cruz dentro do suéter, mas antes consegui dar uma boa olhada. Se a tivesse visto em algum antiquário, teria avaliado seu preço em menos que cinquenta dólares. A cruz era de ônix negro e seu formato respeitava o estilo russo ortodoxo, com inscrições em latim gravadas na parte superior e inferior da frente. No meio havia outra cruz gravada com uma lança e um metal poroso acima de uma leve inclinação que supus representar o monte Gólgota.
— Ela não parece valer um monte de gente morta ao longo dos séculos, não é? — comentou Dre antes de escondê-la sob a gola.
— A maioria das coisas pelas quais se mata não parece.
— Mas, para os babacas que matam, vale.
Estendi a mão.

— Por que não me dá a cruz?
Ele me abriu um sorriso cheio de dentes.
— Vá se foder.
— Não, é sério.
— É sério. — Ele esbugalhou os olhos para mim.
— Estou falando sério. Eu levo a cruz e faço a troca. Você não precisa se arriscar a encontrar aquela gente. Não é o seu estilo, Dre.
Ele abriu ainda mais o sorriso.
— Talvez todo mundo acredite nessa sua bobageira de mocinho, mas você não é diferente de ninguém. Se tiver a oportunidade de ter isto aqui na mão, este objeto que vale, sei lá, o mesmo que um quadro de Van Gogh, você vai *pensar* em fazer a coisa certa, mas depois simplesmente vai seguir em frente até encontrar alguém para quem possa vendê-lo.
— Então por que você não faz isso?
— O quê?
— Por que não rouba a cruz e vende?
— Porque eu não tenho nenhum contato, cara. Sou um jogador compulsivo viciado em remédios, não a porra do Val Kilmer em *Fogo contra fogo*. A primeira pessoa em quem eu confiasse para me ajudar a revender esta cruz ia me dar um tiro na nuca assim que eu virasse as costas. Mas aposto que você tem contatos e que conhece gente do mundo do crime em quem confia. Se eu pudesse, eu já estaria a caminho do México com esta cruz.
— Ah, tá bom.
— Essa sua falsa modéstia não me engana.
— Parece que não — falei. — Droga. Deixe eu perguntar uma coisa: por que Yefim parece saber tudo a nosso respeito, mas por algum motivo não consegue nos encontrar?
— O que ele sabe sobre nós?
— Ele sabe que estamos juntos. Chegou até a sugerir que este que todos estamos sendo obrigados a jogar é o jogo de Amanda.
— E você tem alguma dúvida disso?

* * *

Uma hora depois, partimos para o Comcast Center em Great Woods, Mansfield. No caminho para o Saab de Dre, ele tirou a chave do carro do chaveiro e me entregou.

— O carro é seu — falei.

— Considerando os meus problemas com abuso de substâncias, você quer mesmo que eu dirija?

Assumi o volante do Saab. Sentado no banco do passageiro, Dre olhava pela janela com ar sonhador.

— Não foi só álcool que você tomou — falei.

Ele virou a cabeça.

— Tomei dois ansiolíticos também. Xanax. Sabe como é... — Ele tornou a olhar pela janela.

— Dois? Ou terão sido três?

— É, na verdade foram três. E o antidepressivo Paxil.

— Remédios e bebida: então é essa a sua receita para lidar com a máfia russa.

— Até aqui tem dado certo — ele disse, e sacudiu o chaveiro com a foto de Claire em frente a seus olhos embaçados.

— Por que cacete você anda por aí com uma foto da menina? — perguntei.

Ele olhou para mim.

— Porque eu a amo, cara.

— Ah, é?

Ele deu de ombros.

— Ou algo parecido com isso.

Meio minuto depois, ele estava roncando.

Em qualquer tipo de troca ilegal, é raro a parte mais forte não mudar o local do encontro na última hora. Isso tende a eliminar o risco de uma vigilância policial, porque é difícil montar escutas de uma hora para a outra, e é mais fácil detectar equipes de agentes federais vestidos de preto e carregando microfones de vara, bolsas com gravadores e teleobjetivas fotográficas infravermelhas quando eles estão zanzando por perto.

Portanto, imaginei que Yefim fosse ligar para mudar o encontro no último minuto, mas mesmo assim quis ter uma ideia do local, caso ele não fizesse isso. Eu já tinha ido ao Comcast Center umas vinte vezes. Era um anfiteatro ao ar livre situado em uma área verde de Mansfield, Massachusetts. Eu tinha visto David Bowie abrir um show do Nine Inch Nails naquele palco. Tinha visto apresentações do Bruce Springsteen e do Radiohead. Um ano antes, tinha visto o National abrir para o Green Day e tido a sensação de que eu havia morrido e ido parar no paraíso do rock alternativo. Ou seja: eu conhecia bem o lugar. O anfiteatro era um côncavo com um declive alto e comprido que ia até lá embaixo, e declives mais baixos e mais largos davam a volta no palco, formando curvas graduais; se você andasse em um círculo em uma das direções, acabava indo dar no palco. E, se andasse em círculo na outra direção, acabava indo dar no estacionamento. Era nesses declives que eles montavam as banquinhas para vender camisetas ao lado das barraquinhas de cerveja, algodão-doce, pretzels e cachorros-quentes com trinta centímetros de comprimento.

Dre e eu demos a volta no palco enquanto uma neve hesitante caía sob o crepúsculo cada vez mais denso. Flocos surgiam no ar como vaga-lumes e derretiam assim que entravam em contato com um objeto qualquer: um quiosque de madeira, o chão, o meu nariz. Em um dos quiosques, perto de uma fileira de catracas, olhei para a direita e percebi que Dre não estava mais comigo. Dei meia-volta e subi um dos aclives, depois desci por outro, seguindo minhas pegadas tênues no piso cada vez mais molhado. Vi onde as pegadas dele terminavam, e usei a última que consegui distinguir como se fosse uma flecha. Eu estava passando pelos camarotes VIP em direção ao palco, quando meu celular tocou.

— Alô.

Era Amanda.

— Onde vocês estão?

— Eu poderia fazer a mesma pergunta a você.

— Pouco importa onde *eu* estou agora. Acabei de receber um telefonema mudando o local do seu encontro. Aliás, que encontro é esse?

— Estamos no Comcast Center. Telefonema de quem?

— De um cara com um forte sotaque russo. Mais alguma pergunta idiota? Ele disse que Yefim não está conseguindo ligar para o seu celular.

— Como os russos conseguiram o seu telefone?

— Como conseguiram *o seu*?

Eu não tinha resposta para essa pergunta.

— O encontro agora vai ser em uma estação de trem — ela disse.

— Que estação?

— Dodgeville.

— Dodgeville? — repeti. Lembrava-me vagamente de ter lido esse nome nos pacotes quando eu trabalhava com carregamento de caminhões na época da faculdade, mas não saberia localizar o local em um mapa. — Onde fica essa porra?

— Segundo o mapa aqui na minha frente, você tem que pegar a 152 em direção ao sul. Não fica muito longe. Eles disseram que só um de vocês pode sair do carro com a cruz. Imagino então que vocês estejam com a cruz.

— Dre está com ela, sim.

— Eles disseram para vocês levarem a cruz, senão vão matar Sophie na sua frente. Depois vão matar você.

— Onde você...

Ela já tinha desligado.

Cheguei ao final do corredor, lá embaixo, e encontrei Dre sentado na beirada do palco, olhando para as cadeiras.

— O lugar do encontro mudou.

Ele não pareceu surpreso.

— Como você previa.

Dei de ombros.

— Deve ser ótimo estar certo o tempo todo — ele disse.
— É essa a impressão que você tem de mim?
Ele me encarou.
— Gente como você usa a própria certeza como se fosse...
— Não venha me culpar por você ter estragado a sua vida. Eu não julgo você por isso.
— Então pelo que você me julga?
— Por tentar comer uma menina de dezesseis anos.
— Em muitas culturas isso é considerado normal.
— Então mude-se para uma dessas culturas. Aqui isso quer dizer que você é um escroto, apenas isso. Não gosta de si mesmo? Não venha me culpar por isso. Não gosta daquilo em que sua vida se transformou? Bem-vindo ao clube.

Ele olhou para as cadeiras e de repente adotou uma expressão sonhadora.

— Eu tocava baixo muito bem em uma banda que eu tinha no ensino médio.

Esforcei-me para não revirar os olhos de tédio.

— Todas as coisas que poderíamos ter sido... — ele continuou. — Sabe como é? Mas é preciso escolher um caminho, então você escolhe, e acaba saindo da faculdade de medicina com uma certeza apenas: a de que vai ser um médico de segunda categoria. Como abraçar a própria mediocridade? Como aceitar o fato de que em qualquer corrida, até o resto da vida, vai chegar entre os últimos?

Recostei-me no palco a seu lado e não disse nada. Era uma visão e tanto, todas aquelas cadeiras. Mais além, o amplo gramado da pista se erguia rumo ao céu escuro sob a neve que caía suavemente. Em julho, o anfiteatro lotava quase todas as noites. Vinte mil pessoas cantando, gritando, dançando, levantando o punho no ar. Quem não ia querer pisar no palco e ter essa visão?

Em algum lugar lá no fundo eu sentia pena de Dre. Alguém tinha lhe dito — sua mãe, suponho — que ele era especial. Provavelmente repetira isso para ele todos os dias de sua vida, mesmo quando começaram a se acumular as provas de que aquilo era uma mentira, ainda que bem-intencionada. E agora ali estava ele, com a primeira carreira arruinada, a segunda prestes a ruir e provavelmente incapaz de se lembrar da época em que conseguia chegar ao fim do dia sem abusar de alguma substância.

— Sabe por que eu nunca tive escrúpulos em traficar bebês?

— Não.

— Porque ninguém sabe nada. — Olhou para mim. — Você acha que o governo sabe como encaminhar as crianças indesejadas? Acha que alguém sabe? Nós não sabemos porra nenhuma. Nenhum de nós. Todos nós comparecemos aos mesmos eventos formais de merda e torcemos para todos acreditarem que somos o que nossas roupas dizem que somos. E, depois de algumas décadas disso, sabe o que acontece? Nada. Não acontece nada. Não aprendemos nada, não mudamos e depois morremos. E a geração seguinte de embusteiros assume o nosso lugar. E sabe de uma coisa? A verdade é só essa.

Dei-lhe um tapinha nas costas.

— Acho que você tem futuro na área da autoajuda, Dre. Precisamos ir.

— Para onde?

— Para a estação de Dodgeville.

Descemos do palco e ele me seguiu aclive acima entre as cadeiras.

— Só uma perguntinha rápida, Patrick.

— Qual?

— Onde fica essa porra de Dodgeville?

22

Dodgeville acabou se revelando uma dessas cidades tão pequenas que parecem continuação de outra — no caso, South Attleboro. Até onde pude ver, não havia um sinal sequer de trânsito, apenas uma placa de parada obrigatória a uns dez quilômetros da divisa com Rhode Island. Com o carro parado nesse ponto, vi uma placa indicando uma ferrovia à minha esquerda. Então virei à esquerda na Rodovia 152 e, depois de algumas centenas de metros, a estação de trem surgiu como se tivesse sido colocada ali em meio a uma área verde sem mais nenhuma construção. Os trilhos seguiam floresta adentro — uma simples linha reta que desaparecia entre os vultos dos bordos vermelhos. Entramos no estacionamento. Com exceção dos trilhos e da plataforma de embarque, não havia muita coisa para ver — nenhuma área coberta para nos proteger do frio de dezembro, nenhuma máquina de coca-cola ou banheiro. Apenas dois suportes de jornal junto à escada que conduzia à plataforma. Do lado de lá dos trilhos, uma densa floresta. Do lado mais próximo, a plataforma, no mesmo nível dos trilhos, e o estacionamento em que havíamos deixado o carro, iluminado por uma luz branca encardida, com a neve rodopiando debaixo das lâmpadas feito mariposa.

Meu celular vibrou. Li o torpedo:

**Um de vocês leva a cruz até a plataforma.
O outro fica no carro.**

Dre tinha esticado o pescoço para ler o texto. Antes de eu poder estender a mão para abrir a porta, ele já havia aberto a sua e saído do carro.

— Pode deixar — disse. — Eu vou.

— Não, você...

Mas ele se afastou do carro e saiu do estacionamento. Subiu os poucos degraus que conduziam à plataforma e ficou parado bem no meio dela. No ponto em que ele estava, uma faixa de borracha preta rígida margeada por uma tinta amarelo-vivo cruzava os trilhos.

Ele passou algum tempo ali enquanto a neve começava a cair com mais força. Deu dois ou três passos para a direita, depois quatro ou cinco para a esquerda, depois voltou a andar para a direita.

Eu vi a luz antes dele. Um círculo amarelo sacolejando em meio às árvores: o farol de um carro. A luz se ergueu, desapareceu, depois tornou a se erguer a meia altura antes de virar para a esquerda e depois para a direita. Fez o mesmo movimento uma segunda vez — o sinal da cruz —, e dessa vez a cabeça de Dre se virou naquela direção e encarou a luz. Ele ergueu uma das mãos. Deu um aceno. A luz parou de se mexer. Ficou apenas imóvel entre as árvores bem em frente a Dre, aguardando.

Abaixei o vidro.

Ouvi Dre dizer:

— Tudo certo. — Ele atravessou os trilhos. A neve aumentou e alguns dos flocos começaram a ficar parecidos com pelotas de algodão.

Dre entrou no meio das árvores. Eu o perdi de vista. O farol desapareceu.

Estendi a mão para a porta do carro, mas meu celular tornou a vibrar.

Fique no carro.

Mantive o celular aberto no colo e aguardei. Não seria muito difícil simplesmente golpear Dre na cabeça, pegar a cruz e desaparecer mata adentro com Sophie, a cruz e a minha paz de espírito. Minha mão esquerda apertou a maçaneta da porta. Flexionei os dedos para relaxá-los. Dez segundos depois, eu já estava apertando a maçaneta de novo.

A tela do celular se acendeu.

Paciência, paciência.

No meio das árvores, a luz amarela ressurgiu. Ficou flutuando, firme, a cerca de um metro do chão.

Meu celular vibrou, mas dessa vez não era um torpedo, e sim uma ligação de um número confidencial.

— Alô.

— Oi, meu... — A voz de Yefim foi cortada por um segundo. — ... você está?

— O quê?

— Perguntei onde...

O telefone ficou mudo.

Ouvi alguma coisa bater no cascalho do lado mais próximo da plataforma. Olhei pelo para-brisa, mas não conseguir ver nada porque o capô do Saab estava atrapalhando. Mesmo assim continuei olhando, porque é isso que se faz. Liguei e desliguei os limpadores para retirar a neve do vidro. Depois de alguns segundos, Dre apareceu no mesmo ponto entre as árvores em que havia desaparecido. Estava andando depressa. Estava sozinho.

Meu telefone vibrou. Ouvi uma buzina. Olhei para baixo e vi as palavras NÚMERO CONFIDENCIAL estampadas na minha tela.

— Alô?

— Onde você está?

— Yefim?

O para-brisa desapareceu atrás de uma camada de lama. O Saab foi sacudido com tanta força que o painel chacoalhou. O assento tremeu embaixo de mim. Uma xícara de café vazia escapou do porta-copos e caiu no tapete do lado do banco do passageiro.

— Patrick?... você foi... eu não... palco.

Liguei os limpadores de para-brisa. A lama, que na verdade era mais rala do que lama, foi varrida de um lado para o outro enquanto um expresso Acela passava a toda pela estação.

— Yefim? A ligação está cortando.

— Está... ouvindo... cara?

Saí do carro porque não conseguia mais ver Dre, e reparei que o capô estava todo salpicado com a mesma substância que havia atingido o para-brisa.

— Agora voltou. Está me ouvindo?

Dre não estava na plataforma.

Não estava em lugar nenhum.

— Eu... caralho...

A ligação caiu. Fechei o celular e olhei para um lado e para outro da plataforma. Nada de Dre.

Tornei a me virar e olhei para a fila de carros ao lado do meu. Eram seis, espaçados, mas sob as luzes brancas mortiças vi o mesmo líquido espalhado pelos capôs e para-brisas. O trem expresso havia sumido entre as árvores a uma velocidade que só se pensaria possível nos jatos. Os carros molhados e a plataforma reluziam com algo além de neve derretida.

Virei a cabeça, olhei para a plataforma, tornei a me virar, olhei para os carros.

Dre não estava em lugar nenhum.

Porque Dre estava espalhado por toda parte.

Encontrei uma lanterna e duas sacolas de plástico de supermercado no porta-malas do carro de Dre. Usei as sacolas para cobrir os sapatos e as alças para dar dois nós em volta dos tornozelos. Então saí e comecei a andar por cima do sangue na plataforma. Encontrei um dos sapatos dele mais adiante, enfiado debaixo de um dos trilhos. Alguns metros mais adiante na plataforma, encontrei o que poderia ter sido uma orelha. Ou talvez fosse um pedaço de nariz. Aparentemente, um expresso Acela em velocidade máxima não atropelava uma pessoa; ele a fazia explodir.

Quando estava voltando pelos trilhos, vi um ombro entre o dormente e as árvores. Foi a última parte de Dre que vi.

Fui até o ponto onde ele havia entrado e saído do meio das árvores. Mirei a lanterna ali, mas tudo que eu vi foram árvores escuras com montinhos de folhas reunidos na base. Poderia ter ido mais longe, mas (a) não gosto de florestas e (b) meu tempo estava se esgotando. O trem expresso passava pela estação de Mansfield, a cinco quilômetros dali, e havia uma chance de alguém ver o sangue no nariz ou na lateral da locomotiva.

Yefim, pelo que eu podia imaginar, já tinha ido embora havia muito tempo levando Sophie e a cruz.

Voltei a atravessar os trilhos e no início não entendi muito bem o que vi. Parte de mim entendeu o suficiente para manter a lanterna fixa naquele ponto, mas a outra parte não conseguia identificar o objeto.

Abaixei-me até o cascalho entre os trilhos e a cerca que margeava o estacionamento. Eu tinha ouvido um baque quando o objeto aterrissara no chão, quando alguém, por sabe-se lá que motivo, o jogara das árvores até o outro lado dos trilhos. E Dre tinha corrido atrás dele e entrado na frente de mais de seiscentas toneladas de aço a duzentos e cinquenta quilômetros por hora.

A Cruz de Belarus.

Segurei-a pelo canto superior esquerdo e a ergui do cascalho. A cruz estava coberta de neve e tão ensanguentada quanto os para-brisas do estacionamento, tão ensanguentada quanto a plataforma, as árvores e a escada que desci para chegar ao carro de Dre. Abri o porta-malas, sentei-me na beirada e retirei as sacolas dos pés, guardando-as dentro de uma terceira. Encontrei um pano velho dentro da mala e usei-o para limpar a cruz da melhor forma possível. Pus o pano dentro da sacola e fechei-a com um nó nas alças. Peguei a sacola e a cruz, pus as duas no banco do passageiro e dei o fora de Dodgeville.

23

Só havia um pediatra em um raio de vinte e cinco quilômetros ao redor de Becket: chamava-se Chimilewski e atendia em Huntington, a duas cidadezinhas de distância. Quando Amanda parou o carro em frente ao consultório às dez horas da manhã seguinte, fiquei onde estava e a deixei entrar para sua consulta. Fiquei sentado dentro do carro de Dre recordando a conversa que tivera com Yefim enquanto saía de Dodgeville. Ele tinha ligado minutos depois de eu deixar a estação, e nada do que havíamos conversado fazia sentido ainda.

Quando Amanda saiu, depois de vinte minutos, eu estava à espera com um copo cheio de café, que lhe ofereci.

— Imaginei que você tomasse com creme e sem açúcar.

— Não posso tomar café — ela disse. — Faz mal para a minha úlcera. Mas obrigada pela gentileza.

Ela acionou o controle do carro para destravar as portas e deu a volta em mim com a bebê na cadeirinha. Abri a porta para ela.

— Você não pode ter uma úlcera. Tem dezesseis anos.

Ela prendeu a cadeirinha na base instalada no banco de trás.

— Diga isso para a minha úlcera. Ela me acompanha desde os treze.

Dei um passo para trás enquanto ela fechava a porta depois de acomodar Claire.

— Ela está bem?

Amanda olhou para a criança através do vidro.

— Sim. Só está com aquela alergia. Sem motivo. O pediatra disse que vai sumir, como Angie falou. Eles disseram que bebês têm alergias.

— Mas é difícil, não é? Tanta coisa que poderia ser um problema de saúde real e no fim das contas não é nada... só que você nunca sabe, então precisa verificar.

Ela me deu um sorrisinho cansado.

— Eu sempre acho que da próxima vez eles vão me chutar porta afora.

— Ninguém chuta ninguém porta afora por cuidar do próprio filho.

— Não, mas as pessoas fazem piada.

— Deixe que façam.

Ela andou até a porta do motorista e olhou para mim por cima do carro.

— Pode me seguir ou me encontrar em casa. Não vou fugir para lugar nenhum.

— Eu percebi.

Virei-me para caminhar em direção ao Saab de Dre.

— E Dre, onde está?

Virei-me para ela e a encarei.

— Ele não teve sorte.

— Ele... — Ela inclinou a cabeça de leve. — Os russos?

Não falei nada. Sustentei seu olhar. Procurei em seus olhos algo que pudesse me dizer, de um jeito ou de outro, de que lado ela estava. Ou ela estaria de todos?

— Patrick? — ela disse.

— Vejo você na sua casa.

Na cozinha, ela preparou um chá verde para si mesma e trouxe a xícara e um bule pequeno para a sala de estar. Claire estava sentada na cadeirinha no meio da mesa de jantar. Tinha caído em um sono profundo no carro, e Amanda me disse ter aprendido que de nada adiantava tirá-la da cadeirinha e colocá-la no moisés quando chegavam em casa. Era mais fácil e mais seguro deixá-la dormir.

— Angie chegou bem?
— Sim. Chegou a Savannah à meia-noite. À meia-noite e meia já estava na casa da mãe.
— Ela não me parece uma mulher do sul.
— E não é. A mãe dela se casou de novo aos sessenta e poucos anos. O marido morava em Savannah. Morreu faz uns dez anos. A essa altura, a mãe dela já tinha se apaixonado pela cidade.

Ela pôs o bule em cima de um porta-copos e sentou-se à mesa.

— O que aconteceu na estação de trem, afinal?

Sentei-me na frente dela.

— Primeiro me diga como fomos parar na estação.
— O quê? Eu recebi uma ligação, e eles me disseram que o local do encontro tinha mudado.
— Quem ligou para você?
— Talvez tenha sido Pavel, talvez aquele outro que eles chamam de Spartak. Na verdade, pensando bem, a voz era mais parecida com a dele. Ele tem uma voz mais aguda do que os outros. Mas como posso saber ao certo? — Ela deu de ombros. — Todos têm uma voz bem parecida.
— E Spartak ou quem quer que fosse disse que...
— Ele disse algo do tipo: "Não gostamos de Comcast Center. Diga a eles que o encontro vai ser na estação de Dodgeville daqui a meia hora".
— Mas por que ligar para você?

Ela tomou um gole de chá.

— Não sei. Vai ver Yefim perdeu seu...

Fiz que não com a cabeça.

— Yefim não fez essa ligação.
— Ele mandou Spartak fazer.
— Não mandou, não. Yefim estava esperando no Comcast Center quando Dre foi estraçalhado por um expresso Acela.

A xícara se imobilizou a meio caminho de sua boca.

— Pode repetir?

— Dre foi atropelado por um trem tão rápido que o transformou em pó. Provavelmente agora tem uma equipe de peritos lá na estação pondo os pedaços dele dentro de um saco. Mas são pedaços bem pequenos, posso garantir.

— Mas por que ele ia entrar na frente de um...

— Porque estava correndo atrás disto aqui. — Pus a Cruz de Belarus em cima da mesa.

A cruz ficou ali entre nós dois por uns vinte segundos antes de alguém falar alguma coisa.

— Correndo atrás da cruz? — indagou Amanda. — Não faz sentido. Ele estava com a cruz quando saiu de casa, não estava?

— E imagino que a tenha entregado a alguém, e então esse alguém a jogou por cima dos trilhos.

— Quer dizer que você acha... — Ela fechou os olhos com força e fez que não com a cabeça. — Eu nem sei o que você acha.

— Nem eu. O que eu sei é o seguinte: Dre atravessou os trilhos até as árvores, aí alguém jogou a cruz de lá para cima dos trilhos. Dre saiu correndo atrás dela e trombou com um trem muito rápido. Enquanto isso, Yefim diz que nunca esteve na estação de trem e que nunca mudou o lugar original do encontro. Se ele está mentindo ou não, e a chance é de cinquenta por cento, é isso o que ele diz. Nós não temos Sophie, eles não têm a Cruz de Belarus, e hoje é véspera de Natal. Sexta-feira. Dre era a última chance que Yefim tinha de conseguir outro bebê para dar a Kirill e Violeta. Portanto agora Yefim quer voltar para o acordo original: a cruz... — Baixei os olhos para a mesa. — ... e Claire em troca da vida de Sophie, da minha vida, da vida da minha família e da sua vida.

Ela tocou a cruz algumas vezes, empurrando-a alguns centímetros pela mesa.

— Você sabe o que significam essas inscrições? Não sei ler russo.

— Mesmo que soubesse, isso não é russo — falei. — É latim.

— Certo. E você sabe latim?
— Estudei por quatro anos no ensino médio, mas só me lembro do suficiente para ler inscrições em monumentos.
— Então você não faz ideia do que está escrito aqui?
Segurei a cruz.
— Um pouco. Isto aqui em cima quer dizer *Jesus, filho de Deus, derrota.*
Ela franziu o cenho.
Dei de ombros e forcei um pouco a memória.
— Não, espere aí. *Derrota*, não. *Esmaga*. Não. Espere aí. *Conquista*. É isso. *Jesus, filho de Deus, conquista.*
— E embaixo?
— Alguma coisa sobre um crânio e o paraíso.
— É o melhor que você pode fazer?
— Minha última aula de latim foi dez anos antes de você nascer, garota. O meu melhor não está nada mal.
Ela se serviu de mais chá. Segurou a xícara com as mãos e soprou. Deu um golinho hesitante, depois pôs a xícara de novo na mesa. Recostou-se na cadeira com os olhos pousados em mim, calmos como sempre: aquela criança tão séria, aquele prodígio de autocontrole.
— Não parece grande coisa, não é?
— O que dá valor à cruz é sua história. Ou talvez o fato de alguém ter decidido que ela vale alguma coisa, como o ouro.
— Nunca entendi essa mentalidade — ela disse.
— Nem eu.
— Mas posso dizer a você que Kirill já perdeu prestígio demais por causa dessa história para agora deixar qualquer um de nós vivos. Eu com certeza, pelo menos.
— Você tem lido os jornais?
Ela olhou para mim por cima da xícara e fez que não com a cabeça.
— Kirill anda consumindo demais do seu próprio produto. Ou talvez esteja só tendo um colapso nervoso. Quem sabe ele arrebente o carro num poste, a cento e sessenta quilômetros por hora, antes de conseguir chegar até você?

— Então eu vou ficar esperando esse dia. — Ela fez uma careta para mim. — E mesmo que, digamos, tudo corra segundo esse roteiro de conto de fadas que Yefim... o nome dele é Yefim, não é? ... que ele traçou para você.
— Yefim, isso.
— Certo. Nós dois saímos vivos, Sophie sai viva, a sua família também. Mas e ela? — Amanda apontou para o lugar da mesa onde Claire estava sentada na cadeirinha, vestindo um minúsculo casaco de tricô cor-de-rosa com capuz e uma calça de moletom também rosa, com os olhos fechados parecendo duas fendas. — Eles vão levá-la para casa, Kirill e Violeta, e logo ela vai deixar de ser um *projeto* de bebê. Vai virar um bebê de verdade. Vai chorar quando não deve, vai gritar, vai berrar quando estiver com a fralda molhada, e vai urrar, urrar mesmo, como um espírito atormentado, quando trocarem a sua blusa, porque ela detesta que alguma coisa cubra a sua cabeça, e não se pode trocar uma blusa sem cobrir a cabeça, pelo menos não as blusas que eu tenho. Então eles vão levá-la, aquelas duas crianças psicóticas em corpos de meia-idade, e digamos que superem todos os incômodos e a total impossibilidade de sono decorrente de se ter um bebê em casa vinte e quatro horas por dia, sete dias por semana. Vamos dar a eles o benefício da dúvida. Você não acha que Kirill, que agora perdeu uma quantidade imensa de prestígio, poder e respeito porque seu bebê do mercado negro foi roubado e ele não conseguiu recuperá-lo... você por acaso está me dizendo que ele não vai sentir rancor por esse bebê? Kirill, que, como você disse, teve algum tipo de colapso mental ultimamente? Será que ele não vai chegar em casa um dia, doidão de vodca polonesa e cocaína mexicana, e dar uma porrada nessa criança só porque ela teve a ousadia de chorar quando estava com fome? — Amanda virou a xícara de chá inteira como se fosse uma dose de uísque. — Você acha mesmo que eu vou devolver minha filha para *eles*?
— A filha não é sua.
— Sabe aquele cartão da previdência que você viu on-

tem? Não era meu. Era dela. Eu já tenho outro com o mesmo sobrenome. Ela é minha filha.
— Você sequestrou essa menina.
— E você me sequestrou.
Ela não levantou a voz, mesmo assim as paredes pareceram estremecer. Seus lábios tremeram, seus olhos ficaram vermelhos, e calafrios percorreram suas mãos. Com exceção de uma fúria altamente controlada, eu nunca a tinha visto expressar nenhuma emoção.
Balancei a cabeça fazendo que não.
— Sequestrou, sim, Patrick. Sequestrou, sim. — Ela inspirou ar úmido pelas narinas e ergueu os olhos para o teto por um instante. — Quem era você para dizer qual era o meu lar? Dorchester não passava do lugar em que eu nasci. Eu tinha saído da barriga de Helene, mas era filha de Jack e de Tricia Doyle. Sabe o que eu me lembro da época em que estive supostamente *sequestrada*? Por sete meses perfeitos, não me senti nervosa nem angustiada. Não tive pesadelos. Não fiquei doente, porque quando você sai de uma casa que a sua mãe nunca limpa, cheia de baratas e bactérias de baratas por toda parte, além de comida podre fermentando na pia, quando você sai de um lugar assim tende a se sentir melhor. Eu fazia três refeições por dia. Brincava com Tricia e com nosso cachorro. Depois do jantar, todas as noites, eles punham o pijama em mim e me levavam até uma cadeira ao lado da lareira, às sete da noite em ponto, e liam uma história para mim. — Ela baixou os olhos para a mesa por alguns instantes, meneando a cabeça para si mesma de uma forma que me fez duvidar que aquilo fosse um gesto consciente. Então ergueu os olhos. — Aí você apareceu. Duas semanas depois que me levou de volta para Dorchester e que um funcionário do Serviço Social liberou Helene para me criar, sabe o que aconteceu às sete da noite?

Eu não disse nada.

— Helene havia passado o dia bebendo porque tinha levado um bolo de um cara na noite anterior. Ela me pôs na cama às cinco porque estava embriagada demais para continuar cuidando de mim. Então, às sete em ponto, ela entrou no meu quarto para se desculpar por ser uma péssima mãe, sentindo pena de si mesma e confundido isso com empatia por outro ser humano. E, enquanto estava pedindo desculpas, ela vomitou em cima de mim.

Amanda estendeu a mão e puxou o pequeno bule para perto de si. Serviu o resto do chá na xícara. Dessa vez não precisou soprar tanto.

— Eu...

— Não se atreva a dizer que sente muito, Patrick. Me poupe disso, por favor.

Um minuto se passou, longo e silencioso.

— Você tem algum contato com eles? — perguntei por fim. — Com os Doyle?

— Eles estão proibidos de ter qualquer contato comigo. É uma cláusula da condicional deles.

— Mas você sabe onde eles estão.

Ela me olhou por alguns instantes antes de fazer que sim com a cabeça.

— Tricia cumpriu um ano de prisão e pegou mais quinze de condicional. Jack foi solto há dois anos depois de passar dez anos preso por ler histórias para mim antes de eu dormir e me alimentar corretamente. Os dois ainda estão juntos. Você acredita? Ela esperou por ele. — Amanda me fitou com olhos brilhantes, desafiadores. — Hoje moram na Carolina do Norte, pertinho de Chapel Hill. — Ela soltou o rabo de cavalo e sacudiu os cabelos com violência até fazê-los pender novamente retos em torno do rosto. Por trás desse véu, seus olhos voltaram a encontrar os meus. — Por que você fez aquilo?

— Levar você para casa?

— Me levar de volta.

— Acho que foi um caso de ética da situação contra ética da sociedade. Eu tomei o partido da sociedade.

— Que sorte a minha.

— Não sei se eu agiria de outra forma hoje — falei.

— Você quer que eu sinta culpa, e eu sinto, mas isso não significa que eu estivesse errado. Se você ficar com Claire, pode ter certeza: vai fazer coisas que farão com que ela a odeie, mas você vai fazê-las mesmo assim, porque acredita que é para o bem da menina. Sempre que precisar falar não para ela, por exemplo. Às vezes você vai se sentir mal por isso. Mas é uma reação emocional, não racional. Racionalmente, eu sei muito bem que você não deseja viver em um mundo em que as pessoas podem simplesmente tirar uma criança de uma família que julgam ruim e criar essa criança roubada da forma que elas acharem mais adequada.

— Por que não? É o que o Departamento de Infância e Família faz. É o que o governo vive fazendo quando tira crianças de pais ruins.

— Mas isso acontece depois de um processo legal. Depois de verificações, ponderações e de uma investigação cuidadosa das acusações feitas. Mas você... Um belo dia, seu tio Lionel surtou quando a sua mãe deixou você no sol a tarde inteira porque estava bêbada. Em vez de levá-la para o pronto-socorro, Helene a levou para casa, e Lionel apareceu para cuidar de você, que gritava. Ele ligou para um policial *conhecido* por sequestrar crianças que ele achava viver em ambientes inseguros, e os dois sequestraram você. Sua mãe não teve julgamento...

— Por favor, não a chame de minha mãe.

— Tudo bem. Helene não teve julgamento. Ninguém defendeu a versão dela da história. Nada.

— Meu tio Lionel viu minha mãe me "criar", na falta de um termo mais adequado, durante quatro anos. Eu diria que ela teve quatro anos de julgamento e observação da parte dele.

— Nesse caso, ele deveria ter dado queixa e solicitado ao tribunal o direito de criar você. Isso funcionou com a irmã de Kurt Cobain, e ela enfrentou uma celebridade muito rica.

Amanda concordou.

— Que legal. Quando o assunto é... como foi mesmo que você disse? Ética da sociedade contra ética da situação, Patrick Kenzie cita a memória de Kurt Cobain para representar os interesses do Estado.

Caramba. Tiro certeiro.

Amanda se inclinou para a frente.

— Porque o que eu ouvi dizer sobre você muitos anos depois foi o seguinte: ouvi dizer que aquele pedófilo que você matou quando estava procurando por mim... Qual era mesmo o nome dele?

— Corwin Earle.

— Isso. Ouvi dizer, de fontes *fidedignas*, que ele não estava armado quando você atirou nele. Que ele não representava nenhuma ameaça direta para você. — Ela bebeu um golinho de chá. — E você deu um tiro na cabeça dele. Depois outro nas costas, não foi?

— Na verdade foi na nuca. E, tecnicamente falando, a mão dele estava tocando uma arma.

— Tecnicamente falando. Quer dizer que você se depara com um pedófilo que não representa nenhuma ameaça direta a você, pelo menos não na' definição do Estado depois de intensa investigação, e resolve isso disparando uma bela de uma ética da situação na nuca dele. — Ela ergueu a xícara para mim. — Parabéns. Eu poderia até bater palmas, mas não quero acordar a bebê.

Passamos algum tempo sentados em silêncio, e ela não tirou os olhos de mim. Para ser sincero, seu autocontrole era um pouco assustador. Com certeza não despertava em mim nenhum sentimento caloroso. Apesar disso, eu gostava dela. Gostava do fato de o mundo ter lhe apresentado uma situação horrível e de ela ter lidado com isso jogando o jogo do mundo até a hora em que lhe mostrou o dedo e deu as costas para o esquema todo. Eu gostava de ela não se entregar à autocomiseração. Gostava de ela parecer incapaz de pedir a aprovação de alguém.

— Você nunca vai desistir dessa menina, não é?

— Mesmo se eles quebrassem todos os ossos do meu

corpo, eu continuaria brigando com todos os músculos que me restassem. Eu só pararia de gritar se eles cortassem a minha língua. E, se eles me perdessem de vista por um segundo que fosse, eu arrancaria os olhos deles com os dentes.

— Como eu disse, você nunca vai desistir dessa menina, não é, Amanda?

— E você? — Ela sorriu. — Você nunca me deixaria travar essa batalha sozinha, não é, Patrick?

— Pode ser que sim — falei. — Pode ser que não. Mas não vou deixar Sophie lá com eles para morrer ou ser despachada para o harém subterrâneo de algum emir lá de Dubai.

— Tudo bem.

— Mas Yefim vai querer um bebê.

— Talvez a gente consiga acalmá-lo devolvendo a cruz.

— Sim, mas ele não vai devolver Sophie. Só vai nos deixar viver mais um dia.

— Que idiota.

— Quem?

— Sophie. Você sabe que eu a mandei para Vancouver logo depois, bom, logo depois do...

— Dre me contou sobre o banho de sangue com Timur na sala de parto.

— Ah. Então, depois disso eu mandei Sophie para Vancouver com uma documentação perfeita. Sério, impecável. Do tipo pela qual as pessoas pagam centenas de milhares de dólares. Eu a fiz nascer de novo.

— Mas esse novo nascimento a conduziu imediatamente de volta à máfia russa.

— É.

Passei algum tempo observando-a, à espera de ver surgir naqueles olhos plácidos alguma incerteza, por mais ínfima que fosse. Mas isso não aconteceu.

— Você está disposta... quer dizer, disposta mesmo... a abrir mão de tudo o que vai ter de abrir mão se fizer o que está dizendo?

— E do que eu vou ter de abrir mão? — ela indagou.
— Está falando de Harvard, essas coisas?
— Para começar.
Ela arregalou os olhos para mim.
— Eu tenho cinco identidades impossíveis de rastrear. Uma delas, aliás, já está matriculada em Harvard no ano que vem. E outra está matriculada na Brown. Ainda não decidi qual das duas prefiro. Um diploma de verdade de uma dessas faculdades, ou de qualquer outra, por sinal, não é melhor do que um diploma falso. Em alguns casos é pior, porque é menos maleável. Hoje em dia existe um oitavo continente no mundo, Patrick. O acesso a ele se dá pelo teclado de um computador. É possível pintar o céu de qualquer cor, reescrever as regras do percurso, fazer o que você quiser. Não há divisas nem guerras de fronteira, porque são poucas as pessoas que sabem encontrar esse continente. Eu sei. Algumas outras pessoas que conheço também sabem. O resto de vocês continua aqui. — Ela se inclinou para a frente. — Então, sim, pelas suas regras eu sou Amanda McCready, prestes a fazer dezessete anos e que acaba de abandonar o ensino médio. Pelas *minhas* regras, porém, Amanda McCready é apenas uma carta de um baralho bem grosso. Pense nisso como...

Ela empurrou a cadeira para trás, com os olhos grudados na janela que dava para a rua. Pegou a sacola que estava a seus pés e jogou-a sobre a mesa. Acompanhei seu olhar e vi um carro em frente à casa, um carro que não estava ali um minuto antes.

— Quem é?

Ela não respondeu. Esvaziou a bolsa de couro sobre a mesa de jantar e tirou daquele monte de coisas as algemas mais estranhas que eu já tinha visto. Não havia corrente entre as argolas. A base de uma argola se conectava à base da outra. Estavam envoltas em plástico rígido preto. Uma argola era de tamanho padrão. A outra era bem pequena. Pequena o suficiente para algemar um passarinho.

Ou um bebê.

— Que porra é essa? — Atravessei a sala e passei o trinco na porta da frente.
— Não fale palavrão na frente da bebê.
O cocuruto de alguém passou debaixo da janela da sala.
— Tá bom. Que porcaria é essa?
— É uma algema rígida de segurança máxima. — Amanda pôs o canguru. — Usada para transportar terroristas em aviões. Eu mandei customizar. São incríveis, não acha?
— Legal — falei. — Quantas portas tem esta casa?
— Três, contando a do porão. — Ela tirou Claire da cadeirinha. A bebê gemeu, depois soltou vários grunhidos de desagrado. Amanda encaixou suas pernas nos buracos do canguru, passou uma correia por cima do ombro e a prendeu bem na hora em que alguém abria a porta dos fundos com um chute.

Amanda prendeu uma das algemas no pulso esquerdo, a outra no direito.

Saquei minha pistola calibre 45 e a apontei para o arco da sala de jantar.

Amanda prendeu a argola menor de uma das algemas menores no pulso esquerdo de Claire.

Uma das janelas da sala de estar foi quebrada, e um ou dois segundos depois ouvimos alguém entrando por ela. Mantive os olhos grudados no arco, mas eu sabia que eles poderiam me surpreender pelas laterais.

— Pode me dar uma ajudinha? — perguntou Amanda.

Fui até o seu lado, e ela ergueu o braço direito, fazendo a argola menor balançar junto ao pulso esquerdo de Claire.

— Você não brinca em serviço, irmãzinha. — Prendi a algema no pulso de Claire.

— Já estamos nisso até o pescoço mesmo.

Kenny passou pelo arco nos fundos da sala com uma espingarda apontada para nós.

Apontei minha 45 para a cabeça dele, mas era um gesto inútil; daquela distância, se ele puxasse o gatilho, mataria nós três.

Ouvi o estalo de outra espingarda à minha esquerda. Relanceei os olhos nessa direção. Tadeo estava entre a sala de estar e a sala de jantar, no pé da escada.

— Você só ejetou uma cápsula para tentar produzir um som bacana — falei para ele.

Tadeo corou de leve.

— Ainda tenho outra para enterrar no seu peito.

— Puxa, essa arma é quase do seu tamanho — falei.

— Grande o suficiente para cortar você ao meio, amigão.

— Mas o coice vai jogar você lá no quintal.

— Abaixe a arma, Patrick — disse Kenny.

Mantive a arma onde estava.

— Você é mexicano, Tadeo?

Ele ajeitou a coronha da espingarda no ombro.

— Sou, sim.

— Nunca tive um impasse mexicano com um mexicano de verdade. Legal, não?

— Achei esse comentário meio racista, amigão.

— O que ele tem de racista? Você é mexicano, e esta situação é um impasse mexicano. Seria como sair à francesa com alguém de Paris. Agora, se pelo fato de eu ser irlandês você me acusasse de ter pau pequeno e me chamasse de bêbado, *isso* seria racista, mas qualificar um impasse de impasse mexicano em comparação com um tipo mais comum de impasse me parece uma modificação racial sem vítima.

— Você está enrolando — disse Kenny.

— Estou dando tempo para todo mundo se acalmar.

Helene apareceu no arco da sala atrás de Kenny. Ao ver as três armas, engoliu em seco, com força, mas continuou andando até a sala de jantar.

— Nós só queremos a bebê, querida — ela disse com uma voz açucarada.

— Não me chame de querida — disse Amanda.

— Como eu deveria chamar você?
— Estranha.
— Pegue a bebê e pronto — disse Kenny a Helene.
— Tá bom.

Amanda ergueu os punhos para mostrar as algemas a Kenny e Helene.

— Claire e eu somos um pacote só.

O rosto de Kenny adquiriu uma expressão derrotada.

— Onde estão as chaves?
— Atrás de você, no vidro de chaves das algemas. — Amanda revirou os olhos. — Sério, Ken?
— Eu posso matar você e cortar fora essas algemas com uma serra — disse Kenny.
— Se estivéssemos em 1968 e isto aqui fosse *Rebeldia indomável*, talvez — disse Amanda. — Mas você está vendo alguma folga nestas algemas? Está vendo alguma coisa que poderia cortar?
— Ei! — gritou Helene como se fosse a voz da razão. — Ninguém vai matar ninguém.
— Nossa, mãe — disse Amanda. — O que exatamente você acha que Kirill Borzakov vai fazer comigo?
— Ele não vai matar você — disse Helene, fazendo um gesto de quem afaga o ar à sua frente. — Ele prometeu.
— Ah, então tá — falei para Amanda. — Nesse caso não tem perigo.
— Não é?
— Patrick? — disse Kenny.
— Sim?
— Você não pode sair ganhando desta vez. Não é possível que não tenha entendido isso.
— Nós só queremos a bebê — repetiu Helene.
— E aquela cruz ali em cima da mesa — disse Kenny, reparando no objeto pela primeira vez. — Mas que droga. Helene, pegue a cruz, sim?
— Que cruz?
— A única cruz russa que está em cima daquela mesa de jantar.

— Ah...

Quando Helene estendeu a mão para pegar a cruz, reparei em algo estranho na pilha de coisas que Amanda tinha despejado da bolsa de couro: o chaveiro de Dre. Senti o que Bubba gosta de chamar de perturbação da Força e fiquei tão atônito que quase comentei com Amanda na hora, mas Kenny tornou a chamar minha atenção para o outro lado, batendo com o cano da espingarda na parede.

— Abaixe a arma, Patrick. Estou falando sério.

Olhei para Amanda, olhei para a bebê presa a seu peito e algemada a seus punhos. Claire não dera um pio sequer desde o instante em que a segunda algema tinha sido fechada. Simplesmente mantinha os olhos erguidos e fixos em Amanda com uma expressão que, em um ser dotado de consciência, poderia ter sido chamada de assombro.

— Também estou ficando nervosa com essa arma — sussurrou Amanda. — Não entendo em que ela nos ajuda.

Acionei a trava de segurança e levantei a mão, deixando a arma pendurada no polegar.

— Pegue a arma, Helene.

Helene se aproximou, eu lhe entreguei a arma e ela a guardou dentro da bolsa com gestos desajeitados. Olhou por trás de mim para onde estava Claire.

— Ah, como ela é linda. — Então voltou a olhar por cima do ombro na direção de Kenny. — Ken, você devia olhar para a menina. Ela tem os meus olhos.

Ninguém disse nada durante alguns segundos.

— Como é que deixam você votar e operar máquinas? — perguntou Kenny.

— Estamos nos Estados Unidos — respondeu Helene com orgulho.

— Posso tocar nela? — perguntou Helene a Amanda.

— Eu preferiria que não.

Helene estendeu a mão mesmo assim e beliscou a bochecha de Claire.

A menina começou a chorar.

— Que ótimo — disse Kenny. — Agora vamos ter que ficar escutando isso aí até Boston.

— Helene? — disse Amanda.

— O quê?

— Você poderia me fazer um favorzão e pegar aquela bolsa de fraldas e a bolsinha térmica de leite?

— O que você vai fazer comigo? — perguntei a Kenny. — Me amarrar em uma cadeira ou me dar um tiro?

Kenny me lançou um olhar confuso.

— Nem uma coisa nem outra. Os russos querem vocês todos. — Ele usou três dedos para apontar para nós três. — E estão pagando por quilo.

24

O único estacionamento de trailers localizado no perímetro urbano de Boston fica na divisa entre West Roxbury e Dedham, espremido entre um restaurante e uma concessionária de automóveis em um trecho da Rodovia 1, que, com exceção desse estacionamento, tem um zoneamento voltado para o uso industrial e comercial. Contra tudo e contra todos após décadas de combate a especuladores e ofertas de compra da concessionária, o pequeno estacionamento de trailers sobrevive colado a um trecho vagaroso de água marrom do rio Charles. Eu sempre tinha torcido por ele e sentia um orgulho indireto da resistência dos moradores a mais um empreendimento comercial. Um dia eu ficaria com o coração partido ao passar por ali de carro e ver um McDonald's ou um Outback no lugar. No entanto, pensando bem, eu duvidava que alguém um dia me levasse a um McDonald's para me matar, mas parecia altamente provável que eu desse meu último suspiro em um estacionamento de trailers.

Kenny saiu da Rodovia 1 e seguiu para o leste margeando o rio. Descobri que ele ainda estava puto por causa do Hummer. Passou metade do trajeto reclamando disso. De como a polícia tinha levado o carro para um depósito em Southie e não queria acreditar na história de que ele havia sido roubado, e de como a sua condicional provavelmente seria revogada caso eles provassem que havia chegado perto do carro naquela manhã. Acima de tudo, porém, o que o deixava mais triste era que ele amava aquele carro.

— Em primeiro lugar — falei —, não sei como alguém pode *amar* um Hummer.
— Ah, mas eu amava.
— Em segundo lugar — continuei —, por que está brigando comigo? Não fui eu que atirei no seu carro idiota. Foi Yefim.
— Mas foi você quem roubou.
— Mas eu não disse nada como "Deixe eu levar seu carro para tomar um banho de chumbo". Eu estava tentando descobrir para onde eles iam levar Sophie, e Yefim encheu seu carro feioso de tiros.
— Meu carro não é feio.
— É horroroso — disse Amanda.
— É um carro bem gay — disse Tadeo, se intrometendo. — Mas você é macho o bastante para ter um carro assim, Ken.
Helene tocou o braço dele.
— Eu adoro o seu carro, amor.
— Por favor, vocês todos, calem a porra da boca agora — disse Kenny.
Rodamos os últimos quarenta minutos em silêncio. Kenny dirigia um Suburban da Chevrolet do final da década de 1990, provavelmente com a mesma quilometragem do Hummer, mas que conseguia ter uma aparência um pouco menos ridícula. Amanda, a bebê e eu estávamos sentados no banco de trás, com Tadeo no meio. Eles tinham amarrado minhas mãos nas costas com um pedaço de corda. Era uma forma bem desconfortável de passar duas horas viajando de carro, e eu tinha dado um mau jeito no pescoço que já tinha descido para os ombros e que, eu sabia, permaneceria ali por muitos dias. Ficar velho é uma merda.
Saímos do pedágio e pegamos a 95 rumo ao sul por dezesseis quilômetros antes de Kenny sair para a 109 e percorrer mais dez quilômetros para o leste, depois virar à direita na Rodovia 1 e entrar à direita no estacionamento de trailers.

— Quanto eles estão te pagando para você fazer isso? — perguntei a Kenny.
— Que tal minha vida? É uma boa troca. Por acaso você vai dobrar esse cachê?
— Não.
— Não achei que fosse. — Ele olhou para ela pelo retrovisor. — Amanda.
— Oi, Ken.
— Não sei que diferença faz dizer isto, mas sempre achei você uma menina legal.
— Puxa, Ken, vou morrer realizada.
Kenny bufou.
— Você é o que na minha época chamavam de espoleta.
— Não sabia que na sua época já existiam espoletas.
Tadeo riu.
— Que garota mais fria. — Ele se virou para Amanda. — Foi um elogio.
— Não tenho a menor dúvida.
Fomos até o fim da rua principal do estacionamento. As árvores e o rio tinham a mesma cor marrom-clara, e uma profusão de folhas salpicadas de neve cobria tudo — o chão, os carros, o teto dos trailers, as antenas parabólicas em cima dos trailers, as pequenas vagas para automóveis. O céu exibia um azul imaculado, como uma bola de gude. Um gavião voava baixo sobre o rio. Os trailers estavam enfeitados com guirlandas e luzinhas coloridas, e o telhado de um deles, por algum motivo, exibia desenhos de luz em forma de um Papai Noel dentro de um carrinho de golfe.

Era um desses dias que, apesar do frio, são tão claros e límpidos que quase compensam os quatro meses que restam de cinza glacial. O cheiro do ar gelado lembrava maçã fria. O sol batia forte e quente na minha pele quando Kenny parou o carro, abriu a porta de trás e me puxou para fora.

Amanda, a bebê e Tadeo saíram pela outra porta, e

nós todos fomos nos postar ao lado de um trailer comprido de largura dupla junto à margem do rio. Não havia ninguém ali. Nenhum carro em frente aos poucos trailers ao redor, todos provavelmente às voltas com o trabalho ou com as compras de Natal de última hora.

A porta do trailer se abriu e Yefim apareceu, sorrindo e mastigando, com um sanduíche em uma das mãos e uma pistola Springfield XD calibre 40 no cós da calça.

— Bem-vindos, meus amigos. Entrem, entrem — disse, gesticulando em sua própria direção, e nós entramos.

Quando Amanda passou, ele arqueou uma sobrancelha para as algemas.

— Nada mal. — Depois de entrarmos, fechou a porta atrás de nós e falou comigo. — Como vai, seu ordinário?

— Vou bem. E você?

— Bem, bem.

O interior do trailer era bem maior do que eu tinha imaginado. Na parede dos fundos, bem no meio, havia uma tela de televisão de sessenta polegadas. Em frente a ela, dois homens jogavam tênis no Wii, movendo os braços para a frente e para trás e saltando sem sair do lugar enquanto seus avatares anões corriam de um lado para o outro da tela. À direita da televisão, havia um sofá de couro azul-celeste, duas poltronas no mesmo estilo e uma mesinha de centro de vidro. Atrás desses móveis, uma grossa cortina preta isolava o resto do cômodo. Sophie estava sentada no sofá azul, com a boca tapada por uma fita isolante e as mãos amarradas com uma corda elástica. Ela olhou para nós, mas seus olhos se acenderam ao ver Amanda.

Amanda retribuiu seu sorriso.

À nossa esquerda havia uma cozinha americana e depois disso um banheiro pequeno e um quarto grande. Caixas de papelão ocupavam quase todo o espaço livre — sobre as prateleiras, empilhadas no chão, enfiadas nos vãos acima dos armários da cozinha. Pude ver mais caixas empilhadas no quarto e imaginei que elas também ocupassem o espaço da sala depois da cortina preta — aparelhos de DVD, Blu-Ray, consoles de Wii, PlayStation e Xbox, sistemas de home theater da Bose, iPods, iPads, Kindles e aparelhos de GPS da Garmin.

Ficamos parados na entrada por alguns instantes vendo os dois marmanjos jogarem tênis virtual enquanto Sophie nos encarava. Ela estava com um aspecto bem melhor do que alguns dias antes, fazendo pensar que tinham parado de lhe dar metanfetamina e que seu corpo começava a se recuperar.

Yefim inclinou a cabeça para mim.

— Por que está amarrado, cara?

— Foi seu amigo Kenny.

— Ele não é meu amigo, cara. Vire-se.

Kenny lançou a Helene um olhar que dizia *Dá para acreditar nessa merda?*, parecendo magoado com o comentário.

Virei as costas para Yefim e ele cortou a corda dos meus pulsos sem parar de comer o sanduíche, respirando pelas narinas cabeludas.

— Você parece bem, meu amigo. Em perfeita saúde.

— Obrigado. Você também.

Ele deu um tapa em sua barriga avantajada com a mão da arma.

— Rá, rá. Você é um ordinário engraçado. — De repente, sua voz trovejou. — Pavel!

Pavel se virou em pleno backhand e olhou para Yefim enquanto seu avatar girava antes de se estatelar na quadra e a bola de tênis passar quicando por ele.

— Chega de brincar. Pegue as armas deles.

Pavel deu um suspiro e jogou o controle em cima de uma cadeira. Seu companheiro de jogo fez o mesmo. Era magro como um cadáver, com as bochechas encovadas, a cabeça raspada e palavras em russo tatuadas no pescoço. Usava uma regata colada ao peito emaciado e uma calça de moletom listrada de preto e amarelo.

— Spartak — sussurrou Amanda para mim.

Spartak pegou a espingarda de Tadeo, enquanto Pavel pegava a de Kenny.

— As outras também — disse Pavel, estalando os dedos, com a voz e o olhar inexpressivos. — Rápido.

Kenny entregou um 38 da Taurus e Tadeo uma 9 milímetros FNP-9. Pavel guardou as duas espingardas e as duas armas menores dentro de uma bolsa de lona preta no chão.

Yefim terminou de comer o sanduíche e limpou as mãos com um guardanapo. Soltou um arroto, e todos pudemos sentir uma agradável lufada de pimentão, vinagre e presunto, acho.

— Preciso malhar, Pavel.

Pavel ergueu os olhos da bolsa enquanto fechava o zíper.

— Seu corpo está legal, cara.

— Sinto que me falta disciplina.

Pavel levou a bolsa até a cozinha e a pôs sobre a pequena bancada junto ao fogão.

— Seu corpo está legal, Yefim. Todas as mulheres dizem isso.

Ao ouvir essas palavras, Yefim abriu um largo sorriso e arqueou as sobrancelhas enquanto fingia ajeitar os cabelos.

— Que nem o George Clooney, não é? Rá, rá.

— Você é o George Clooney com um pauzão de russo.

— O melhor George Clooney que tem! — gritou Yefim, e ele, Pavel e Spartak puseram-se a gargalhar.

Nós ficamos lá parados nos entreolhando.

Yefim acabou de rir, enxugou os olhos, deu um suspiro e então bateu palma.

— Vamos falar com Kirill. Spartak, fique aqui com Sophie.

Spartak assentiu e afastou a cortina preta que dava para a outra sala. Era maior do que a primeira, quatro e meio por seis metros, pelos meus cálculos, e tinha as paredes espelhadas. Um sofá modulado roxo comprido formava um U. Devia ter sido feito sob medida, pois as laterais ocupavam todo o comprimento da sala. Não havia nada no centro. Acima de nossas cabeças, refletida nos espelhos, uma televisão passava uma novela mexicana. Acima do sofá, prateleiras, dúzias de prateleiras, repletas de mais aparelhos Blu-Ray, iPods, Kindles e laptops.

Um homem magro com uma cabeça imensa estava sentado no meio do sofá ao lado de uma mulher de cabelos escuros. Ela exibia no rosto uma expressão de loucura atormentada que atraía com um fascínio mórbido, irresistível. Violeta Concheza Borzakov já tinha sido uma mulher linda, mas alguma coisa a havia carcomido, e ela não tinha mais que trinta, trinta e dois anos. A pele cansada era coberta de covinhas, como a superfície de um lago no início de uma chuva fina, e os cabelos eram os mais pretos que eu já tinha visto na vida. Nos olhos, que eram quase tão escuros quanto os cabelos, havia algo ao mesmo tempo assustado e assustador; ali vivia uma alma dilacerada, abandonada, perturbada. Ela usava um chapéu grafite e um suéter de gola careca preto sob um xale de seda cinza, uma calça legging preta e botas pretas até os joelhos. Ficou nos olhando chegar como se fôssemos pedaços de carne movendo-se na direção dela em uma churrascaria.

Kirill Borzakov, por sua vez, usava um suéter de seda branco sob uma jaqueta esportiva branca de caxemira, uma calça cargo bege-escura e tênis branco. Tinha os cabelos cor de prata cortados rente ao crânio avantajado, e as bolsas sob seus olhos formavam três dobras. Ele fumava um cigarro com o tipo de estalo alto e molhado que fazia você nunca ter vontade de fumar um cigarro, e batia a cinza nas proximidades de um cinzeiro abarrotado junto à mão direita. Ao lado do cinzeiro, um espelhinho aberto exibia várias pequenas carreiras de cocaína. Seu olhar era impessoal. Devia fazer pelo menos uns trinta anos que qualquer sentimento lá dentro havia murchado e morrido. Tive a sensação de que, se meu peito explodisse e Lênin saísse dele, Kirill continuaria fumando seu cigarro e assistindo à sua novela mexicana.

— Senhoras e senhores, Kirill e Violeta Borzakov — apresentou Yefim.

Kirill se levantou e rodeou nosso grupo, inspecionando sua mercadoria. Olhou para Kenny, para Helene e em seguida para Pavel.

Pavel segurou Kenny e Helene pelos ombros e fez com que se sentassem do lado esquerdo do sofá. Kirill meneou a cabeça para Pavel outra vez e, um ou dois segundos depois, Tadeo foi empurrado para o sofá ao lado de Helene.

Kirill caminhou em volta de mim bem devagar.

— Quem é você?

— Um investigador particular — respondi.

Ouviu-se um barulho de algo sendo sugado quando ele deu um trago no cigarro e bateu a cinza no piso de carvalho falso.

— O investigador particular que encontrou a garota para mim?

— Eu não encontrei a garota para você.

Ao ouvir isso, ele assentiu com a cabeça como se eu tivesse dito algo muito sábio, e então segurou minha mão esquerda.

— Não encontrou a garota para mim?

— Não.

A pressão de sua mão era suave, quase delicada.

— Para quem a encontrou então?

— Para a tia dela.

— Mas não para mim?

Fiz que não com a cabeça.

— Não para você.

Ele tornou a assentir com a cabeça para mim enquanto envolvia meu pulso com os dedos e apagava o cigarro na palma da minha mão.

Não sei bem como consegui não gritar. Durante meio minuto, tudo o que senti foi uma grande brasa abrindo um rombo na minha carne. Senti o cheiro de queimado. Minha vista escureceu, depois ficou vermelha, e então tive uma súbita visão dos nervos da minha mão caídos como trepadeiras e soltando fumaça.

Enquanto me queimava, Kirill Borzakov não desgrudou os olhos dos meus. Os dele não exibiam expressão nenhuma. Nem raiva nem alegria nem a adrenalina que acompanha a violência ou a exultação do poder absoluto. Nada. Eram os olhos de um réptil tomando sol em cima de uma pedra.

Dei vários grunhidos, soltei o ar pelos dentes cerrados e tentei bloquear as imagens de como minha mão devia estar a essa altura. Tive um vislumbre da minha filha e por alguns instantes isso me acalmou, mas então percebi que a tinha trazido para aquele instante, para aquela violência e insanidade sujas, e tentei retirar sua imagem da minha cabeça, afastá-la daquela depravação, e a dor pulsou duas vezes mais forte. Kirill então largou meu pulso e deu um passo para trás.

— Veja se essa tia consegue fazer sua pele nascer de novo.

Tirei a guimba de cigarro já apagada do centro da minha palma, enquanto Violeta Borzakov dizia:

— Kirill, você está na frente da televisão.

A brasa agora estava preta, quase transformada em cinza, e o centro da minha palma parecia a boca de um vulcão — retorcida, vermelha, com a pele queimada repuxada para trás.

Na novela, a música ficou mais alta e uma latina muito bonita com uma blusa branca de camponesa girou nos calcanhares e saiu batendo o pé de um quarto em tons de terra enquanto as luzes diminuíam. Em seguida entrou um comercial com Antonio Sabato Jr. vendendo algum tipo de creme para a pele.

Eu daria mil dólares por aquele creme. Eu daria dois mil dólares por aquele creme e por uma pedra de gelo.

Violeta desgrudou os olhos da televisão.

— Por que ela ainda está com a garota?

Amanda se virou para que eles pudessem ver as algemas.

— Yefim, que merda é essa? — Violeta sentou-se mais ereta e inclinou o corpo para a frente.

Os olhos de Yefim se arregalaram. Ele parecia ter medo dela.

— Nós a trouxemos como prometemos, senhora Borzakov.

— Como prometeram? Você está semanas atrasado, *pendejo*. Semanas. E quem trouxe a menina foi *você*, Yefim, ou foram essas pessoas? — Ela acenou na direção de Kenny, Helene e Tadeo.

— Fomos nós — disse Kenny do sofá. Ele acenou para Violeta, mas ela o ignorou. — Todos nós.

Kirill acendeu outro cigarro.

— Olhe aí a bebê. Pegue logo e acabe com isso.

Violeta deslizou na direção de Amanda como uma cobra d'água. Olhou para Claire, em seguida a cheirou.

— Ela é inteligente?

— Ela tem quatro semanas — respondeu Amanda.

— Ela fala?

— Ela tem quatro semanas.

Violeta tocou a testa da bebê.

— Diga *ma-mãe*. Diga *ma-mãe*.

Claire começou a chorar.

— Shhh — disse Violeta.

Claire chorou mais alto ainda.

Violeta pôs-se a cantar:

— Não chore, bebê. Mamãe vai te dar...

Ela olhou em volta da sala, na nossa direção.

— Um passarinho? — sugeri.

Ela projetou o lábio inferior para a frente em sinal de aceitação.

— E se o passarinho não voar, mamãe vai te comprar um...

Outro olhar em volta. Claire não parava de chorar.

— Um Corvette — disse Tadeo.

Violeta franziu o cenho para ele.

— Um anel de brilhante — disse Yefim.

— Não rima.

— Mas tenho certeza de que é isso.

O choro de Claire ficou ainda mais forte, os berros de um espírito atormentado que Amanda mencionara.

Sentado no sofá, Kirill cheirou uma carreira de pó no espelhinho e disse:

— Faça ela calar a boca.

— Estou tentando — disse Violeta. Ela voltou a tocar a cabeça de Claire. — Shhhhh. — O som saiu como um sibilo, e ela o repetiu. — Shhhhh! Shhhhh!

Isso não melhorou a situação.

Kirill fez uma careta e cheirou mais uma carreira. Levou a mão ao ouvido e fez uma careta ainda mais feia.

— Cale a boca dessa menina.

— Sssssshhhhhhhh! Sssssshhhhhhhh! Eu não sei o que fazer, porra. Você disse que ia contratar uma babá.

— *Contratar* eu contrato. Mas não vou trazer ela para cá. Faça essa menina calar a boca.

— Ssssssshhhhhh!

A essa altura, Tadeo e Kenny já estavam com as mãos nos ouvidos, e Pavel e Yefim faziam várias caretas de desconforto. Apenas Helene parecia alheia a tudo, examinando os aparelhos de DVD e iPods.

— E a chupeta? — falei para Amanda.

— No bolso direito.

Estendi a mão para o bolso dela e olhei para Yefim.

— Posso?

— Porra, meu amigo, claro.

Pus a mão no bolso de Amanda e peguei a chupeta.

— Ssssssshhhhhhhh! — Violeta agora gritava.

Retirei a capa de plástico da chupeta, e o movimento foi como cravar uma estaca na palma da minha mão queimada. Meus olhos se encheram de lágrimas e se arregalaram, mas estendi a mão por cima do ombro de Amanda e pus a chupeta na boca da bebê.

O nível sonoro da sala caiu na mesma hora. Claire começou a sugar a chupeta com os lábios, para a frente e para trás.

— Melhor — disse Kirill.

Violeta passou as duas mãos pelo rosto.
— Você mimou essa criança.
— Como é? — disse Amanda.
— Você mimou a menina. É por isso que ela grita desse jeito. Ela vai aprender a não fazer isso.
— Porra, sua imbecil, ela tem quatro semanas de idade — disse Amanda.
— Não fale palavrão na frente da bebê — lembrei a ela.
Amanda me encarou com uma expressão alegre e afetuosa nos olhos.
— Desculpe.
— Do que você me chamou? — Violeta olhou para o marido. — Você ouviu o que ela disse?
Kirill disfarçou um bocejo com a mão.
Violeta chegou mais perto de Amanda e a encarou com aqueles olhos destruídos.
— Corte — ela disse.
— Cortar o quê? — perguntou Yefim.
— As algemas.
— Não dá para cortar esse tipo de algema — disse Yefim. — Talvez queimando.
Kirill acendeu outro cigarro na guimba do anterior, fechando os olhos por causa da fumaça.
— Então queime.
— Vamos acabar queimando a garota.
— Não se cortarem as mãos dela — disse Violeta.
— Senhora Borzakov? — disse Yefim.
Violeta não tirava os olhos de Amanda, e seus rostos estavam tão juntos que os narizes quase se tocavam.
— Primeiro nós damos um tiro nela. Depois cortamos as mãos. Aí damos um jeito de tirar as algemas dela. — Ela tornou a olhar para o marido. — Não é?
Kirill tinha os olhos levantados para a televisão.
— Hã?
— *Escuche! Escuche!* — Violeta deu um tapa no próprio peito. — Eu estou aqui, Kirill. — Ela tornou a bater no próprio peito, dessa vez com mais força. — Eu existo. — Outro tapa. — Eu faço parte da sua vida.

— Tá bom, tá bom — ele disse. — E agora?

— Nós damos um tiro na garota e cortamos fora as mãos dela.

— Tá bom, querida. — Kirill acenou em direção à outra extremidade do trailer. — Faça isso no quarto dos fundos.

Yefim estendeu a mão para Amanda, que nem sequer se encolheu.

— Deixe que eu faço — disse Violeta.

As sobrancelhas de Yefim se arquearam.

— O quê?

— Eu quero fazer — disse Violeta sem deixar de encarar Amanda. — Ela prefere que seja uma mulher. Eu a conheço.

— Pode deixar — disse Kirill para Yefim, acenando com um gesto cansado.

Durante toda essa conversa sobre o seu próprio assassinato, Amanda não deu um pio sequer. Não tremeu, não ficou pálida. Continuou encarando os dois sem piscar.

— O quê? — disse Helene. — Esperem um instante. O que está acontecendo aqui?

A bolsa de Helene continuava a seus pés. Eles não a haviam revistado em busca de armas, e a minha 45 estava lá dentro. Eu precisava de quatro passos para chegar à bolsa. Então teria que pôr a mão lá dentro, soltar a trava de segurança e apontar a arma para alguém. Pelos meus cálculos, mesmo sendo muito otimista, Pavel e Yefim conseguiriam me dar mais de dez tiros antes de eu tirar a arma da bolsa.

Fiquei onde estava.

— O que está acontecendo? — perguntou Helene outra vez, mas ninguém prestou atenção nela.

Violeta deu um beijo na bochecha de Amanda e passou a mão na cabeça de Claire.

— Senhora Borzakov? — disse Yefim. — A senhora já disparou essa arma antes?

Ela andou até onde ele estava.

— Que arma?

— Esta aqui — ele disse. — É uma pistola automática calibre 40.

— Eu gosto de revólveres.

— Eu não tenho um revólver aqui agora.

— Tudo bem. — Ela suspirou e afastou os cabelos dos ombros. — Me mostre a arma.

Yefim entregou a arma a Violeta e mostrou-lhe onde ficava a trava de segurança.

— Ela está puxando um pouco para a esquerda — explicou. — E o tiro aqui dentro vai fazer um barulhão.

— Você prometeu que ninguém ia se machucar — disse Helene para Kenny.

— É, senhor Borzakov — disse Kenny para Kirill. — Tínhamos um acordo.

— Nada de acordo com você. — Kirill fez um aceno. — Pavel.

Pavel apontou uma arma Makarov para Helene e Kenny.

— Quer que eu leve esses dois lá para trás também, Kirill?

— Quero — respondeu Kirill. — O que vocês fizeram com a outra garota?

Pavel fez um gesto na direção de Claire.

— A mãe da bebê?

— É.

— Ela não é problema, chefe. Está lá na sala. Spartak vai cuidar dela assim que eu pedir.

— Ótimo, ótimo.

Yefim terminou de mostrar a Violeta como usar a arma.

— Entendeu agora?

— Entendi.

— Tem certeza, senhora Borzakov?

Ela soltou a arma.

— Tenho, tenho certeza. Você acha que eu sou burra, Yefim?

— Acho, um pouquinho. — Yefim inclinou o cano da

arma para cima e puxou o gatilho. A bala entrou no crânio de Violeta pela pele macia sob o palato. Saiu pelo alto da cabeça e foi parar no teto junto com uma explosão de sangue e osso. O chapéu dela desapareceu atrás do sofá. Seus joelhos bambearam para a esquerda, depois para a direita, e ela caiu no sofá e depois escorregou até o chão.

Kirill começou a se levantar, mas Yefim deu-lhe um tiro na barriga. Ele soltou um ganido igual ao que eu havia escutado certa vez de um cachorro ao ser atropelado por um carro.

Spartak surgiu pela cortina com um revólver em punho e Pavel deu-lhe um tiro na têmpora enquanto ele ainda estava no meio do movimento. Spartak deu meio passo enquanto seus miolos escorriam pela parede espelhada, cor-de-rosa e vermelhos, e então desabou de cara no chão aos meus pés, com a boca aberta, bufando.

Em poucos instantes, parou de bufar.

Pavel moveu o braço e apontou para o peito de Kenny.

— Espere aí — disse-lhe Kenny. — Espere.

Pavel olhou para Yefim. Yefim relanceou os olhos para Amanda. Um ou dois segundos depois, tornou a olhar para Pavel e piscou uma vez.

Pavel disparou um tiro no peito de Kenny e ele deu um salto sem sair do lugar, como quem é atingido por uma arma de choque.

Helene gritou.

De olhos fechados, Tadeo começou a dizer:

— Não, não, não, não, não.

Kenny levantou o braço e olhou em volta com expressão atarantada, morrendo de medo. Pavel deu um passo à frente e disparou outro tiro em sua testa, e ele então parou de se mexer.

Helene se encolheu no sofá em posição fetal e forçou-se a parar de gritar, com a boca aberta e encharcada de saliva, a baba escorrendo pelo queixo, mas sem emitir som nenhum, enquanto olhava para Kenny mais morto do que nunca no carpete ao lado de Spartak. Pavel apontou a arma para ela, mas não puxou o gatilho. Tadeo desceu do sofá, caiu de joelhos no chão e começou a rezar.

Kirill agarrou o sofá como quem tenta achar o controle remoto no escuro. Grunhiu várias vezes enquanto o sangue empapava seu suéter branco e a calça bege. Abriu a boca para sorver uma golfada de ar, os olhos pregados no teto, enquanto Yefim apoiava um dos joelhos no sofá a seu lado e encostava o cano da Springfield XD no coração dele.

— Eu amei você como se fosse meu pai, mas você virou uma vergonha, cara. Acho que foi de tanto cheirar pó. E vodca demais.

— Se matar seu chefe, quem vai trabalhar com você? — indagou Kirill. — Quem vai confiar em você?

Yefim sorriu.

— *Todo mundo* aprova o que estou fazendo: os chechenos, os georgianos, até aquele moscovita maluco de Brighton Beach. Sabe, aquele que você disse que nunca ia mandar no negócio? Pois agora ele manda, Kirill. E concorda que você tem que morrer.

Kirill levou as mãos ao buraco em sua barriga e arqueou as costas por causa da dor.

Yefim cerrou os dentes e sugou os próprios lábios.

— Vou dizer uma coisa para você, Yefim. Eu...

Yefim puxou o gatilho duas vezes. Os olhos de Kirill se reviraram nas órbitas. Ele soltou o ar e o som saiu incrivelmente agudo. Seus olhos continuaram revirados, e apenas o branco aparecia. Quando Yefim se afastou do sofá, saiu fumaça da boca de Kirill e do buraco em seu peito ao mesmo tempo.

Yefim foi até Amanda.

— Vamos deixar sua mãe viva?

— Ai, meu Deus — gemeu Helene do sofá, ainda em posição fetal.

Amanda passou um longo tempo olhando para Helene.

— Acho que sim. Mas não diga que ela é minha mãe.
— E o espanholzinho?
— Ele provavelmente precisa de um emprego.
— Ei, nanico — disse Yefim. — Você quer um emprego?
— Não, cara, nem quero — respondeu Tadeo. — Pra mim chega dessa merda toda. Tudo o que eu quero é voltar a trabalhar com meu tio.
— O que ele faz?
O sotaque de Tadeo sumiu de repente.
— É corretor de seguros.
Yefim sorriu.
— Pior ainda do que nós. Não é, Pavel?
Pavel riu. Uma risada espantosamente aguda, uma risadinha.
— Certo, então, nanico. Quando sair daqui, vá vender seguros. Então acho que já chega de matar por hoje. Pavel?
Pavel assentiu.
— Porra, cara, meus ouvidos estão doendo.
Yefim ergueu os olhos para o teto.
— A estrutura destes troços é uma merda. Alumínio demais. *Pam, pam.* Agora que o rei sou eu, Pavel, chega de trailers.
— George Clooney não é rei — disse Pavel.
Ycfim bateu palma.
— Ah! Nisso você tem razão. George Clooney que se foda, não é? Um dia ele talvez *interprete* um rei, mas nunca vai *ser* um rei como Yefim.
— Isso com certeza, chefe.
Yefim levou a mão ao bolso do casaco e tirou uma chavinha preta. Aproximando-se de Amanda, falou:
— Estenda os pulsos.
Amanda obedeceu.
Yefim abriu a algema direita de Amanda e em seguida a de Claire.
— Cara, olhe só para ela. Está dormindo.
— Ela não parece ligar para barulho — disse Aman-

da. — Juro para vocês, cada dia é uma surpresa com essa menina.

— Eu que o diga. — Yefim abriu a outra argola que prendia Claire. — Está segurando firme?

— Estou.

— Segure firme.

— Estou segurando. Ela está no canguru, Yefim.

— Claro. Esqueci. — Yefim segurou as algemas pelo meio e as arrancou de Amanda e de Claire.

Amanda esfregou os pulsos e olhou em volta para a carnificina.

— Bom...

Yefim estendeu a mão.

— Foi um prazer, senhorita Amanda.

— Você também não é nada mal, Yefim. — Ela apertou a mão dele. — Ah, a cruz está dentro da bolsa de Helene.

Yefim estalou os dedos. Pavel jogou-lhe a bolsa. Yefim pegou a cruz lá dentro e sorriu.

— Antes de ir parar na Mordóvia há duzentos anos, minha família morava em Kiev. — Ele arqueou as sobrancelhas para mim. — É verdade. Meu pai me disse que somos descendentes do príncipe Yaroslav. Isto aqui é herança de família, cara.

— De príncipe para rei — disse Pavel.

— Ah, cara, que gentileza a sua. — Ele vasculhou o interior da bolsa e olhou para mim. — De quem é esta arma?

— Minha.

— E estava dentro da bolsa esse tempo todo? Pavel!

Pavel ergueu as mãos.

— Era Spartak quem devia ter revistado a mulher.

Os dois olharam para Spartak enquanto seu sangue escorria para baixo do sofá. Depois de alguns segundos, entreolharam-se e deram de ombros.

Yefim me entregou a arma como se estivesse me passando uma latinha de refrigerante, e eu a guardei no coldre preso às minhas costas. Quatro pessoas tinham acabado de ser mortas na minha frente e eu não sentia nada. Zero. Era esse o preço por ter passado vinte anos nadando em um mar de merda.

— Ah, espere aí. — Yefim levou a mão ao bolso de trás e sacou uma grossa carteira preta. Remexeu nela por alguns instantes e então me entregou minha habilitação. — Se um dia você precisar de alguma coisa, é só me ligar.

— Não vou precisar — falei.

Ele estreitou os olhos para mim.

— Vai vender seguros que nem o nanico?

— Seguros, não.

— O que você vai fazer, então?

— Voltar a estudar — falei, e percebi que era verdade.

Ao ouvir isso, ele arqueou as sobrancelhas e em seguida concordou.

— Boa ideia. Isso não é mais vida para você.

— Não.

— Você está velho.

— É.

— Tem filha, tem mulher.

— Exatamente.

— Está velho.

— Você já disse isso.

Ele estendeu a cruz para eu ver.

— Linda, não é? Acho que, toda vez que alguém morre por ela, esta cruz fica mais bonita.

Apontei para a inscrição em latim na parte inferior.

— O que significa isso?

— O que você acha que significa?

— Alguma coisa sobre o céu, o paraíso. Talvez o jardim do Éden. Sei lá.

Yefim olhou para os corpos sobre o sofá e a seus pés. Deu uma risadinha.

— Você vai gostar, cara. Significa: "O lugar da caveira virou paraíso".

— E isso significa o quê?

— Sempre achei que morrer não é a morte. Você pode ver uma caveira ali, mas o cara já está no paraíso. Para sempre, amigo. — Ele coçou a têmpora com o visor da arma e deu um suspiro. — Você tem Blu-Ray?
— Hã?
— Tem um aparelho Blu-Ray?
— Não.
— Ah, cara, você é doido. Pavel, diga a ele.
— Se você nunca assistiu a um filme em Blu-Ray, nunca assistiu a um filme de verdade — disse Pavel. — É por causa dos pixels: mil e oitenta dpis, som Dolby True HD... Vai mudar a sua vida, cara.

Yefim acenou para as caixas empilhadas perto do cadáver de Kirill.

— Eu gosto do Sony, mas Pavel é fã do JVC. Leve um de cada. Use os dois com a sua mulher e a sua filha, depois me diga qual prefere. Tá bom?
— Claro.
— Quer um PlayStation 3?
— Não, tranquilo.
— Quer um iPod?
— Já tenho dois, valeu.
— E um Kindle, meu amigo?
— Não.
— Certeza?
— Certeza.

Ele balançou a cabeça várias vezes.

— Não consigo dar essas porras de presente.

Estendi a mão que não estava queimada.

— Cuide-se, Yefim.

Ele segurou meus ombros com força e me beijou nas duas bochechas. Ainda estava com cheiro de presunto e vinagre. Deu-me um abraço e bateu nas minhas costas com os punhos fechados. Só então apertou minha mão.

— Você também, meu bom amigo, seu ordinário.

25

Somando tudo, foi uma véspera de Natal interessante. Demoramos para sair do estacionamento de trailers porque tanto Helene quando Tadeo tinham sujado as calças quando Yefim e Pavel mataram quatro pessoas durante o tempo que se poderia levar para acender um cigarro. Então Tadeo desmaiou. Isso foi logo depois de Yefim e eu conversarmos sobre aparelhos Blu-Ray e Kindles. Trocamos nosso abraço de russos, ouvi um baque, olhei e vi Tadeo caído no chão do trailer respirando como um peixe que tivesse pego uma onda até a praia e se esquecido de voltar para o mar.

— Se quiser saber o que eu penso, acho que esse nanico não vai dar conta de vender seguros — disse Yefim.

Passamos algum tempo parados ao lado do Suburban — Amanda, Claire, Sophie e eu. Sophie tremia, fumava e olhava para mim com um ar de desculpas, mas eu não saberia dizer se era por causa do cigarro ou dos tremores. Pavel tinha dito para esperarmos um pouco e entrado de novo no trailer. Quando voltou, trazia dois aparelhos Blu-Ray.

Dentro do trailer, alguém ligou uma serra elétrica.

Pavel entregou-me os aparelhos.

— Bom proveito. Do *svidanya*.

— Do *svidanya*.

Fui até a traseira do carro e chamei Pavel quando ele estava chegando à porta dos fundos do trailer.

— Não temos a chave do carro.

Ele me olhou de volta.
— Estava com Kenny. Deve estar no bolso dele.
— Um minuto.
— Ei, Pavel.
Ele olhou para trás, com a mão na maçaneta.
— Tem gelo lá dentro? — Ergui minha mão queimada.
— Vou dar uma olhada. — Ele entrou no trailer.
Pus os aparelhos Blu-Ray no chão de trás do Suburban, e meu celular tocou. No identificador de chamadas estava escrito: Angie Cel. Abri o flip do telefone o mais rápido possível e afastei-me do carro em direção ao rio.
— Oi, querida.
— Oi — ela disse. — Como vai Boston?
— Está gostoso aqui agora. O tempo. — Cheguei à margem do rio e fiquei em pé vendo a água marrom do rio Charles correr vagarosamente, com lascas de gelo passando de vez em quando. — Três, quatro graus. Céu azul. Parece o dia de Ação de Graças. E por aí?
— Uns dois graus. Gabby está adorando. As praças, as charretes puxadas a cavalo, as árvores. Ela está doidinha.
— Então você vai ficar aí?
— Claro que não. É Natal. Estamos no aeroporto. Embarcamos daqui a uma hora.
— Eu não cheguei a te avisar que a barra estava limpa.
— É, mas Bubba avisou.
— Ah, foi?
— Ele disse que era fácil matar russos tanto em Boston quanto em Savannah.
— Verdade. Então tá, pode voltar para casa.
— Você já terminou?
— Terminei. Espere aí.
— O que foi?
— Espere um instante. — Apoiei o telefone entre a orelha e o ombro, o que nunca é tão fácil de fazer com um celular quanto com um aparelho fixo. Saquei meu Colt Commander 45 do coldre nas costas. — Ainda está na linha?
— Estou.

Ejetei o carregador da arma, depois retirei o cartucho que estava na câmara. Deslizei o *slide* para trás e desencaixei-o do cabo. Joguei o *slide* na água.

— O que você está fazendo? — perguntou Angie.

— Jogando minha arma no Charles.

— Mentira.

— É sério. — Joguei o carregador no rio e o vi afundar na correnteza vagarosa. Mais um gesto do meu pulso e o cabo foi atrás. Fiquei segurando um cartucho e o corpo da arma. Olhei para os dois objetos.

— Você jogou sua arma fora? A 45?

— Sim, senhora. — Joguei a arma para o alto, fazendo-a executar um arco e levantar uma quantidade respeitável de água ao cair.

— Meu bem, você vai precisar dela para trabalhar.

— Não — falei. — Chega de toda esta merda. Mike Colette me ofereceu um emprego na empresa de frete e eu vou cobrar a proposta.

— Está falando sério?

— Sabe o que é, querida? — Voltei a olhar para o trailer. — Quando você começa a trabalhar neste negócio, acha que o que vai derrubar você são as coisas verdadeiramente horríveis: o coitado daquele menininho na banheira em 1998, o que aconteceu no bar de Gerry Glynn, aquele bunker em Plymouth, meu Deus... — Respirei fundo, soltei o ar lentamente. — Mas não são essas coisas que derrubam a gente. São as coisinhas pequenas. O que me deprime não são as pessoas sacaneando outras pessoas por um milhão de dólares, mas elas fazerem isso por dez dólares. Hoje em dia estou cagando se a mulher do fulano está traindo o cara, porque ele provavelmente merece. E as seguradoras? Eu ajudo essas empresas a provar que um cara forjou uma lesão no pescoço, aí elas vão e se recusam a cobrir metade do bairro quando chega a recessão. Nos últimos três anos, toda vez que eu sento na beira da cama para pôr o sapato de manhã, tenho vontade de me enfiar de novo debaixo das cobertas. Não quero ir para a rua e fazer o que eu faço.

— Mas você fez várias coisas boas. E sabe disso, não sabe?

Eu não sabia.

— Fez, sim — ela disse. — Todo mundo que eu conheço mente, falta com a palavra e tem desculpas perfeitamente legítimas para fazer isso. Exceto você. Será que não percebeu isso? Em doze anos, você disse duas vezes que ia encontrar essa menina, custasse o que custasse. E encontrou. Por quê? Porque você deu sua palavra. E isso pode não significar porra nenhuma para o resto do mundo, mas para você significa tudo. O que quer que tenha acontecido hoje, você a encontrou duas vezes, Patrick. Quando ninguém nem mesmo tentaria.

Olhei para o rio e senti vontade de puxá-lo e me cobrir com ele.

— Então eu entendo por que você não consegue mais continuar — disse minha mulher —, mas não vou ficar calada escutando você dizer que não significou nada.

Passei ainda algum tempo olhando para o rio.

— Algumas coisas significaram.

— Algumas coisas, sim — ela disse.

Olhei para as árvores sem folhas e para o céu de ardósia que se estendia atrás delas.

— Mas eu vou cair fora. Tudo bem por você?

— Tudo ótimo — ela disse.

— Mike Colette está tendo um ano bom. O armazém de distribuição vai de vento em popa. No mês que vem ele vai abrir outro depois de Freeport.

— E como você pagou a faculdade trabalhando com frete... — ela disse. — É nesse ramo que você se vê daqui a dez anos?

— Hã? Não, não, não. É nesse ramo que você me vê?

— De jeito nenhum.

— Pensei em fazer mestrado. Tenho quase certeza de que posso conseguir alguma ajuda financeira, uma bolsa, algo assim. Minhas notas eram excelentes.

— Excelentes? — Ela deu uma risadinha. — Você estudou em colégio público.

— Quanta frieza — falei. — Mesmo assim, eram notas excelentes.
— E qual segunda carreira o meu marido quer?
— Eu estava pensando em ser professor. De história, quem sabe.
Esperei o comentário sarcástico, a piadinha provocativa. Mas ela não veio.
— Gostou da ideia? — perguntei.
— Acho que você daria um ótimo professor — ela disse com uma voz suave. — E o que vai dizer para a Duhamel-Standiford?
— Que esta foi a minha última causa perdida. — Um gavião deu um rasante rápido acima da água sem fazer barulho. — Vou estar esperando vocês no aeroporto.
— Você acabou de salvar o meu ano — ela disse.
— E você salvou a minha vida.
Depois de desligar, olhei mais uma vez para o rio. A luz havia mudado enquanto eu estava ao telefone, e agora a água tinha um tom de cobre. Equilibrei a última bala da arma na ponta do polegar. Passei algum tempo examinando-a e fui estreitando os olhos até vê-la como uma torre alta construída à margem do rio. Então com o dedo médio dei um peteleco no meio do polegar e lancei a bala para dentro da água acobreada.

— Feliz Natal — disse Jeremy Dent quando a secretária lhe passou a ligação. — Terminou seu trabalho de caridade?
— Terminei — respondi.
— Então nos vemos depois de amanhã.
— Não.
— Hã?
— Eu não quero trabalhar para você, Jeremy.
— Mas você disse que queria.
— Bom, nesse caso acho que enrolei você — falei. — Não é uma sensação muito boa, é?

Quando desliguei na cara dele, ele estava me xingando de um nome bem feio.

No canto sudoeste do estacionamento de trailers, alguém tinha disposto bancos e vasos de plantas para criar uma área de estar. Andei até lá e me sentei em um dos bancos. Não era o pátio dos fundos da mansão dos Vanderbilt nem nada desse tipo, mas não era mau. Foi ali que Amanda me encontrou. Ela me entregou a chave do carro e um saquinho de plástico cheio de gelo.

— Pavel pôs seus eletrônicos no porta-malas.
— Que assassino da Mordóvia mais prestativo. — Encostei o gelo no meio da palma da mão.

Amanda sentou-se no banco à minha direita e olhou para o rio.

Estendi a mão e pus a chave do Suburban no banco a seu lado.

— Eu não vou voltar para os montes Berkshire.
— Não? Mas e seus aparelhos Blu-Ray?
— Pode ficar com eles — falei. — Esbalde-se com a alta definição.

Ela concordou.
— Obrigada. Como você vai voltar para casa?
— Se bem me lembro — falei —, tem uma rodoviária em Spring Street, do outro lado da Rodovia 1. Vou pegar um ônibus até Forest Hills, depois o metrô até Logan para encontrar minha mulher e minha filha.
— Belo plano.
— E você?
— Eu? — Ela deu de ombros. Tornou a olhar para o rio durante algum tempo.

Depois de o silêncio durar um tempo excessivo, perguntei:
— Onde está Claire?

Ela inclinou a cabeça para trás na direção do carro.
— Com Sophie.

— E Helene e Tadeo?

— Na última vez que vi Yefim, ele estava tentando fazer Tadeo desembolsar uma grana a mais numa calça jeans da Mavi. Tadeo tremia e só conseguia dizer: "Me dê a porra da Levi's e pronto, cara", mas Yefim dizia: "Por que você usa Levi's, cara? Pensei que tivesse classe".

— E Helene?

— Ele deu uma calça bem bonita da Madewell para ela. E nem cobrou nada.

— Não, eu quis saber se ela continua vomitando.

— Parou faz uns cinco minutos. Daqui a mais dez, já vai estar pronta para andar de carro.

Olhei para trás por cima do ombro na direção do trailer. A estrutura tinha um aspecto pálido e inócuo contra o fundo marrom da água e o céu azul. Do outro lado do rio havia um restaurante irlandês. Vi clientes almoçando, olhando pelas janelas com rostos inexpressivos, sem fazer ideia do que havia dentro do trailer à espera da serra elétrica.

— Então, que coisa mais... — falei.

Ela acompanhou meu olhar. Tinha os olhos arregalados com o que imagino fosse um resquício de choque. Talvez *achasse* que sabia como ia ser lá dentro, mas na verdade não sabia. Um misto de sorriso e franzir de cenho, estranho e fragmentado, curvou os cantos de sua boca.

— Não foi?

— Você já tinha visto alguém morrer?

Ela assentiu.

— Timur e Zippo.

— Então não é nenhuma novata em termos de morte violenta.

— Também não sou nenhuma especialista, mas acho que estes jovens olhos já viram algumas coisas.

Fechei o zíper do casaco e levantei a gola, pois o ar do fim de dezembro soprava do rio e serpenteava para dentro do estacionamento.

— Como foi que esses jovens olhos se sentiram ao ver Dre explodir diante deles?

Ela permaneceu imóvel, apenas ligeiramente curvada para a frente, com os cotovelos apoiados nos joelhos.
— Foi o chaveiro, não foi?
— É, foi o chaveiro.
— Morto ou vivo, o fato de ele carregar uma foto da minha filha no bolso não me agradava, só isso. — Ela deu de ombros. — Foi mal.
— E tenho certeza de que você sabia o horário do Acela quando jogou a cruz nos trilhos.
Ela riu.
— Está falando sério? Não sei o que você acha que aconteceu naquele mato, mas acha mesmo que as pessoas andam por aí totalmente conscientes dos próprios motivos o tempo todo? A vida é bem menos linear do que isso. Eu tive um impulso. Joguei a cruz. O idiota correu atrás. E morreu.
— Mas por que você jogou a cruz?
— Ele estava falando em parar com a bebida para ser o homem que eu precisava. Era nojento. Não tive coragem de dizer a ele que não preciso de homem nenhum, então simplesmente joguei a droga da cruz.
— Nada mal essa história — falei —, mas ela não responde à pergunta original: pra começo de conversa, por que estávamos lá? Não íamos trocar nada por Sophie. Ela nem estava na floresta naquele dia.
Amanda permaneceu estranhamente imóvel. Depois de algum tempo, falou:
— Dre precisava sair de cena. De uma forma ou de outra, ele já tinha cumprido o seu papel. Se tivesse simplesmente ido embora, ainda estaria vivo.
— Se tivesse simplesmente ido embora para outro lugar que não a frente da porra de um trem expresso, você quer dizer.
— É. Exato.
— E se eu estivesse com Dre?
— Mas você não estava. Não foi um acidente. Desde o dia em que Timur e Zippo morreram e eu acabei ficando

com Claire e com a cruz... — Ela sacudiu a cabeça devagar. — Nada foi um acidente.

— Mas e se tudo não tivesse corrido conforme o planejado?

Ela virou a palma das mãos para cima sobre os joelhos.

— Mas *correu*. Kirill nunca teria concordado em vir até um lugar como este se tudo não parecesse perfeitamente lógico de uma forma muito doentia. Cada um teve que desempenhar seu papel até o último detalhe. Na minha experiência, o único jeito de isso acontecer é quando as pessoas não sabem que estão desempenhando um papel.

— Como eu.

— Ah, por favor. — Ela deu uma risadinha. — Você *desconfiava*. Quantas vezes ficou imaginando por que me deixei encontrar com tanta facilidade? Nós precisávamos facilitar as coisas: a inteligência combinada de Kenny, Helene e Tadeo não seria capaz de solucionar nem as palavras cruzadas do guia de tevê. Eu precisava me certificar de que as migalhas de pão fossem grandes o suficiente.

— Quanto tempo Yefim demorou para encontrar você depois que Timur morreu?

— Umas seis horas.

— E?

— E eu perguntei a ele qual era a sensação de ter um chefe tão incompetente a ponto de mandar um débil mental como Timur buscar algo tão precioso quanto a Cruz de Belarus. Isso não demorou a surtir efeito.

— Então o plano sempre foi deixar Kirill desesperado e constrangido o suficiente para que um golpe parecesse inevitável visto de fora.

— Com o tempo nós refinamos o plano, mas o objetivo geral era esse. Eu ficava com a bebê e Sophie, e Yefim com o resto.

— E Sophie? O que vai acontecer com ela agora?

— Bom, para começar, uma clínica de reabilitação. Depois, quem sabe, vamos visitar a mãe dela.

— Elaine, você quer dizer?
Ela assentiu.
— Elaine é a mãe dela. Está tudo na criação, Patrick, não na biologia.
— E a mulher que criou você?
— Beatrice? — Ela sorriu. — É claro que vou procurar Bea. Não amanhã, mas em breve. Ela precisa conhecer a sobrinha-neta. Não se preocupe com Bea. Ela nunca vai ter que se preocupar com nada pelo resto da vida. Já contratei um advogado para começar a trabalhar na liberação de tio Lionel antes do final da pena. — Ela se recostou no banco. — Eles vão ficar bem.

Passei algum tempo observando-a, aquela menina de quase dezessete anos que parecia ter, bem, uns oitenta.

— Você sente algum remorso pelo que aconteceu?
— Isso ajudaria você a dormir? Saber que eu sinto remorso? — Amanda levou uma das pernas até em cima do banco, apoiou o queixo no joelho e ficou olhando para o espaço que nos separava. — Só para você saber, meu coração não é de pedra. Só é de pedra com os escrotos. Se o que você quer são lágrimas de crocodilo, eu não vou chorar. Por quem? Por Kenny e sua condenação por estupro? Por Dre e sua fábrica de bebês? Por Kirill e sua mulher psicopata? Por Timur e...

— Que tal por você mesma? — indaguei.
— Hã?
— Por você mesma — repeti.

Ela sustentou meu olhar movendo o maxilar, mas sem emitir nenhum som. Depois de um tempo, seu maxilar parou de se mexer.

— Você sabe como era a mãe de Helene?
Fiz que não com a cabeça.
— Uma bêbada que vivia doidona de gim — ela disse. — Frequentou o mesmo bar por vinte anos e fumou e bebeu tanto que acabou morrendo cedo. Quando ela morreu, ninguém do bar foi ao seu enterro. Não porque não gostassem dela, mas porque nem sabiam seu sobre-

nome. — Seu olhar se enevoou por um instante, ou talvez tenha sido o reflexo do rio. — E sabe como era a mãe dela? Mais ou menos igual. Pelo que eu sei, nenhuma mulher da família McCready se formou no ensino médio. Elas passaram a vida inteira dependentes de homens e de álcool. Então, daqui a vinte e dois anos, quando Claire for para a faculdade e estivermos morando em uma casa onde a corrida de baratas não for a principal diversão, onde a energia elétrica *nunca* vai ser desligada e onde as agências de cobrança não vão telefonar todo dia às seis da manhã... quando *essa* for a minha vida, aí sim você pode me perguntar quantos arrependimentos eu tenho pela minha juventude perdida. — Ela uniu a palma das mãos acima do joelho. Vista de longe, poderia dar a impressão de estar rezando. — Até lá, porém, se você não se importa, eu vou dormir feito um bebê.

— Bebês acordam de duas em duas horas para chorar.

Amanda me lançou um sorriso doce.

— Então eu vou acordar de duas em duas horas e chorar.

Passamos mais alguns minutos ali sentados sem ter o que dizer um ao outro. Ficamos olhando para o rio, cada qual encolhido dentro de seu casaco. Então nos levantamos e nos juntamos aos outros.

Helene e Tadeo se remexiam sem sair do lugar em frente ao Suburban, apáticos, em choque. Sophie segurava Claire no colo e não parava de olhar para Amanda como se fosse fundar uma religião com o nome dela.

Amanda pegou Claire do colo da amiga e olhou para aquele grupo heterogêneo.

— Patrick vai pegar um ônibus. Deem tchau para ele.

Recebi três acenos, o de Sophie acompanhado por mais um sorriso de desculpas.

— Tadeo, você disse que mora em Bromley-Heath, não é? — perguntou Amanda.

— Isso — respondeu Tadeo.
— Vamos deixar Tadeo primeiro, depois Helene. Sophie, você dirige. Está limpa, não está?
— Estou.
— Então, tá. Vamos ter que fazer uma parada. A alguns quilômetros daqui tem um supermercado Costco na Rodovia 1. Eles vendem coisas para bebês.
— Agora não é hora de comprar brinquedos — disse Tadeo. — Hoje é véspera de Natal.
Ela fez uma careta para ele.
— Não vamos comprar brinquedos para ela. Vamos comprar uma cadeirinha para o carro. Já imaginou ir até os montes Berkshire sem cadeirinha? Porra, cara. — Ela alisou os cabelos castanhos e finos de Claire. — Que tipo de mãe você acha que eu sou?

Fui a pé para a rodoviária. Peguei o ônibus até o metrô. Peguei o metrô até o aeroporto de Logan. Nunca mais vi Amanda.
Encontrei minha mulher e minha filha no terminal C do aeroporto. Gabby não correu para os meus braços em câmera lenta como sempre imaginei que faria em um momento desses. Ficou escondida atrás da perna da mãe em uma de suas raras demonstrações de timidez, espiando na minha direção. Fui até elas e beijei Angie, até sentir um puxão no meu jeans, olhar para baixo e ver Gabby com os olhos erguidos para mim, ainda inchados por causa do cochilo tirado no avião. Ela levantou os braços.
— Colo, papai?
Peguei minha filha no colo. Beijei sua bochecha. Ela beijou a minha. Beijei sua outra bochecha e ela beijou minha outra bochecha. Encostamos testa com testa.
— Ficou com saudades de mim? — perguntei.
— Fiquei, sim, papai.
— Que jeito mais formal de falar: "Fiquei, sim, papai". Sua avó andou ensinando você a ser uma mocinha educada?

— Ela me fez sentar com as costas retas.
— Que horror.
— O tempo todo.
— Até na cama?
— Na cama, não. Sabe por quê?
— Por quê?
— Porque seria uma bobagem.
— Seria mesmo — concordei.
— Quanto tempo vai durar essa troca de fofuras? — Bubba surgiu do nada. Ele é da mesma altura de um rinoceronte jovem de pé sobre as patas traseiras, por isso sua capacidade de chegar sem ser notado sempre me assombra.
— Onde você estava?
— Guardei uma coisa antes de embarcar, então tive que pegar de volta agora.
— Muito me espanta que não tenha conseguido passar com essa coisa pela segurança.
— Quem disse que eu não passei? — Ele indicou Angie com o polegar. — Essa daí é que está com problemas de bagagem.
— Uma mala pequena — disse Angie, afastando as mãos para indicar o tamanho de um pão. — E uma segunda mala pequena. Fiz umas comprinhas ontem.
— Então vamos para a esteira — falei.

A esteira onde chegaria a bagagem do voo foi mudada duas vezes, como era típico daquele aeroporto, o que nos obrigou a zanzar de um lado para o outro na área de bagagens. Depois ficamos de pé com um monte de gente, todos se acotovelando para chegar mais perto da esteira, olhando nada acontecer. A esteira não se mexeu. A pequena luzinha não girou. O apito que anunciava a chegada das malas não soou.

Gabby ficou sentada nos meus ombros puxando meus cabelos, e de vez em quando minhas orelhas. Angie segurava meu braço com um pouco mais de força que de costume. Bubba foi até a banca de jornais e, quando nos demos conta, já estava passando uma cantada na vendedora, inclinado sobre o balcão e sorrindo. A mulher tinha pele cor de caramelo e trinta e poucos anos. Era baixa e magra, mas, mesmo de longe, tinha jeito de quem sabia dar um chute na bunda de quem estivesse enchendo o saco dela. Com as atenções de Bubba, porém, seu rosto pareceu cinco anos mais jovem e ela começou a retribuir cada sorriso dele.

— Sobre o que você acha que eles estão falando? — perguntou Angie.

— Sobre armas de fogo.

— Por falar nisso, você jogou mesmo a arma no rio Charles?

— Joguei.

— Jogando lixo no rio...

Assenti.

— Mas eu sempre reciclo, então posso cometer um pecadinho ecológico de vez em quando.

Ela apertou meu braço e encostou a cabeça no meu peito por alguns instantes. Segurei-a com força com um dos braços. O outro estava ocupado em manter minha filha segura em cima dos meus ombros.

— Jogar lixo na rua é falta de educação — disse Gabby, e seu rosto apareceu de repente a dois centímetros do meu, de cabeça para baixo.

— É mesmo.

— Então por que você jogou?

— Às vezes as pessoas erram — falei.

A resposta deve tê-la convencido, porque seu rosto se afastou do meu outra vez e ela voltou a brincar com meus cabelos.

— O que aconteceu, afinal? — quis saber Angie.

— Depois que eu falei com você? Não aconteceu muita coisa mais.

— E Amanda?

— Sei lá.

— Ué, você arriscou a vida para encontrá-la e depois simplesmente a deixou ir embora? — ela perguntou.

— Meio que isso.

— Um detetive e tanto.

— Ex-detetive — falei. — Ex.

No trajeto de volta do aeroporto, as meninas gozaram de Bubba por ele ter paquerado a vendedora. Descobrimos que o nome dela era Anita e que era equatoriana. Morava no leste de Boston com dois filhos, um cachorro e nenhum marido. A mãe também morava com ela.

— Que medo, hein? — falei.

— Ah, sei lá, essas coroas equatorianas cozinham pra caramba — disse Bubba.

— Já está pensando em jantar com os pais dela? — indagou Angie. — Nossa. Já pensou no nome do seu primeiro filho?

Isso fez Gabby soltar um gritinho.

— Tio Bubba vai casar!

— Não, tio Bubba não vai casar. Tio Bubba só pegou um telefone. Só isso.

— Você vai ter alguém para brincar, Gabby — disse Angie.

— Eu não vou ter um filho — disse Bubba.

— E para vestir.

— Quantas vezes eu preciso...

— Posso ficar cuidando dele também? — perguntou Gabby.

— Ela pode ficar cuidando do seu filho? — perguntou Angie a Bubba. — Quando tiver idade para isso, é claro.

Bubba trocou olhares comigo pelo retrovisor.

— Faça elas pararem.

— É *impossível* fazer elas pararem — falei. — Até parece que vocês não se conhecem.

Saímos do túnel Ted Williams e entramos na 93 Sul.

— Com quem será, com quem será... — entoou Angie, e minha filha completou:

— ... com quem será que o tio Bubba vai casar?

— Se eu te emprestar minha arma, você me dá um tiro? — perguntou Bubba.

— Claro — falei. — Me dê aqui.

Saímos da escuridão do túnel para o tráfego vespertino enquanto as meninas cantavam e batiam palmas ao ritmo da música. Não havia muitos carros na rua, já que era véspera de Natal e a maioria das pessoas não trabalhava ou saía mais cedo. O céu estava de um cinza-arroxeado. Caíam alguns flocos de neve, mas não o suficiente para que ela se acumulasse. Minha filha soltou outro gritinho e Bubba e eu fizemos uma careta. O grito dela não é um som agradável. É agudo e entra pelos canais auditivos como vidro derretido. Por mais que eu ame minha filha, nunca vou gostar dos seus gritos.

Ou talvez sim.

Talvez eu até já goste.

Enquanto dirigia pela 93 em direção ao sul, me dei conta de como, sem dúvida nenhuma, eu gosto de coisas que incomodam. Gosto daquilo que me provoca um estresse tão grande a ponto de eu nem me lembrar mais do tempo em que não sentia um peso no coração. Gosto daquilo que, quando quebrado, não pode ser consertado. Daquilo que, quando perdido, não pode ser substituído.

Gosto dos fardos que carrego.

Pela primeira vez na vida, senti pena do meu pai. Foi uma sensação tão estranha que por alguns instantes deixei o carro passar por cima das linhas brancas que dividem as pistas, antes de corrigir a direção. Meu pai nunca foi um homem de sorte; sua raiva, seu ódio, seu narcisismo galopante — tudo incompreensível até hoje, vinte e cinco anos depois de sua morte — haviam-no privado da própria família. Se eu tivesse gritado como Gabriella no banco de trás do carro, meu pai teria me dado um tabefe. Ou dois. Ou então teria encostado o carro e ido para o banco de trás me dar uma surra. Com minha irmã era a mesma coisa. E, quando não estávamos por perto, a vítima era minha mãe. Por causa disso, meu pai morreu sozinho. Seus maus-tratos a mamãe fizeram-na morrer cedo, minha irmã se recusou a voltar para Boston quando ele adoeceu, e quando, na hora da morte, ele estendeu a mão para mim por cima da cama de hospital, deixei aquela mão pendurada ali até cair sobre o lençol e as pupilas dele se transformarem em bolas de gude.

Meu pai nunca amou os fardos que carregava, porque meu pai nunca amou nada.

Eu sou um homem com muitos defeitos que ama uma mulher com muitos defeitos, e juntos tivemos uma linda menina que, como eu às vezes temo, talvez nunca mais pare de falar. Ou de gritar. Meu melhor amigo é quase um psicótico com uma ficha mais suja do que algumas gangues de rua e governos. Mesmo assim...

Saímos da via expressa na Columbia Road enquanto o dia acabava de se recolher dentro de um céu agora da mesma cor de uma ameixa. A neve continuava caindo, suave, como se não quisesse se comprometer. Viramos à esquerda na Dot Avenue bem na hora em que as luzes começavam a se acender nos prédios de três andares, bares, asilos para idosos e lojas de esquina. Eu gostaria de dizer que vi uma beleza sublime em tudo isso, mas não vi.

Mesmo assim...

Mesmo assim, aquela vida que nós havíamos construído enchia nosso carro.

Vi nossa rua ao longe e não quis parar em frente de casa e deixar esse instante se esvair do carro. Queria continuar dirigindo. Queria que tudo permanecesse exatamente como estava agora.

Mesmo assim virei.

Quando descemos do carro, Gabby segurou a mão de Bubba e o conduziu na direção da casa para levá-lo ao porão. No ano anterior, tínhamos respondido às suas incessantes perguntas sobre como o Papai Noel conseguia entrar em uma casa sem chaminé garantindo-lhe que, em Dorchester, ele entrava pelo porão. Então ela havia mobilizado Bubba para ir ajudá-la a preparar leite e biscoitos para a aguardada visita.

— E cerveja — disse Bubba quando eles chegaram em casa. — Ele gosta de cerveja. E não dispensa uma vodca também.

— Opa — disse Angie para ele enquanto começávamos a tirar as malas da traseira do jipe. — É a minha filha que você está corrompendo.

Um floco de neve caiu na minha bochecha e derreteu na hora, e Angie o retirou com o dedo. Depois beijou meu nariz.

— É ótimo ver você.

— Também é ótimo ver você.

Ela pegou minha mão queimada e olhou para o enorme curativo que eu tinha colocado na palma.

— Está tudo bem?

— Claro — respondi. — Não parece estar?

Ela me encarou, aquela linda, volátil e ultrapassional mulher por quem eu era apaixonado desde o segundo ano do ensino fundamental.

— Você parece ótimo. Só está com uma cara, sei lá, uma cara pensativa.

— Pensativa.

— É.

Tirei as malas de Angie do carro.

— Uma coisa me ocorreu hoje quando eu estava sentado na beira do rio, jogando fora uma arma de quinhentos dólares.

— O quê?

Fechei o porta-malas do carro.

— As coisas boas que me aconteceram superam os meus arrependimentos.

Ela inclinou a cabeça e lançou-me um sorriso torto enquanto a neve caía sobre os seus cabelos.

— Sério?

— Sério.
— Então você venceu.
Sorvi uma lufada de neve e ar frio.
— Por enquanto.
— É. — Ela continuou me olhando. — Por enquanto.
Ergui uma das malas até o ombro e segurei a outra com a mão direita. Minha mão esquerda machucada segurou a da minha mulher, e juntos subimos o pequeno caminho de tijolos até nossa casa.

AGRADECIMENTOS

Ao tenente Mark Gillespie, da polícia da empresa de transporte urbano de Boston (MBTA), e a Chris Sylvia, do terminal de frete e armazenamento Foxborough Terminals Co. Inc.

A Ann Rittenberg, Amy Schiffman, Christine Caya e minha família de Midtown: Michael Morrison, Brianne Halverson, Seale Ballenger e Liate Stehlik.

A Angie, Michael, Sterling e Tom, pelas primeiras leituras.

E a Claire Wachtel, por dar vermífugo ao cachorro e mandá-lo ao pet shop.

SÉRIE POLICIAL

Réquiem caribenho
  Brigitte Aubert

Bellini e a esfinge
Bellini e o demônio
Bellini e os espíritos
  Tony Bellotto

Os pecados dos pais
O ladrão que estudava Espinosa
Punhalada no escuro
O ladrão que pintava como Mondrian
Uma longa fila de homens mortos
Bilhete para o cemitério
O ladrão que achava que era Bogart
Quando nosso boteco fecha as portas
O ladrão no armário
  Lawrence Block

O destino bate à sua porta
Indenização em dobro
  James M. Cain

Post-mortem
Corpo de delito
Restos mortais
Desumano e degradante
Lavoura de corpos
Cemitério de indigentes
Causa mortis
Contágio criminoso
Foco inicial
Alerta negro
A última delegacia
Mosca-varejeira
Vestígio
Em risco
  Patricia Cornwell

Edições perigosas
Impressões e provas
A promessa do livreiro
Assinaturas e assassinatos
  John Dunning

Máscaras
Passado perfeito
Ventos de Quaresma
  Leonardo Padura Fuentes

Tão pura, tão boa
Correntezas
  Frances Fyfield

O silêncio da chuva
Achados e perdidos
Vento sudoeste
Uma janela em Copacabana
Perseguido
Berenice procura
Espinosa sem saída
Na multidão
  Luiz Alfredo Garcia-Roza

Neutralidade suspeita
A noite do professor
Transferência mortal
Um lugar entre os vivos
O manipulador
  Jean-Pierre Gattégno

Continental Op
Maldição em família
  Dashiell Hammett

O talentoso Ripley
Ripley subterrâneo
O jogo de Ripley
Ripley debaixo d'água
O garoto que seguiu Ripley
A chave de vidro
  Patricia Highsmith

Sala dos homicídios
Morte no seminário
Uma certa justiça
Pecado original
A torre negra
Morte de um perito
O enigma de Sally
O farol
Mente assassina
  P. D. James

Música fúnebre
  Morag Joss

Sexta-feira o rabino acordou tarde
Sábado o rabino passou fome
Domingo o rabino ficou em casa
Segunda-feira o rabino viajou
O dia em que o rabino foi embora
    Harry Kemelman

Um drink antes da guerra
Apelo às trevas
Sagrado
Gone, baby, gone
Sobre meninos e lobos
Paciente 67
Dança da chuva
Coronado
Estrada escura
    Dennis Lehane

Morte em terra estrangeira
Morte no Teatro La Fenice
Vestido para morrer
Morte e julgamento
Enquanto eles dormiam
    Donna Leon

A tragédia Blackwell
    Ross Macdonald

É sempre noite
    Léo Malet

Assassinos sem rosto
Os cães de Riga
A leoa branca
O homem que sorria
    Henning Mankell

Os mares do Sul
O labirinto grego
O quinteto de Buenos Aires
O homem da minha vida
A Rosa de Alexandria
Milênio
O balneário
    Manuel Vázquez Montalbán

O diabo vestia azul
    Walter Mosley

Informações sobre a vítima
Vida pregressa
    Joaquim Nogueira

Revolução difícil
Preto no branco
No inferno
    George Pelecanos

Morte nos búzios
    Reginaldo Prandi

Questão de sangue
Denúncias
    Ian Rankin

A morte também frequenta o Paraíso
Colóquio mortal
    Lev Raphael

O clube filosófico dominical
    Alexander McCall Smith

Serpente
A confraria do medo
A caixa vermelha
Cozinheiros demais
Milionários demais
Mulheres demais
Ser canalha
Aranhas de ouro
Clientes demais
A voz do morto
A segunda confissão
    Rex Stout

Fuja logo e demore para voltar
O homem do avesso
O homem dos círculos azuis
Um lugar incerto
    Fred Vargas

A noiva estava de preto
Casei-me com um morto
A dama fantasma
Janela indiscreta
    Cornell Woolrich

ESTA OBRA FOI COMPOSTA PELO GRUPO DE CRIAÇÃO EM GARAMOND E
IMPRESSA PELA GEOGRÁFICA EM OFSETE SOBRE PAPEL PAPERFECT
DA SUZANO PAPEL E CELULOSE PARA A EDITORA SCHWARCZ
EM JANEIRO DE 2012